新潮文庫

批評家失格

―新編初期論考集―

小林秀雄著

新潮社版

11329

目次

批評家失格

――新編初期論考集

断片十二

会話と電気

「一度会って喋って、あの男は確りして居ると思ったが、案外下らない奴だと解って来た」などと言う人がある。斯んな馬鹿気た話はない。会話と云うものは、もっと恐ろしいものだ。会話の言葉に幻惑されてその中の電気を感じないからそう言う事になる。勿論日常の会話は、どんな馬鹿な人間の間のものでも、お世辞と虚飾で捏ね返した貴夫人のものでも、電気が通って居ない事はない。唯、多く、大切なのは電気だと言う事を感じて居ないだけの事だ。だから、練習した弁論術を女を口説くのに応用し様なんて高等学校の学生も出て来る。処が、此の高等学校の生徒は、小説に現われた会話を読む時には、客観的に眺められる結果として会話の電気に対して幾分敏感になる。そして、これは生きて居ると感心する。一方、電気のない会話を書く作家は、不思議に電気のあるように見せ掛ける術に巧みだ。始末に悪い所以である。

才　気

月評を読むと、よく新進作家が才気を振り廻わすと叱られて居る。然し、才気などと言うものは薬にしたくも、持合せて居ない者が、才気を振り廻してはならぬと言うのは笑止の沙汰だ。所謂才気よりもっと高いものが芸術には如何しても必要だ位は、馬鹿でも心得て居る。が才気は芸術家の一つの*エレメントたる事は争えぬ。*十返舎一九から、才気を採ったら恐らく何も残るまい。然し彼の才気は天才の縄張りだと言う事を忘れてはならない。*浪六の小説は下らないかもしれない。だが、私は「よく舌が廻るなあ」と感心して居る。

花崗岩

フローベルが「馬鹿は花崗岩だ。打突って行けば、当方がペチャンコになる許りだ」と嘆いた。彼は小説を書く時には、ペチャンコになる事を、一生懸命注意したらしいが、「ボヴァリー夫人」だってペチャンコになった彼の悲鳴が、ちょいちょい顔を出して居る。斯う言う天才の悲鳴を誰が軽蔑出来よう。*微苦笑芸術と言うものがあ

る。これが、*久米正雄氏の体験と、性格から出来上ったものなら何も文句はないが、吾々若い人達が、高慢チキな鼻の先で、微苦笑を振り廻して人生を胡麻化そうとするのは苦々しい事だ。

技巧

「内容から技巧を離して考える事は出来ない」と言うことは解り切った事だが、これを徹底して考えて居る人が少いのは妙である。拙劣だと思い乍ら、感心する作品が世の中には事実在る。然し、そう言う作品の持って居る*Idea は必ず、質朴とか単純とか言う簡単なものである事を見逃してはならない。精練されたIdeaが、拙劣な表現で現われて来る道理はないのだ。単純なIdea は必然的に拙劣な技巧を要する。拙劣な作品が心を打つ場合、その技巧の拙劣とは、要するに外面的のもので、或る部分には必ず妥当な、立派な技巧を持って居るに相違ないのだ。

*志賀直哉氏の事

*広津氏や、*菊池氏の志賀直哉論を読んでも、志賀氏の有する立派なユーモア、鋭い感覚から来る気味の悪さの魅力、独特な*Eroticな味、などの事に少しも言及して居

ないのは如何したことか。

ユーモアは機智（ウイット）のお化けではない。気味の悪さは、芥川氏*の気味悪がった小説の様な一つ目小僧の玩具（がんぐ）ではない。芸者との腐れ縁を長々と書くのが必ずしもErotic でない。

Meditative な性格

イプセン*の性格は、確かに戦闘的であった。それが無かったら「人形の家*」は書けやしなかった。然し、あの中に、ランク*を蛇の様に匍（は）わせる性格が彼になかったならば、「人形の家」は書けやしなかったのだ。一層判然（はっきり）言えば、彼に「ペーア・ギント*」を書いたMeditative*な受動的な性格が無かったならば「人民の敵*」は現われずに終ったろうと言うのだ。戦闘的の性格は、芸術家に、必ずしも必要でないかも知れないが、Meditative な性格がなければ決して芸術家になれぬ。書こう書こうと、いきり立って居ても小説は書けるものでない。

魂で書く

「魂で書くなんと言う金ピカの言葉は、中学生*に呉（く）れてやる」*と芥川氏が言った。確かに尤もな事に相違ない。だが、これが、文学青年に対する皮肉なら、薬が利き過ぎたのに苦笑して居ることだろう。何故なら、書こうにも魂の持合せがなく、金ピカの技巧で、テカテカ手際よく磨きたてて得意になって居る連中がウョウョして居るではないか。彼等は、「*戦争と平和」の*ピエールが、時々眼鏡を掛けるのを忘れて居る。ザマあ見ろ、と言って居るのだ。

独歩

*独歩の偉さは、勿論否定することは出来ぬ。然し、彼が、床屋の香水を*ヘリオトロープと間違えて居た事に気が附かずに、*三拝九拝するのは滑稽である。

文壇

今の文壇に、碌な作家は居ない、などと言うのは、要するに*フィリスティンの寝言に過ぎない。*欧洲の大戦が終って、それが歴史の教科書に載ると、初めて成程と思う様なものなのだ。*ベネットが言っている。「今の英国文壇に碌な作家は居ない、とよく人が言うのを耳にする。だが、あと百年も経って見ろ、昔は、*コンラッドとか、*ハーデーとか言う偉い作家が居たが今の文壇の醜体は何んだと言うだろう」

ユーモア

＊茶番の役者が、自分の演って居る滑稽に釣り込まれて笑う。これが、見物の笑えない原因である。小説にユーモアを出そうとするのも畢竟この呼吸を出ない。言って終えば、何んの事もないが、此の呼吸をのみ込んで、純粋なユーモアの味を出すことは、実に至難の事に属する。広津和郎氏の「閑人」＊の如きは、テーマは確かにユーモラスに相違ないが、作者が、それを取扱う態度にユーモアが欠けて居る結果、純粋のユーモアの味は完全に無くなって居るのだ。勿論この場合、氏の作品の価値には関係のない問題であるが。

自然の描写

自然の美は、単純に「暗くなった」、「雨が降りだした」という様な簡単な言葉に依ってのみ到達されると言うチェホフ＊の言葉は乱暴だが、味う可き言葉だ。「大海の無感覚に反感を起させる」と言ったがボードレル＊を偏えにデカダン＊とけなす者は、先ず自分のさつま芋の様な神経が、自然の美を摑んで居るか如何か確めるがよろしい。ボードレルは自然の美の鋭さに堪え切れなかったに過ぎぬ。情緒の色眼鏡なんかで、自然の美を胡麻化そうとする処に自然描写の失敗がある。

子供の描写

私の友達が、横光利一氏の「赤い色」を読んで、その中の子供が、横光利一氏の目で自然を見て居ると非難した。斯ういう非難に対して、「ではモーパッサンの無頼漢がモーパッサンの様に雄弁に喋るのは如何した事だ。小説たる以上、作中の人物が作者の傀儡となることは致し方がないではないか」などと言う反対は少し見当が外れて居る。それは小説作法上、陥るのは仕方がない外面的の不自然に過ぎぬ。然し前の場合は、明かに矛盾である。いつか宇野浩二氏の「兄弟」を読んで、「オルガンの前に置いてある様な凭れる処のない小さい丸い椅子」と言う様な、鮮かな、子供らしい表現に感心した事がある。勿論、椅子は子供が眺めて居るのである。

佐藤春夫のヂレンマ

諸君は、よく活動写真で、大変な天才画家が、アトリエにおさまっている処を見るだろう。おんなじ事だ。私は「*おれもそう思う」の中で、*アンドレ・サルモンにレッテルを貼られた天才画家の形骸が踊るのを眺める。

俗人の間に生存するには、余りに純潔無垢な心情を持ち、その天使の様な心情の為に、売笑婦を皇女と信じた一天才画家が、世に狂人と取り扱われる姿は、社会に対してどんな*アイロニイであるかが、この作者は書き度かったに相違ない。

あらゆる天才の存在というものは、社会に対して一つのアイロニイとなる。特に、運命の悪戯の為に、生涯が悲劇に終った*ポオの様な種類の天才に於いては、アイロニイの色が益々濃くなる事は事実である。処で、ポオの生涯が社会に対して一つのアイロニイであると感ぜしめるものは何であるか？　彼の「*大鴉」ではないか。彼の「*黒猫」ではないか。同様に、「おれもそう思う」の主人公マキ・イシノの場合でも、それは、サルモンの激賞した彼の画でなければならぬ。そして、「黒猫」を書いた事は、ポオ自身の秘密であるが如く、マキ・イシノの生活を表現するものは、彼の画を措いて他にないのだ。即ち、マキ・イシノは、彼の持つ天才の秘密を以って彼自身を表現する事は出来るが、マキ・イシノを表現する事は、彼をのぞいては如何なる天才にも不可能だと言う事だ。此処に、作者の陥ったヂレンマがある。マキ・イシノは御誂え通り書けていないのだ。然し、こんな議論は大した事ではない。重要なのは、作者がこの単純なヂレンマに、平気で飛び込んだという事である。此処に*佐藤春夫氏の感傷があるので、「おれもそう思う」は、「*お絹とその兄弟」以来の氏の純情に対する憧憬の爆発である。所謂国立図書館を出てモンパルナスに登る*ミューズへの嘲笑の爆発である。爆発であるから平凡な百姓女のお絹では仕方がない。舞台も巴里にする、主人公も「*ＦＯＵ」にする、おまけに天才にすれば、猶好都合だ。そして、最後には、主人公の芸術に対して、サルモンが批評を書くという塩梅にして――斯く空想して行く佐藤氏の姿は、完全に感傷の波に漂う幻想家である。この陶酔にあって、性格も実在性もあったものではない。況やヂレンマをや。

佐藤氏の感傷は、同時に氏の不安である。片目で*ジュウル・ラフォルグを睨み、片目で*アンリ・ルソオを睨むものの不安である。

真実の芸術家にとっては、自分の存在が社会に対して一つのアイロニイであると感ずる事は、決して彼の創造の観念とならない。何故なら、それは彼の魂の寄生的な一情緒に過ぎないから。即ち生きるという事でないからだ。自分を海員に捕獲された信天翁に譬えた即興詩が、ボオドレエル*にとって生涯の関心事となったならば「悪の華」は出来なかった。ルソオには、木の葉だけが必要だった。惚れない女に惚れて、貧乏して、ヴァイオリンを鳴らす自分の姿はいらなかったのだ。処で、ラフォルグは、自分のアイロニカルな姿を生涯の関心事とした男だ。シモンズ*が、死につつある作家と評した所以である。而も、彼が芸術家であったのは、その惨めな姿を意識して、その自己憐憫を抱いてこの世から遁走するのに、彼の生涯の血と涙とを賭した事にある。だから見給え、彼の書いたハムレット*は彼の熱情で慄えている。

佐藤氏が、「美しき町*」を長く書いていられない所以は、ルソオには森で拾った木の葉を写すことは生きる事だが、氏にとっては「美しき町」を書く事が生きる事ではないからだ。氏が「美しき町」を下って来て猶不安な所以は、自分の存在が社会に対して一つのアイロニイであると感ずる事が、寄生的の一情緒であると同時に氏の魂の関心事となるからだ。

マキ・イシノは、「天才は社会に対して一つのアイロニイなり」という概念の衣を著て氏の奏する情調の音楽につれて舞踏する。

私は、マキ・イシノの画が見度い。案内書はいらないのだ。だが展覧会場が巴里と聞いては、余りに遠すぎる。

性格の奇蹟

電車に乗って前に腰掛けた人間達の顔を見渡してみたまえ。如何に壮大なる愚劣を発見する事か。兵隊も紳士も番頭も、神様から戴いた顔を如何しようもなく肩の上で動かしている光景は、如何にすばらしく無惨な事か。

性格とは顔である。それは画家の仕事だと言うのか？ 然し、黙って坐っていた兵隊が口を開いた途端、画家の観念は、忽ち小説家の*イリュージョンに移調されて行く事を如何しよう。而も、会話から会話者の行動を取り去ったあとに一体何が残るか？ 性格とは行動である。

「*アンナ・カレニナ」が心理学者を軽蔑する所以は、カレニナの心理が複雑多岐という事ではない。彼女が行動する女であるという事だ。「*狂人日記」で、ゴーゴリが何処(こ)で狂人の心理を描こうとしているか？　而も、狂人でない人間が人生の何処に存在しているのか？　*ブールヂェの小説の退屈さを考えてみるがいい。「*カルメン」の秘密を考えてみるがいい。そして、諸君の崇拝する*ドストエフスキーの言葉を考えて見るがいいのだ。「*世間では、私の事を心理家と言っているが当らない。私は、立派な写実家だ」

芸術家にとって、人間の性格とは、その行動であって断じて心理ではない。人間の或(あ)る逆説的な一心理、そんなものが摑(つか)めない様では一心理学者にもなれやしない。而も、如何に、この逆説的な一心理などというものが現代多才の新人達の玩具(がんぐ)になっている事か。取り附き易(やす)いのだ。いつも心理学者のメスの下にころがっているから。嬉(うれ)しいのだ。それは概念だから。概念を巧みに摑むと*主観派になる。概念の包摂作用が目茶になると*新感覚派になる。

トルストイが写真師と称したチェホフが日本で写真術の様に流行した時、彼等は会社員の様な熱情で一寸(ちょっと)いじってみたが直(す)ぐ倦(あ)きた。文学史の掃溜(はきだ)めの中にたたき込み乍(なが)ら彼等は叫んだ。「吾々(われわれ)は、もっと主観的にならねばならぬ」「*六号室」に奔溢(ほんいつ)たるチェホフの恐しい主観の上に一体君は何が必要なのか？　フローベルと*メーテルリンクと一体何方(どちら)が主観的なのか？

*ドン・キホーテという男を頭に描く事は出来るであろうが、*ポーの書いた*リジアという女を想像する事は出来ないだろう。*ストリンドベルヒの舞台には*ラネーフスカヤ夫人の代りに、*エドガーという幽霊が出る。処（ところ）で君は人間を描こうとするのか？　よろしい、描いて見給（みたま）え。屹度（きっと）心臓を描く事を忘れるから。幽霊を描こうと思うのか。よろしい。屹度足が生えるから。

この混乱は何処から来るのか？　此処（ここ）で、一つ旋回をして一言で言い切るならばそれは君が性格を所有していないという事である。

第二の秘密が顔を出す。芸術家の性格という事である。人間の性格が行動であって心理ではないと観ずる事は、いわゆる概念が飛散した最後に残る芸術家の純精なイリュージョンに他ならぬ。このイリュージョンを摑んだ時、彼は芸術家の性格というものを発見するのだ。そして又この時、彼の周囲のあらゆる性格が消滅するのだ。見渡すものは幻怪な行動の神秘なのだ。

チェホフにとって、人間達は性格のない癖だけを持った塊に過ぎなかった。そして彼は死ぬまで、*賽(さい)の河原に坐(ざ)して石塊(いしころ)を重ねていた。*ストリンドベルヒは、彼の脳髄の細胞のみをエルサレムの最後まで追跡して飛翔(ひしょう)した。それが彼等の発見した性格の命令であったのだ。如何(どう)仕様もない魂の陰影だったのだ。

真の芸術家にとって、美とは彼の性格の発見という事である。そして彼の発見した性格の命令は唯(ただ)一つである。独創性に違反する事はいかなる天才にも許されぬ。「私は、今月*本格小説を二つと*心境小説を三つ書きました」。馬鹿奴(ばかめ)が！

*測鉛 I

*懐疑派とは器用に、感受性のカタログの作れる男だ。それだけだ。

立派な芸術は必ず何等(なんら)かの形式ですばらしい肉感性を持っている。

人間は現実を創(つく)る事は出来ない。ただ見るのだ、夜夢を見る様に。人間は生命を創る事は出来ない。ただ見るのだ、錯覚を以(もっ)て。

人間には見る事だけしか許されていない。真理というものがあるとすれば、*ポールが*ダマスの道でキリストを見たという事以外にはない。

人間が見たものを表現しようとするのは、蜈蚣(むかで)が歩くのに何(ど)の足から動かそうと考えるのと同じである。蜈蚣は一寸でも動けるか？　若し少しでも動けたならそれが作品というものである。

芸術家は、みんなが忘れている事に気がつく人間だ、と。然しこれ以外に芸術家の仕事は断じてないという事は多くの人が忘れている。

測鉛 II

批評というもの

今や批評の時代なのだそうである。現に、昨日或る男に会ったら「今や批評の時代だ」と、彼は親父でも殺して来た様な顔をして叫んだ。結構な事である。何故君は、「今やラヂオの時代である」と怒鳴らないのか？

各雑誌は、それぞれ大家を擁して文芸時評なるものをやらせている。そして彼等は言うのだ、「批評というものは難しいものだ、若い人達は先ず創作に専心するがよろしい」と。尤も僕は彼等がこんな事を言っているか如何かは知らぬ、然し確かな事は彼等はこんな調子で批評というものをしているという事だ。もっと確かな事はこの若い人達が仰せに従って「僕達に批評なんかする暇があるか」と、不二家でコーヒーをのんでいる、という事だ。扨て最後に創作をする暇のない若い人達という事になるのだが、と言うのはつまり創作に落第した男に相違ないと僕は信ずるのだが、彼等こそ恐らく批評家をもって自任する唯一のものだ。流石に彼等の論旨は奇妙に明快だ、「*階級意識がない、故に悪作だ！」と。

若し批評家というものが愚劣な作家は早速拘引し、大芸術家には賞状を呉れる検察官だったらこれ程簡単な事はない。処が美には断乎たる法則はないし、絶対的な形式もない、第一芸術活動は決して子供の喧嘩ではない。仕方がない、批評は心理的になって行くのだ、つまり*サント・ブーヴは言うのである。「*批評家とは精神の植物学者だ」と。処が芸術という植物は自然の植物よりももっと気まぐれである。植物が気まぐれに発達しては植物学者は困るのである。今日解体した世紀に、花園は如何に多様な花を開いたか？諸君はこのあらゆる*奇葩を眺めて、一体如何んな間抜けた顔をして第二の*テーヌを*翹望するのか？

*印象批評なるものが生れた所以である。

印象批評というものは我文壇ではずい分虐待されて来た様だ。僕は菊池寛氏が*「文芸往来」中で印象批評を難じた一文を読んだ事を記憶している。ことに階級意識なんていう怪しげな物差の所有者は目の仇にしている様である。諸君は言う、趣味というものは個人によって千差万態だ、印象批評というものは趣味を準度としなければならぬ、だからだらしがないのだ、と。だが諸君は最も重要な点を忘れているのだ。印象批評というのは印象を羅列するのではない、ことにろくでもない印象を。印象を判断するのではない、印象を了解するのだ。

「了解？　じゃ批評は何処にあるんだ？」

「ええい！　そんなら批評なんてなくなっちまったんだ」

然し冗談は止めとしよう。*アナトール・フランスの*"La Vie littéraire"は恐らく典型的な印象批評集だろう。その中で、彼が如何に残酷にボードレールや*ゾラをやっつけているか！　彼は*エピキュリアンの心臓をもってボードレール、ゾラを了解したのだ。

*準度とは元来理智が抽象した形式である。趣味をもって了解する時如何して趣味が準度となり得るか。処が始末に悪いのは多くの人々は趣味を準度としているという事だ。もっと適切に言えば、彼等は批評に於て趣味を準度の一形式としてしか理解しないという事だ。常に生々たる趣味を持っているという事は洵に信じられない程難しい事なのである。趣味とは心臓の理論である。深刻な良心である。すると諸君は言うだろう、「趣味とは心臓の理論だという事は承知した。では批評の普遍性というものは一体何処から来るのか？」と。*ベルグソンが僕に代って答えて呉れる。「*普遍性と

いうものは原因にあるものではない、結果にあるのだ。普遍性とは改宗の情熱以外の何物でもない」と。

霊感なんというヘンテコな怪物は世の中に住んでやしない。「唯働け」と*ロダンは言った。その通りである、人間は唯働く事しか許されていない。立派な作品は天来の声を持っているかも知れない。だが作者が天来の声をまって仕事をしたなら作品は永遠に出来上りはしない。彼は恐ろしい自意識をもって働いたのだ。では自意識とは何んだ？批評精神に他ならぬ。批評を措いて創造というものはないのである。こんな事は僕が今更の様に喋々するまでもない事だ。否事だと信じたいのである。多くの人はそりゃあ解り切っているという。処が大概解っていない。凡そものが解るという程不可思議な事実はない。解るという事には無数の階段があるのである。人生が退屈だとはボードレールもいうし、会社員も言うのである。

芸術は二二んが四では出来ぬと言う時、諸君は必度次の事を忘れる、つまり芸術家は彼の理論によって二二んが五であると明かに意識しなければ作品は出来ぬという事だ。芸術は腹芸だという時、腹芸とは最も精妙な自意識である事を忘れる。

趣味のない批評家、つまり良心のない批評家は如何なる作品の前に立っても驚かぬ。何故って徐にポケットから物差を索り出せばよいからである。だが少しでも良心をもつ批評家は物差を出すのが恥かしい、だから素手で行こうとする。処が途中で止って了う。これから先は兎や角言う可きでない、すばらしい！　と溜息なんか吐いて了う。何故君は口から出ようとする溜息をじっと怺えてみないのか？　君の愛と情熱との不足が探究の誠実を奪うのだ。若し君が君が前にした天才の情熱の百分の一でも所有していたなら、君は彼の魂の理論を了解するのである。何故って君の前にある作品を創ったものは鬼でもなければ魔でもないからである。この時君に溜息をする暇があるだろうか？

勿論芸術作品には一絶対物があるのである。あらゆる自意識の化学を越えた、あらゆる批評の埒外に出た一絶対物があるのである。然しこの事は作者の自意識の化学が如何に執拗であったかを証するとしても、作者が霊感をまって創作したという証明には少しもならない。

絶対とは誠実なる自意識の極限値なのだ。不断の理論の影像は遂に絶対に収斂するのである。芸術活動が遂に神との協作であるとはかかる自意識の苦痛に堪えた人のみが言える事なのだ。

僕はこの間「新潮」の七月号に掲っていた室生犀星氏の「芥川龍之介論」を読んだ。僕には全然面白くなかった。初めてあった時、芥川氏はこんな顔をしていただとか、*「枯野抄（かれのしょう）」より「*トロッコ」の方が技巧が進んでいるだとかしか書いていない。室生氏は終始芥川氏の美神の前に*頓首（とんしゅ）している。僕は今の日本の文壇で芥川氏の頭程美神と宿命とが奇妙な喧嘩をしている頭を知らない。この喧嘩を摑（つか）まねば「芥川龍之介論」なるものは無意味とさえ信じている。*いずれ書きたいと思うから此処（ここ）ではクドクド言うまいが、唯最も重要な事を言って置きたい。室生氏は芥川氏の「*河童（かっぱ）」を作者のオモチャ箱だと言っている。それはオモチャ箱でも何んでもよろしい。問題は作者が何故に自分のオモチャ箱を人に見せずに居られなかったかにあるのである。ここに作者内奥（ないおう）の理論があるのだ、ここに作者の宿命の*主調低音が聞えるのだ。ここに到（いた）って批評をするものは批評が君自身の問題となって来るという事を悟るであろう。

芸術家は生命を発見しただけでは駄目である。発見した生命が自身の血肉と変じなければならぬ。芸術家の真の苦悩とは、この*葉緑素的機能の苦悩である。批評論とは生命の発見を定著（ていちゃく）したものだ。作品とは生命の獲得を定著したものだ。批評とは生命の獲得ではないが発見である。これ以外に批評の真義は断じて存せぬ。

今や批評の時代が来たのだそうだ。諸君はお好みによって時代意識でも階級意識でも文明批評でも捜索に出掛け給（たま）え。丁度*サンチョ・パンザが紛失した*驢馬（ろば）に乗って紛失した驢馬を捜しに行く様に。

大衆文芸

近頃大衆文芸というものに就いてやかましい議論がある。「斯く考え来ると大衆文芸と純文芸とは何等異る処はない」「斯かる点より見れば大衆文芸と純文芸との差違は次の点に存する」等々。だが一体こんな事を兎や角言って何になるというのであろう。

頭の上に太陽が照っている限り、人生に娯楽というものが無くなるわけがない。この娯楽が時勢と共に複雑になってゆくのに何の不思議があろう。今日浅草公園の玉屋で*クレオパトラがやった玉突を始めたって客は招べまい。楊子を咬えて丸*ビルのエレベーターを上下する当年の紳士の欲求に応じて講談が少々ハイカラになった処でそれが何であるか?

君は大衆文芸とは何ぞや、と骨折って論じているが、元来大衆文芸という言葉を発明したのは君自身ではないか。奇妙な事である。隣の疝気を頭痛に病む処ではない。大衆文芸という言葉が出来る以前から*中里介山は存在していた、丁度スポーツという言葉が発明される以前からマラソン競走はあった様に。処がマラソン競走はスポーツという言葉が出来たからといってマラソン競走に違いないのだが、大衆文芸という言葉の発明は「*大菩薩峠」を変貌させるから困るのだ。詩人は言葉を弄ぶという、だが詩人は君達の様に言葉に弄ばれはしない。

*新潮社の世界文学全集が四十万の読者を得たそうだ。*ヴィクトル・ユーゴーと中里介山と横光利一と斯う名前を並べてみると、一体どれが一番多く読まれているんだか僕には全く見当がつかぬ。大衆万歳だ。*ペリクレス時代のアテネの鍛冶屋が*デモステネスの様に喋ったり、*ルイ十四世治下の宿屋の女中が*ラシイヌの様な恋文を書いたりした様に、やがて日本にも床屋の小僧が「旦那、空が彼女の瞳の様に曇って来やした」なんて言う様な有難い時代が来るかもしれない。だが、こんな時代が来たとしても文芸家の仕事が容易しくもならなければ難しくもならないという事は確かである。

ヂャーナリズムというものがある。これもずい分現代に幅を利かせている言葉だ。「俺の小説が愚劣なのはヂャーナリズムの御蔭だ」などという。そんなにヂャーナリズムというものが憎らしいのなら芋虫の様に踏み潰したらいい。処が踏み潰せない、何故かというとヂャーナリズムというものは道端を這っている虫ではないのだから。大衆文芸とても同じ事だ。「俺は決して大衆の為に書いているんじゃない。だから俺の小説は大衆文芸ではない」などという。然し芸術家は大衆の為に書くのでもなければ、自身の為に書くのでもないのである。だから*アンドレ・ジッドは言った。「*芸術家に偽善を強いる事は大衆の義務である。でなかったなら芸術家は自分の作品に対する誠実性というものを一体如何始末したらいいのだ」と。

芥川龍之介の美神と宿命

*芥川龍之介氏の文学的生涯は大正五年から今日まで僅か十年に過ぎない。だが、この期間はこの神経的存在にとって最も不都合な時節だった事は争われない。明治という時代も、勿論今日と比べて猥雑でなかったとは言えまいが、兎も角明治という時代には強いロマンティスム*があった、一束々々膝げられて輸入された総勘定を終った欧洲文明は様々の陶酔の形式を生んだのだ。暴威を振った無味平淡な自然主義*も畢竟*このロマンティスムの一面に他ならなかった。大正は必然にこの反動を食らって解体した。後世の文学史家が芥川氏を目して「この文学的解体期は一人の犠牲者を生んだ」と書くとしても、嘘ではあるまい。

自殺——これは芥川氏の生涯に於ける一つの劇である、洵に凄まじい一つの行動である。が、それ以外の何ものでもない。彼の作品と彼の自殺とは何等論理的関係はない。重要なのは自殺なる行動ではなく、自殺の理論である、つまり彼の自殺的宿命である、氏自身の言葉を借りれば彼の「星」である。少くとも僕には、批評の興味というものは作品から作者の星を発見するという事以外にはない。で、僕は多くの人々に依って芥川氏に貼り附けられた様々の便宜的レッテルを一切無視したい。

ここに最も個性的な一章句がある。

「僕はどう云う良心も、――芸術的良心さえ持っていない。が、神経は持ち合せている」（「僕は」）と。彼は決して人の信ずる様に理智的作家ではないのである。神経のみを持っていた作家なのである。「鼻」に始って「河童」に終るまで、彼の全作品は殆ど逆説的心理の定著で終始しているが、僕は嘗て彼の作品に理智の情熱を感じた事がない。そこに在るものは寧ろ常に神経の情緒である。彼が人生を眺める角度が如何に神経的であるか、如何に羸痩であるか、という事は、僕の信ずる処では実に多くの人が看過する事実である。

彼の様な芸術家が現実に肉薄しようとする時に持つ武器は逆説的触角であり、逆説的測鉛であるが、彼はこの測鉛を曳いて流続する現実の流れをあらゆる角度から眺め様とする、現実をあらゆる舞台と舞台裏とに解析しようとする。彼の発見する様々な逆説的風景の蒐集が豊富になればなる程、精妙になればなる程、彼は現実に接近して行くと錯覚する。だが現実は必ず逃げる。如何に精妙に舞台と舞台裏とを結合しても吾々(われわれ)は現実の劇を得る事は出来ぬ。逆説的測鉛を曳くとは現実をあらゆる点に於いて固形化しようとする事だ、生命をあらゆる点に於いて凝結させようとする事だ。彼は白を得んとして黒を否定するのだ。人生から不断の引き算を行うのだ。必ず剰余が残る。この最後の算術的差を如何にして始末しようという事が、最上の作家達の窮極の問題となるのだと私は思う。早や何物も減ずる事が不可能となった時、彼等は何物かを附加するのである。つまりこの算術的差をそのまま一つの逆説と変ずる事が、彼等全身の要求となるのである。例えばここにこの瞬間に於ける言葉がある、*「心の貧しきものは幸いなり」と。この言葉は逆説的表現ではない、逆説そのものだ。重要なのはこの言葉の逆説的表情ではないのだ、逆説そのものの現実性である。つまりキリストが毒をもって毒を制するが如(ごと)く、この最後の算術的差を始末した瞬間の一真実の現実性である。

芥川氏は決して逆説家ではないのである。彼は逆説的風景画家なのだ。若(も)し彼を逆説家と呼ぶならば、畢(つい)に逆説というものを了解しなかった逆説家なのである。

僕は算術的差と書いた。が事実は逆説的測鉛は常に*循環論を描くものだ。いや、若し作家の理智が現実を縫う逆説的曲線以外のものでないとすればそこに完全な循環論はない筈だ。彼は螺階的に上昇する筈だ。人間は同じ円周をどの位廻らねばならないか！　こうして人間はささやかな円周の食い違いを発見して行くのだが、この発見は常に最も非生産的な、或は愚劣以外の何物とも見えない忍耐を必要とするのである、沈黙を必要とするのである。

逆説的測鉛を曳くものは、測鉛の重さによって不断の罰を受ける。つまり彼は測鉛を曳く宿命を負った自身の危険な資質を意識するのだ。逆説的糺問に、背後に隠れた自身の心理的羸弱を意識するのだ。彼は道化となり、狂者となる。若年のドストエフスキイは言った。「今私に唯一つなすべき事が残っている。それは発狂する事である」と。

芥川氏はこの心理的羸弱を嘆じた事は嘗てない。彼にとって測鉛は永遠の笞刑では決してなかった、それは彼が発明した衛生学であった。理智の情熱では決してなかった、神経の飛躍であった。幸か不幸か彼の夢は充分に迅速ではなかったのである。「或日の大石内蔵助」「枯野抄」「お富の貞操」等彼の作中最も心理的なものすら僕に心理的興味より絵画的興味を起す所以は恐らくここにあるのだろう。

彼は言う。「ヴェルレェン、ラムボオ、ボォドレェル、——それ等の詩人は当時の僕には偶像以上の偶像だった」（「彼」）と。然し僕にはこれを一つの戯画としない以上了解出来ない。それ等の詩人程彼から遠いものはない。

人間は現実を創る事は出来ない、唯見るだけだ、夜夢を見る様に。人間は生命を創る事は出来ない、唯見るだけだ、錯覚をもって。僕は信ずるのだが、あらゆる芸術は「見る」という一語に尽きるのだ。

芸術家にとって最も驚くべきは在るが儘の世界を見るという事である。勿論或る者は*可見世界を幻想とするだろう、或るものは幻想を可見世界とするだろう、見るものは常に一つではない、それがこの世のものであろうがこの世のものでなかろうが関する処ではない。あるが儘に見るとは芸術家は最後には対象を望ましい忘我の謙譲をもって見るという事に他ならない。作品の有する現実性とはかかる瞬間に於ける情熱の移調されたものである。

芥川氏は見る事を決して為なかった作家である。*彼にとって人生とは彼の神経の函数としてのみ存在した。そこで彼は人生を自身の神経をもって*微分したのである。彼は人生の相対性そのものに決して情熱を感じた事がなかった作家なのだ。彼の作品中最も現実的な「*一塊の土」にすら僕が二人の女主人公の試験管中に入れられた心理の断片しか見ない所以は恐らくここにある。

世には様々な宿命がある。*サン・バッドの冒険から都会の闇黒に顔を出して消えてゆく*一盲人の生涯に至るまで。だが人間にとって行動が偶然に満ちている様に思索も又偶然に満ちているものだ。吾々は思索した影像を整理する事は出来るが、意識の水平線上に星の如く現れる影像そのものを如何ともする事は出来ない。彼は理論を発明し、理論に発明され乍ら進まねばならぬ。一作家の宿命とはこの精神の宿命である。自然は様々の美神を持っている。どんぐりの輪郭から空気の色彩に至るまで。否、自然は一人の美神である。概念の上で美は醜無くして考えられない。然し作家の求めるものは自然という実質の美神である。

あらゆる芸術が畢竟一つの*観念学に外ならぬ所以は芸術家が人生を把握するのは芸術家たる宿命の抽象的思想の力だからである。又芸術が畢竟色彩した観念学に外ならぬ所以は芸術家が彼の理論の*眩暈をもって美神という実質を獲得するからだ。美神と宿命とは交流電気の如く芸術家に作用する。勿論結果的に区分出来ぬものである。然し芸術活動というものが若干の忘我を要する程極端に意識的な活動である以上、原理的には区分があると僕は信ずる。芸術家はその資質に従ってこの何れか一つから始めねばならない。恐らく画家の脳髄は美神より宿命に向って動くのだ。文学者の脳髄は宿命より美神に向って動くのだ。芥川氏にはこの方向がなかった。彼は美神の影を追い宿命の影を追って*彷徨(ほうこう)した。

彼にとって自然が美神となり、理論が宿命となる代りに、彼には、人生を最も切実に生きるが恒久の実質のないものに見えた散文が彼の宿命と見え、人生を切実に活(い)きないが最も命の永い実質を有するものと見えた*抒情詩(じょじょうし)が彼の美神に見えたのである。

斯(か)くして彼の個性は人格となる事を止(や)めて一つの現象となった。

「悪の華」一面

嘗て如何なる天才も無礼にも仮面を強請されることなしに吾が国に輸入された例はない。丁度あらゆる舶来煙草が専売局のレッテルを必要とした様に。＊シャルル・ボオドレエルという不可思議に独創的な一歪像が、その無類の＊連禱＊“Les Fleurs du Mal”の出現以来七十年にもならんとする今日、吾が国に於いて＊無稽の評価を蒙っている事は＊毫末も怪しむに足りない。恐らく評価という言葉すら許されまい。殆ど痴呆の如き無関心と感傷愚劣な厭嫌と児戯に等しき好奇のみがある。若しシャルル・ボオドレエルが人の言う如く、近代人の試金石ならば、現代日本が不埒な手つきで、この漆黒な石の表面に描いた線条は凡そ無慙なる赤銅色を呈している。

「悪の華」が＊浪漫派と＊象徴派との間に架した燦然たる橋梁の上に如何なる美学を樹てんとするか、この繊鋭孤独な脳髄の上に如何なる心理学を築かんとするか、或は彼が童貞であったか黴毒であったかに就いて如何なる文献を検せんとするか、僕は知らない。一言にして言えば僕は批評家として失格する。

然し僕は信ずるのだが、人はあらゆる真理を発見する事は出来るが、あらゆる真理を獲得する事は出来ないものだ。ボオドレエルの大脳皮質には様々の真理が棲息したであろうが、彼の血球と共に彼の全身を旋回した真理は唯一つである。あらゆる芸術家が彼一人の秘密を抱いて死する所以だ。「悪の華」はその精妙なる実現をもってするも、この血球の秘密の前には畢に狭隘蕪雑な花園に過ぎまい。この秘密は恐らくは詩の行間の余白に、*オランダ紙の繊維の裡に顫えているであろう。かかる時美学が何を仕様とするのだろう。彼の作品から吾々は*ダンディスム、*カソリシスム、*エキゾティスム等々と好む処を抽象することが出来る。だが、かかる様々の標本も単に彼に不用だったからこそ彼が背負っていられたものではないか。彼の生活の諸挿話から吾々は多少は精密な彼の心理学を構成する事は可能である。然し彼の生活の階調を創る事は出来ない。若し彼の生活の階調の為に彼の*サバティエへの縁切り状が、*ブラッセルの*タヴェルヌ・ロワイヤルでコニャックを幾杯のんだかという事と等しく関係のない事実であり、或は等しく重要な事実なら、文献とは畢に何んであろう。*ヴァレリイが言う。「生まの真実は虚偽よりも一層虚偽だ」と。

僕は僕の*孱弱な夢をみる許りである。

「悪の華」一巻はこの数年来、つまり僕の若年の決定的一時期を殆ど支配していたと言っていい。今僕はやっとこの一巻に一種の別離が出来る様に思うのだ。恐らくは推参不遜にも見える僕が獲得したボオドレエルの一面貌を吶々と語る事が出来る様に思われるのだ。僕は自身の指を傷つける事なしに彼の*創痍に触れまい。

十九世紀に於ける最も深刻なる人間の情熱は恐らく自意識の化学という事であろう。シャルル・ボオドレエルはこれに依って実現し、これに依って斃死した。かかる平俗な一所感が先ず僕に彼への鍵を与える。

*Je suis de mon coeur le vampire,
—Un de ces grands abandonnés
Au rire éternel condamnés,
Et qui ne peuvent plus sourire!

〈L'Héautontimorouménos〉

　*由来この「自らを処刑する者」は人生の劇に於いて単なる俳優となる事を肯じない。そこで俳優となり同時に観客となる処の衰弱の一形式をとる。然しボオドレエルの迅速な吸血鬼の夢はかかる道化を拒否した。彼の自意識は一つの聖殿と化して*彳立した。あらゆる存在はその前に蒼ざめた。

　如何なる人間も多少の自意識を必要とする。つまり生きるという事が自意識を強請するからだ。だが多くの人々にとって結局自意識というものは生活防衛の一手段として最も消極的な形式の裡に止まっている。河の流れが石に衝突して分岐する様に、彼等は外象に触れて解析する。かかる人々にとって自意識する主体に触れんとする事は流れを溯行する事で生きる事ではない。彼等は唯流れる。人生の劇に於いて同時に俳優たり観客たることはボオドレエルにとってかかる*オオトマティスムの最も精妙な形式に過ぎなかった。そこで彼は自意識を自意識した。人々の生きる事が彼には死ぬ事であった所以である。

　ここに如何にも意味あり気なる扮装を凝して、あらゆる近代詩歌に君臨する一つの貧弱な言葉がある。――*象徴、と。

* La Nature est un temple où de vivants piliers
Laissent parfois sortir de confuses paroles;
L'homme y passe à travers des forêts de symboles
Qui l'observent avec des regards familiers.

〈Correspondances〉

これは多くのボオドレエル研究者が好んで引用する有名な、然し「悪の華」中最も凡庸なるものに属する詩句である。(「悪の華」は決して人の言う如く所謂むらのない詩集ではない、彼がその創造形式の裡に致命的冒険を蔵していたという理由から、無類の美しさと仕様のない生硬さとの雑然たる混淆である。)

象徴という高等言語は勿論様々な陰翳を含んでいるであろうが、諸君がこれを如何様に解しようとも畢に最上なる記号という圏内を一歩も出る事は出来ない。最上な記号を劣等な記号から区別する為には、記号が内的必然性を持っているか持っていないか生きた記号であるか死んだ記号であるか、とかいう事より説明仕様があるまい。例えば、芸術家が山を見る時、彼は山の存在と意味とを合一して山という死んだ記号を生きた象徴とする、と言う。だが、かかる論議はすべて同一性の迷宮の裡に*湮滅(いんめつ)すべきだ。存在と意味とが分離する以前の小児原始人の心に死んだ記号などというものは有り得ないものだ。象徴は彼等の心中に生々たる内的確実性をもって存している。彼等は常に*「象徴の森」を横切るのである。象徴が人間の心の始原状態に於いて一情熱として存する以上、覚醒(かくせい)せる俗人等も又死んだ記号の海に*游弋(ゆうよく)する事は許されない。小児の昏迷(こんめい)状態から覚醒した彼等の眼に海や山が如何に蒼ざめて見えようとも、神とか死とか宿命とかという諸記号が如何に愚劣な意味を持とうとも、彼等にとっての内的必然性は毫末も衰弱したものではない。如何に厳正な体系的思索家も、彼が弱少なる人間である以上、思索の緊迫が破れる瞬間には彼の全体系は一塊の雲の如く現実の上を浮動するのを感ずる筈(はず)だ。かかる時彼も又「象徴の森」に在るのである。

象徴とは畢に芸術の独占する宝玉ではない。たとえ芸術家とは最も透明なる状態に於いて、最も熾烈(しれつ)に象徴というものを意識するものであるとしても彼の最も深刻な苦悩は、かかる安易なる境域に、求むべくもない。

あらゆる誠実な体系的思索家達が、芸術というものに肉薄する時、象徴という文字が最も重要な、殆ど神秘的色調を帯びて来る所以は、彼等が詩人の脳髄を見て詩人の全身を見ないという一事実に胚胎している。或る詩歌に充満した様々の影像(イマアジュ)に驚嘆して彼等が詩人の秘密を求めてその魂の全体系を隈(くま)なく捜索仕様とも、彼等が出会するものは様々の記号の*燿眩(ようげん)たる変容と転位とのみであろう。この時彼等は又詩人の脳中に生育した「象徴の森」に在る。一言にして言えば、彼等は詩人が如何に深刻に見たかという事を点検して、これを一つの*不可知とするが、詩人が如何に深刻に歌ったかという事に至ってはこれを不可知と仕様にも何等の*契点も発見する事の出来ない程彼等と絶縁したものとなる。

象徴を実現するという事は象徴以外の何物かでなければならない。

すべての形種の芸術はそれぞれ自身の裡に感覚の世界と言葉の世界とを持っている。美という実質の世界と倫理という抽象の世界とを持っている。つまり型態の世界と意味の世界とを持っている。思うにここに深奥(しんおう)な問題がある。凡そ如何なる芸術家も芸術を型態学として始めるものだ。彼は先ず美神の裡に住むものだ。かかる世界に於いても芸術家は多少は美しい仕事を残す事が出来る。だが詩歌とは畢に鶯(うぐいす)の歌ではない。やがて強烈な自意識は美神を捕えて自身の心臓に幽閉せんとするのである。この時意味の世界は魂に改宗的情熱を強請するものとして出現する。僕は信ずるのだがこれは先きに一目的に過ぎなかった芸術を自身の天命と変ぜんとするあらゆる最上芸術家が経験する一瞬間である。すべての存在は蒼ざめてすべてのものが新しく点検されなければならない。かかる時芸術とは竟に何物であろう！創造とは竟に何物であろう！　唯一つ確実なものとして、醇一無双なものとして、彼に残されたものは自意識の化学より外にはない。

かかる時ボオドレエルに課せられた問題はあらゆる思索家の問題である。即ち認識というものに他ならぬ。異る処は唯思索家は認識を栄光とするが詩人はこれを悲劇とする。この二つの相違した資質にとって眼前に等しく永遠のXが展開されるのだが、このXを変調せんとして二人はめいめいの逆説を演じなければならない。

由来考えるという事は生命への反逆であるが、この事実が思索家の無意識の裡にあって彼の思索に初動を与えて了う。彼はXを敢然と死物となし生命を求めて上昇するが自然は復讐として或は恩恵として最後の獲得である実在という死を与える。詩人にあっては美神の裡に住んだ彼の追憶がXを死物とする事を許さない。彼は考える事で生命を殺しつつ、死を求めて沈下するが自然は復讐として或は恩恵として最後の獲得である虚無という生を与える。

詩人が認識の悲劇を演ずる時、彼ははじめて「象徴の森」を彷徨するのである。この時仮面を着ていないものは唯彷徨という事実のみしかない。彼の素朴なる*実在論的夢が破れた時、彼の魂の空洞はあらゆる存在の形骸で満たされるのだ。彼には図式を辿って考えることは了解出来ない。対象を定めて考える事は了解出来ない。何故なら彼の魂は最初に於いて充満しているからだ。彼にとって考えるという事は全意識の自らなる発展である。この意識の夢ではあらゆる因果反応は消失して全反応の恐ろしく*神速な交代が殆ど不動とも見える流れを作る。眼前に現れたXという自然はそのまま忽ち魂の体系中に移入される。彼は彼の魂が持つだけの大きさの自然という象徴をもつ。現実とは此等無数の象徴の要約として辛くも了解出来るものとなる。あらゆる存在が象徴となった時、自然という実質は消失するから唯一であった甲という存在も無数となる事が出来るし、甲という存在を乙という存在に合する事も出来る。魚から海を引く事も可能であろう。ダイヤモンドで犬を微分する事も可能であろう。ランボオが「*イリュミナシオン」(Les Illuminations)に於いて定著したものはかくの如き無機的陶酔である。この純粋な数の世界に住んで詩人は彼の魂を完全に計量し得べきものと感じないか！ 彼はこの計量の欺瞞的遊戯を繰返しつつ、この欺瞞的遊戯の為に刻々と剝奪されて行く彼自身の姿を最後の具体的確実として追跡する。この絶望的追跡は「悪の華」の中で無類の美しさを以って歌われた。

*

Je t'adore à l'égal de la voûte nocturne,
O vase de tristesse, ô grande taciturne,
Et t'aime d'autant plus, belle, que tu me fuis,
Et que tu me parais, ornement de mes nuits,
Plus ironiquement accumuler les lieues
Qui séparent mes bras des immensités bleues.

*

Je m'avance à l'attaque, et je grimpe aux assauts,
Comme après un cadavre un choeur de vermisseaux,
Et je chéris, ô bête implacable et cruelle!
Jusqu'à cette froideur par où tu m'es plus belle!

と。

かくして畢に彼は己れの姿を最も羸弱な裸形としてすら捕える事が出来るであろうか？　捕えた裸形は忽ち又一象徴として分解して了うであろう。彼は生命の捕え難きを嘆ずるが死も又彼の所有とはならない。彼は今時間の微分子からなる空間となり、空間の微分子からなる時間となる。かかる時彼は存在するのか？　存在しないのか？

＊「おお吾が心の生と死よ！」(Le Flacon)

この時人間の魂は最も正しい忘我を強請される。彼は一種の虚無を得る。

この時突然彼が遠く見捨てて来た卑俗なる＊街衢の＊轍の跡が驚く可き個性をもって浮び上って来る。先きに意の儘に改変さる可きものとして彼の魂の裡に流動していた世界は、今如何んとも為難い色と形とをもって浮び上る。かくして彼を取り巻いて行くものは既に象徴的真理の群れではない。現実という永遠な現前である。その背後に何物も隠さない現象という死の姿だ。純粋な空間図式である。

この時彼は世界の鏡ではない。世界が彼の鏡でもない。嘗てXという象徴世界が彼の魂そのものとなり今一種の虚無となって終熄せんとする時Yが現前するのである。一種の虚無である、だが虚無ではない。Xは生存を続けねばならない。ここにXは思索するという獲得の形式を捨てて創造という消費の形式に変ずるものである。

極度の忘我とは極度の期待に他ならない。これが生を享けて止まる事を知らない魂の定命だ。ボオドレエルの天才が獲得した倦怠とはこの極度の期待に他ならぬ。彼は倦怠の裡に、遠い昔、時間の流れの如何なる場所、如何なる日にか魂と肉体とが離別した事を追懐する。一人は開眼を求めて生き、一人は睡眠を求めて死んだ。彼は自身の分身を眺めてこれを思慕する。

芸術を生むものは迅速に夢みたために罰せられた魂の禱りである。物質に対する情熱である。創造するとは死物に新たなる死物を加えんとする事である。

ボオドレエルの摑んだ退屈とは決して単調ではない。それは極度の緊張である。魂が現実という現前の死物への托身である。人間情熱の最も謙譲なる形式である。魂は心臓の鼓動と同じ速力をもって夢みる。吾々はかかる状態をもはや魂の一状態と呼ぶ事は出来ない。僕の眼に浮ぶものは唯黙々と巴里の舗石を踏んで行く彼の姿体である。

此処に仮りに退屈と名付けた一状態はあらゆる創造の萌芽を含むであろうが、創造を意味してはいない。退屈は一絶対物には相違ないが、又、人間にとって一絶対物とは畢にあらゆる行為を否定する一*寂滅に他なるまい。創造とは行為である、あくまでも人間的な遊戯である。キリストにとって*見神は一絶対物であった。然し創造ではなかった。彼は見神を抱いて歩かねばならない。一絶対物を血肉の行為としなければならない。*蓋(けだ)し創造とは真理の為にでもない美の為にでもない、一至上命令の為にでもない、樹(き)から林檎(りんご)が落ちるが如き一つの必然に過ぎぬ。

詩人は何を歌わんとするか？　かかる時の詩人の内部面貌を点検してみるといい。彼の魂の中のあらゆる精神的沈澱物(ちんでんぶつ)は既に去った。諸君は彼の退屈の蒼空に、座標軸の如何なる点にも存在しない、或は如何なる点にも存在する純粋に抽象的な自我の姿（かかるものが若し無いとすれば最も正しき錯覚をもって発明さる可きだ）が星の如く明滅するを見るのみであろう。詩人は何を歌わんとするか？　彼の魂には表現を要求する何物も堆積(たいせき)していない、何故なら彼は一つの創造という行為の磁場と化したから。一端に星の如く消えんとする自我の生の姿があり、一端に改変し難き現実の死の姿がある。かかる時彼にとって生きるとは生と死との間に美しき*縄戯(じょうぎ)を演ずるのみではないか！　かかる時詩人にとって生きるとは詩学するのみではないか！　詩人は詩学を宇宙とする。あらゆる形種の人間の思想、感情、あらゆる型態の自然の物質は、ここに創造という力学の形式としてのみ存する。

「＊賽の一擲、畢に偶然を廃せざらん」(Un coup de dés jamais n'abolira le hasard.) 然り、宇宙を詩学とした＊マラルメにとって賽とは建築師が手にした一片の石材以外の何物であったか。

虚無の火を通過した魂は創造の意識として再び現れたのであるが、それは早や往時の欺瞞的暴力を持っていない。知るという事はも早や彼の仕事ではなくなったのだ。創造の理論が畢に不安定なる縄戯である所以である。賽の一擲はマラルメに偶然であろう、然し賽そのものは彼に改変し難い必然である。彼は投げられた賽の曲線を変ずる事は出来るが賽を石塊に変ずる事は出来ない。縄戯が縄なくして演じられない様に、創造の理論は自然なくしては進行する事が出来ない。芸術家は彼の資質に従って自然から様々なる＊儀型を撰んでこれを創造の理論の形式とする。マラルメは音楽を撰んだ。(音楽は音楽家にとって自然ではないが詩人にとっては自然である。丁度詩が音楽家にとって自然である様に。)彼にとっては詩とは音楽を音楽する事であった。同様にヴェルレエヌは抒情を抒情したのである。

「悪の華」とは退屈を退屈したものの燦然たる形骸である。

諸君は誤ってはならない、退屈を退屈するとは退屈を表現するという事ではない、退屈を技巧とするという事である。

ボオドレエルは詩人は何物かを表現すると信じていたフランス浪漫派に介在して、詩人とは何物も表現しないという事を発見した最初の人であった。創造的自我という最も純粋なる一状態の発見は、最初の発見者として彼にはあまりに燿眩たるものがあったのだ。そこで彼はこの発見そのものを創造の理論として了ったのである。丁度吾々の内部感覚という一つの実現すべからざる感覚を局部麻酔によって実現せんとするが如きものであった。彼が廿五歳（にじゅうごさい）で*枯涸（こかく）した所以は、彼の創造がかかる逆説を孕（はら）んでいた為ではないか？

あらゆる芸術は畢に死す可きだ。否（いな）最後の一行を書き終った時彼の詩は死す可きだ。芸術家とは死を創る故に僅（わず）かに生を許されたものである。
刹那（せつな）が各人の秘密を抱いて永遠なる所以である。

＊アシルと亀の子　I

私は文芸時評というものを初めてするのである。＊川端康成氏に「今月の雑誌一とそろい貸してくれないか、文芸時評を書くんだ」と言ったら、「君みたいに何んにも知らない男がかい」と、彼はふきだした。何も弁解なんかしてるんじゃない。私はただ、最近、文芸批評家諸氏の手で傍若無人に捏造された、「アヂ・プロ的要求＊」だとか、「＊唯物弁証法的視野」だとか、「文壇的ヘゲモニイ＊」だとか、等々の新術語の怪物的堆積を眺めて、茫然として不機嫌になっているばかりだ、という事を、まずお断りして置く方がいいと思ったのである。

仲間が仲間の＊符牒を発明して行くのは当然な事であって、例えばテキ屋諸君はテキ屋諸君の符牒を活用する。そして彼等の間では、符牒は実際行為に関して姿をあらわすだけだから、符牒は常に正当な役割を謙譲に演じている。だが、批評家諸君の間では、符牒は精神表現の、或はその伝達性の困難を、故意に或は無意識に糊塗する為に姿をあらわして来るのだから話が大変違ってくる。この困難を糊塗するという事は、別言すれば、自分で自分の精神機構の豊富性を見くびって了うことに他ならない以上、見くびられたこの自分の精神機構の豊富性の恨みを買うのは必定であって、符牒は勝手に反逆し、自分の発明した符牒が人をまどわすと同程度に当人を誑かす。馬鹿を見るのは読者許りではない、批評家当人達も仲間同士の泥仕合で馬鹿を見ている。

これらの符牒の堆積に、兎も角も一礼するのは礼儀だとは思うが、一つお辞儀をしたらさっさと歩かしてもらいたいものだと考える。私は、出来るだけ素面で作品に対して、出来るだけ正直に私の心を、多少は論理的に語ろうとする。

最近二つの論文集を読んだ。一つは*中河与一氏の「形式主義芸術論」、一つは*大宅壮一氏の「文学的戦術論」。芸術を愛している小説作家と芸術などを愛する事は愚劣と信ずる文芸批評技師とによって書かれたこの二つの論文はもちろん大へん趣の変ったものだが、両方とも同じ様に仰々しく（颯爽としているという人もあるかもしれない）、同じ様に粗雑な論理で（簡潔だという人もあるかも知れない）、著者の心底を見極めようとしたら、大骨を折らねばならぬ、という点で私を退屈させた。私の退屈は自体問題にならないが、この二人の著者に向って懐疑的にものを言おうとなれば色々と不満が出てくるのである。一層いけない事には、私にとっては最も重要とみえる、最も困難とみえる問題が、この不満の裡にあるという事だ。この二論文集が、私にとって一番本質的とみえる問題からは、そっぽを向いて了っているという事だ。従って二氏に対して私の不満を明瞭にするより他語る処がない事を遺憾とする。

中河氏「形式主義芸術論」――近代文学というものが輸入され始めて以来、日本の作家達は様々な見事な影響を受けて来た。例えば、オオギュスト・コント直伝のゾラの情熱は猥褻と化し、苦労人面した冷眼と化し、エドガア・ポオからポオル・ヴァレリイに至る言語表現の唯物主義運動の痛烈な分析精神は驚く可き暢気さで官能と印象との世界で手足をのばし、レオ・トルストイは、その兇暴な理論家の風貌を剝脱されて、飄々たる正義派となったという風に。彼等はそれぞれの個性を生きたであろうが、感傷主義文学なる色彩は一様に逃れぬ処であった。自然主義文学などと、想えば大袈裟な誤訳である。私の血管を流れている血液も、正しくこの感傷国の血潮に違いない。私は自分のこの血行を整調しようと苦労している。中河氏も大宅氏も、私のこんな苦労には洟もひっかけない。が、今愚痴を言う暇はない。

扨て、宿命的に感傷主義に貫かれた日本の作家達が、理論を軽蔑して来た事は当然である。作家が理論を持つとは、自分という人間（芸術家としてではない。ただ考える人としてだ）が、この世に生きて何故、芸術制作などというものを行うのか、という事に就いて明瞭な自意識を持つという事だ。少くともこれの糺問に強烈な関心を持つ事だ。言わば己れの作家たる宿命に関する認識理論をもつ事である。人は先ず鶯の歌から始めるものだ。＊素朴な実在論者として心を歌い、花を歌う事から始めるものだ。この歌い手がそのまま芸術制作の年期奉公に移動して了う。年期を入れている裡に、浮世の辛労と技術の修練とによって彼の作家たる宿命の理論は、獲得されては行くのだが、それは冥々の裡に獲得されるのであって、遂に理論は其人の血肉となり、味いとなり、色気となって沈黙して了うより他に道はない。これが現代日本文芸の達人大家といわれている人々の一般的色彩だ。

こういう大家達が、最近擡頭した社会主義文芸批評家達の喧嘩をまともに買う事が出来なかった事は、私には当然に思われるし、又、人の世の苦がさを味う事を弁えぬ青年批評技師達を沈黙して軽蔑していた事も当然だと思われる。

中河氏の著書に就いては、＊雅川滉氏が「文学時代」で、＊広津和郎氏と＊千葉亀雄氏とが「改造」で、それぞれ短評をしている。そのうちで流石に広津氏だけは十行許りの文字のうちに鋭敏な数個の疑問符を放り出している。だが三氏とも、この論文集の核心を摑みあぐんだという事は容易に推察出来る。罪はこの論文集にある。鼻歌の様に捉え処のない表現と、これを連結する又鼻歌の様に脆弱な論理機構にある。

一体世の多くの作家達が昔乍らの感傷の夢を見ている時に、近代認識論の上に、己れの制作理論を築こうという野望は、現代の作家にとって正当な野望ではないか。又認識論と技巧論とを一丸にしようとする自意識の冒険も相手にとって不足はない難問題ではないか。もちろん私は、こんな大きな問題の解決などは夢にもこの著書に期待はしていなかった。だが幾分かの問題の明瞭な提出は正直な読者として期待していたのだ。そこで、この本で、昨年来の形式内容の片々たる喧嘩記録が羅列され、これを修正し統一する努力すら示されていないのを見て大変残念に思ったのである。著者は巻頭で「これは私の真剣ないたずらがきである。いたずらがきのように人々を笑わし、又人々を怒らしたい」と弁解みたいな事を言っておられるが、真剣にしてはあんまりいたずらがきではないか。ここで氏の鼻歌の様な論理の発展を、私がごく簡単に論理的に改変してみる奇妙な芸当を許していただきたい。この書中、この世で形式が内容を決定するという事実に就いて、最も清潔で的確に私に思われた言葉は、氏が書中に引用されている石原純氏の言葉である。

「——空間時間形式の中に内容として物質が存在すると思惟せられた従来の見解は

──物質が全くそれの力の場によって代表せられ、しかもこの力の場が空間及び時間から成立する四次元連続体の計量的性質によって完全に云いあらわされる以上は、最早や改められなければならないのであって、我々は空間時間の或る特定なる状態に於てのみ物質の存在を依存せしめなければならない。云い換えれば、この場合に内容は全く形式に依存するのである」

そこで、この書中で「存在が意識を決定する」というプレハノフの言葉と、「形式が内容を決定する」という言葉とが平行移動的に使用されているから、次の様に言えば問題は人々に明瞭になるだろう。意識が力の場として代表せられ、しかもこの力が時間と空間とから成立する四次元連続体の計量的性質によって完全に言いあらわされる以上は、意識は、時間、空間の或る特定な状態に於いてのみ依存させなけりゃならない。この場合「存在は意識を決定する」と、是は当り前なことである。ただ人間の意識を正確に力の場として代表する事が既に神秘的に見えるほど困難だというに過ぎない。だが、意識が存在のほんのかけらに過ぎぬと考える以上、意識が四次元連続体の計量的性質を持っているに違いないと考えざるを得まい。扨て、ここに中河氏の「形式の動的発展性図式」なるものを掲げる。

（A）素材＋形式→内容
（B）素材＋形式→内容
（C）素材＋形式→内容
無限の発展

どんなにお粗末なものでも図式なる限り全く正しいであろう。如何に精密な抗言もこれが図式なる限り意味を成さぬであろう。では何故にこの明瞭な図式に対してたわいもない許多の抗言がなされたかという最も重大な理由は、作者自身これを図式と極言すれば認めていないという事だ。作者がこれを、図式と認めたらどうなるか。最初にぶつかる問題は、己れの芸術活動そのものも、この様な図式を有する己れの思索活動の単なる素材に変ずるではないかという事だ。己れの芸術活動を、己れの他の活動と同一水準面に並列させて眺め始める事が出来ない様な自意識が、芸術理論を築こうとするのは無意味なわざだ。敢えてポオル・ヴァレリイなどの芸術理論に就いて言わなくとも、その昔*ゲエテが「詩と真実」を書いた事を想えば足りるではないか。

もちろん、私は、芸術作品そのものが何かしら有難い内容をもった生き物だと信じている夢遊病者等の横行する現代で、氏が形式のみがあると男らしく宣言した事には敬意を表するものだ。だが、氏は最初の一歩をあやまった。何物も信じない自意識から始めないで*コルビュジエの写真から始めた。これが為に読者を迷わせる混乱が続出して来たのである。ここにこの混乱をいちいち挙げるわずらわしさには堪えないから、その致命的な処を語るに止める。

先きにあげた「形式の動的発展性図式」がこの世の発展図式なら、形式の発展には氏の言う様に意志や個性が参加しないという事は理窟に合わない。意志や情熱の発展がこの図式からはみ出しては、これは図式でも何んでもなくなって了う。あらゆる存在が図式から聊かも逃れられないという性質が図式というものの性質なのだ。次に、素材に形式を与えるという作家の活動も厳然と存在する一運動だからこれにもこの図式をあてはめなければならぬ。そこでこの運動は無意識であり、飛躍であると断ずる。これでは作者の望む処とは逆にインスピレエションはのさばって来る許りだ。一体、何故に作者は情熱とか意志とかいうものを恐ろしがっておられるのか。これらのものの計量的性質は不明だが、兎も角計量され得ると考えて決して差支えないではないか。形式の発展図式の中にたたきこんで一向差支えないではないか。ただ、困った事には、意志や情熱を形式と考えようが内容と考えようが、意志や情熱は依然として意志や情熱であるという事だ。

広津氏は、この著者に向って方法論としては不満であると言っておられる。だが、この本の中に方法論なるものがたった一言でも述べられているか。素材＋形式→内容。だが素材とか形式とか内容とかいうものはこれを連結する＋或は→が点検されなければ意味をもって来ない。形式の発展図式によって芸術創造過程という運動を計量しようと試みなくては、図式は洒落(しゃれ)に過ぎない。*近代唯物弁証法は、中河氏の図式と比較して凡(およ)そ比較にならぬ精密なものだが、若(も)し*マルクスの手でこれが商品の性質の計量に用いられなかったら又洒落に過ぎないと*一般である。氏は自分の論文は方法論に重点を置かなかったと言われるかも知れない。だが、芸術形式の動的発展性というものを根本規定として認める以上、実践的な方法論をのぞいて芸術理論に就いては一言も語る事は不可能なのである。この論文集が、「形式は大切だぞ」という以外何も語られていない饒舌(じょうぜつ)に終った所以(ゆえん)である。終りに私は明瞭に言っておく、芸術は或る種の物的な形の意識的な創造であり、形式以前に内容はないという事は、今から百年前、エドガア・ポオが身をもって語った真実である、と。

大宅壮一氏「文学的戦術論」――私は、この四七四頁の評論集を明け方近く読み了(おわ)って、天井の節孔(ふしあな)を眺めて煙草(たばこ)をふかし乍ら、頼りない空疎(くうそ)な心をふと感じた。こんな風に書き出すのは甚だ失敬な様だが、元来私は何んでもふと感じた事から書き出す癖なのである。そこにころがっている物指を拾い上げて他人を計るのは私はもっと失敬な事だと信じている。この元気のいい本が私の心を動かさなかったのは、それが論文であるが為ではないのだ。早い話が、以前*中野重治（なかのしげはる）氏の*「芸術に関する走り書的覚え書」を読んだ時には、頼りなさなどは少しも感じなかった。このうちの「いわゆる芸術の大衆化論の誤りについて」だとか「素樸（そぼく）という事」だとかいう論文は、正当に私を動かした。まだ読まない方はお読みになるがいい、少くともこの二つの論文は見事な論文である。

作者が望むと望まぬとに関わらず、作品というものは多少は作者の根性まるだしである筈（はず）だが、殊（こと）に文学という技術的*規矩（きく）から一番自由な芸術では、恐らく最も根性まるだしだ。この根性まるだしという事が、少くとも私には、文学というものが浮世で演ずる最も美しい喜劇にみえる。論文を読んで根性を云々（うんぬん）されてはたまらないなどという不埒（ふらち）な虫のいい考えは、水掛論でもやってる同士でなくては通用しない。又、水掛論なるものが一体、両方に正しい理窟があるものじゃない、中途までしかものを考えない内に議論を始める処から起る現象である。元来文芸批評というものが、人間情熱の表現形式である点で、詩や小説と聊かも異ったものではないのである。私は大宅氏に厭味なんか並べているのではない。

この著書に現れた根性は中々頼りないどころではない。*階級争闘に立つ最も勇敢率直な根性である。だが、この勇敢率直な根性とは何んであろうと考えた時、私の方で勝手に頼りなく思ったのだ。文学的戦術論、この標題は正確である。こういう一種歯切れのいい作者の頭のよさは、全巻を貫いているのであって、小説作家達が将棋の駒と変貌し、文壇戦線上にたわいもなく操られている図は、聊か痛快でない事もないが、問題は作者が言っている通り、「私は果して文芸批評家の名に価する存在であるか」という事だ。もちろんそんなヘンな名に価する必要は決してないが、氏の様な政策的、戦術的精神機構が文学活動と如何なる関係があるかという事が問題だ。これは例えば*松竹シアタア・ビュウロウの設立によって、世間にもっといい芝居が生れる様になるかどうか、という問題と論理的には少しも相違はない。大宅氏にとってこの関係は問題にならない、なったらあの論文集はない。何故ならなかったと言うと、文学活動というものが政策であり戦術であると信じたが為である。何故そう信じたか、氏の精神機構が政策的で戦術的であるが為である。では、政策的戦術的精神とはどういうものであるか。扨て、私は氏の本文にぶつからなくては話が出来ない点まで来た。だが、まずい事には、この本は何々主義とか何々派とかいう符牒が一面にはられているのであって、読者はこの本の論理を諒解(りょうかい)する為には、先ずこういう符牒を頭から信じる事を強要されているのだ。処が、前にも断った様に、私はこういう符牒に信用を置かない男だ。符牒に信用を置かないという事が批評精神というものだと信じているものだ。

ここに私の氏に対する不満を述べるのに一番直接に、便利に思われる知的労働の集団化に関する氏の意見を並べてみよう。原文通りじゃない、原文は長いから。

1　多年芸術の本質に対する正しい解釈を人類の理性から奪っていた神秘のヴェールを剝奪(はくだつ)する事。

2　それには、芸術の生産原理及び生産様式に関する唯物論的超個人主義的解釈を獲得する事。*

3　この解釈を獲得する為には、先ず芸術に関する天才主義的妄想より脱却し、芸術は経験的習練によって獲得され、成長する単なる技術であるという平凡な事実を明確に認識すべし。

4　人間の労働、技術が意識的に組織化され、集団化されてゆく今日、芸術のみがこの一般普遍的傾向から逃れようたって駄目なり。

5　活動写真、演劇は申すに及ばず、最も個人的な活動と考えられる文学でさえ、例えば民謡は無数の協力者の手になり、*ヂュマは多くの助手と共に制作したではないか。

読者諸君は、恐らく以上の文章に論理の誤りを発見する事は困難であろう、諸君はせいぜい理窟としては正しいだろうが、実際問題としてはどうも、と思われるだろう。これは正にこの文章の作者も「今日の処空想に近い様だが」と言っている通りである。成る程この世の真実を隠蔽(いんぺい)しなければ符牒の威力はないわけだ。だが、理窟として正しくて、実際には正しくないなんて理窟がこの世で何んの役に立つ。そんな理窟は必ず誤りがあるのである。

一体、唯物論的超個人主義というものは、科学的理性に目覚めよという事であって、一人の人間が大勢になれなんていうたわいもないものではないのである。*パラマウント映画会社の生産様式が*フォード自動車会社のそれと本質的差違はない、などと今更驚いている様では、*バルザックは印刷会社を眺めて気絶している筈だ。フランスの或る大衆作家が幾人も助手を傭(やと)って制作したという事と、あなたが他人の手を借りずに論文を制作するに際して、あなたの*大脳皮質に棲息(せいそく)する諸観念が協力するという事と、何処(どこ)に本質的差違があるか。抽象論だ？　冗談言っちゃいけない、論理を極限までもって行かないから、あなたの様な掛声ばかり騒がしい論文が出来上るのである。抽象論なんてものはない。唯、論理だけがあるのだ。抽象論などとびくびくしている人は、初めから論理なんてものに戯れないがいい。

芸術は正しく経験的習練により獲得され、成長する単なる技術であるが、一体この平凡な事実を明確に認識するという事が芸術家にとってどういう事か考えてみるがよろしい。彼にとってこの明確な認識とは、己れの創作活動そのものの計量的性質を、明白にするという事に他ならないではないか。創作活動にあらゆる人間情熱が参加するものとすれば、人間の全情熱の計量的性質を明白にする事ではないか。これは芸術家にとって芸術とは絶望的に精妙な技術でなければならぬという事だ。

芸術が単なる技術であると考える事は現代の芸術家にとって大切な事だろうが、この事から芸術家が集団化するなぞと考えるのはとんでもなく甘い事だ。大切なのは集団化ではない。芸術家が冷酷な科学的自意識を持つという事である。科学的自意識に眼覚めた処で、実際の芸術制作の困難は救われぬとしてみれば、所詮これも空言であろうが、言うなら義理にもその辺の処まで言って置くものだ。

氏の論文全体が一つとして意地の悪い解析には堪えられない様に出来上っているので、私は、こまごま言うのは止めにしたいが、それは由来、政策的精神というものは常にただ一種の*浪漫派精神に他ならないが為である。一体氏の所謂(いわゆる)現代の日本の時と空間とをdx, dyとする文学批評の座標などというものが、少し考えてみれば意味を成さないものではないか。人間精神は絶対自然と常に照応するというただ一つの座標を持っていればよい。ボオドレエルに不健康性、*葛西善蔵(かさいぜんぞう)に酔漢、などという符牒をはっている様なケチ臭い自意識では文芸批評なんか出来んのである。彼等に美を感じるか、感じないかなどという甘ったれた問題にさまよっていては駄目なのである。彼等の作品というあるがままの存在があなた自身の自意識の完全な機能とならなければ駄目なのである。テエヌが偉い文芸批評家だった所以は「*芸術哲学」がかけ「*シェクスピア論」がかけ、その上に自身の精神機構を語ろうとして「*エティエンヌ・マイラン」を書く情熱を持っていたという点にあるのだ。

文芸にたずさわる私達若い人々が、*プロレタリヤ派だとか、*芸術派だとか言ってやぶにらみをしているのはまことに意気地がない話である。私がプロレタリヤ根性を持っているか、ブルジョア根性をもっているか誰が知ろう。私はただ貧乏で自意識を持っているだけで、私の真実な心を語るのに不足はしないのだ。

ナンセンス文学

笑うのは人間だけだ。尤も私のお袋なぞは猫も確かに笑うと主張している。そりゃ猫だって笑うかもしれない。ただ残念な事には、猫にしてみれば、冗談じゃない、私ゃムシャクシャしてるんだ、と言わぬとも限らない。猫が笑うという言葉が既に意味を成していない。笑うのは人間だけだが、人間は又人間しか笑わない。自然はちっともおかしかない。猫が炬燵でねていると言って笑う奴はない。ソラ猫が笑ってる、と言って笑うのだ。人間が人間の事しか笑わないというのは、人間が人間達と一緒に暮していなければ笑わないという事だ。一人っきりで笑う奴はない。思い出し笑いとは二人で笑う事である。尤も、私なぞは、*神経病時代には、朝三時頃になると、何んの事はなく一人でゲラゲラ笑い出したものだ。こうなれば正気じゃない。その癖、自分では健全ではあるまいが気は確かだと信じていたんだからいい気なものだ。人間は一体どこまで正気かなどとなると、なかなか笑いの研究なぞしている処ではない。

神様も動物も笑わない。笑いはあくまで人間的な機能である、と言っても、エヘラ笑いからカンラカラカラとうち笑いに至るまで多種多様の裡には、やっぱり猫の笑いみたいにわけのわからぬ笑いが沢山ある。現に三時頃にゲラゲラするのもその手だが、いつか雑誌で読んだが、フランスのランドリュウという男は、何遍細君をもらっても、みんな足の裏をくすぐって殺してしまったそうである。

＊＊＊

兎も角、あらゆる笑いは、涙と同様に、人間精神が衝撃を受けた場合の救い手として現れるという事には誰も異存はないだろう。人が笑ったり、泣いたり出来なかったら、老耄して脳細胞が涸渇する前に気が狂って了っている。例えば夢をみないで熟睡する人は幸福な人であろうが、夢を軽蔑するのは理窟に合わない。人が睡眠中に受ける衝撃が、夢に飜訳されないとしたら、人は睡る事が出来まい、とフロイト＊は言っている。笑いは、睡眠中の夢と同じ様に、精神の危機を防衛する一手段だ。そうなると、ランドリュウの細君達は、まことに情けを知らぬ解釈だが、衛生過多で死んだ事になる。だが、吾々が滑稽という言語をもっている以上、吾々は皆、滑稽について多少は共通な規定を持っているに違いないのだから、笑いの諸表情の裡をさまよっていないで、この滑稽という言葉をしらべてみた方がいい。

＊＊＊

「人体の態度、姿態、運動は、この人体が、一つの単なるメカニック*であると吾々に思わせる事に正確に比例して滑稽である」(Bergson: Le Rire.)

これは「笑い*」の中の有名な文句である。時間も、空間も心も物も一切ひっくるめて自然という一つの持続体として、この世を理解したベルグソンには、滑稽という意識は、自然という生き生きとした持続体中で、弛緩した、機械化した、物質的な、停止的な一段階とみえた。

ナンセンスとはメカニックという事である。誰もナンセンスだけで笑うものはない。自然なものに対してナンセンスを感ずるから笑うのである。メカニックだけで笑う人はない。重要な点は、メカニックが生命に植えつけられているという事だ。

よく似た顔が二つ並んでいたら滑稽だろう。一つ一つを眺めてはおかしくもなんともない。これは、既に、パスカル*が観察したところである。二つ並んだ事が重要なのである。つまり自然が機械化されていることが重要なのである。例えば*小さんの*「うどん屋」の例の「仕立屋の太兵衛さんを知ってるか」でもそうだ。酔っぱらいが又ぞろ「仕立屋の太兵衛さん」を持出すからメカニックが姿をあらわす、うどんやが「只今伺いましたから存じて居ります」と答えると、「それ見ろ、知らねえなんて、嘘つきゃアがって」と、今度は颯爽として浮世の関係を機械化する。学者の理窟が滑稽なのも亦うどんやの客の颯爽たる風格と聊かも違わない。一体学者とか文士とか軍人とか、職業と名がつく以上必ず一種の滑稽を蔵する所以も、皆自動人形的なものを思わせるからである。*ナンセンス文学という名称も溌剌たる文学活動を機械化してみた事に相違ないのだから、例えば堂々と「現代日本ナンセンス文学を論ず」などと言い出せば、初めてこの名称のメカニックなる所以を人々は諒解して吹き出すだろう。この世のあらゆる習慣、制度は、又自然の機械化に過ぎないから、吾々が社会に対して不真面目（或は意地悪）になるか、それとも社会の方から習慣、制度の必然性が破れて来れば、自然とメカニックの対立が現れて笑いが生ずる。こんな具合に考えて行けば、とどのつまりは、人間が認識するという事が機械化するという事と同じになる。私が朝の三時になるとゲラゲラ笑いだしたというのは、ひょっとすると自分の認識機能それ自身に滑稽を感じたのかも知れない。

だが、己れの機械化によって発達する社会も、その己れの機械化が行き過ぎぬ為(ため)に笑いを必要としている。これは、私が私の柔軟に生きている人間性の安全の為に笑いを必要とするに等しい。

＊＊＊

自然とメカニックなものとの対立を発見して、これを意識的に己れに、或は文学の上に再現するという事は、明らかに人間高度の理智(りち)の機能である。＊感傷の国日本に「ナンセンス文学」の貧弱な所以も又ここにある。

＊＊＊

私は、ここで、今迄(いままで)触れなかった最も重要な笑いの形式に触れよう。それは、ベルグソンの「笑い」に於(お)いては規定されていない微笑という笑いである。もちろん私は笑いの表情について語っているのではない。笑いの観念に就いて語っているのである。だから子供が微笑というものの性質を変えないで＊哄笑(こうしょう)する事があっても少しも差支えない。

私は私の愛している人を笑う事は出来ない。私はその人に対してほほえむだけだ。母親は子供に微笑する、子供は母親に微笑する、ここに機械化はありはしない。二人はただ生きていると言っているだけだ。相手がないのに笑う事は出来ない。だが、微笑するのに、微笑の対象を必要とするか。微笑するとは生きる喜びである。

＊＊＊

人を笑う人は得意であろうが、笑われた人は惨めだ。笑わそうと思って笑わした時には得意であろうが、笑わそうと思わないで笑わした時には惨めだ。笑いの裡には常に防衛と不安とがある。微笑は何んの武器をもっていない。微笑する人には、何んの不安もない。そこではただ生命の花が開くだけだ。子供は大人より笑う事が拙劣で、微笑する事が上手である。子供が美しい所以である。そして又すべての人間の美しさは子供の微笑に胚胎している。

＊＊＊

冷静の裡に、対象化の裡に生れて来る笑いは必ず美的である。生活の裡に、愛慾の裡に、生れて来る微笑は必ず倫理的である。苦笑だとか、微苦笑だとか、嘲笑だとか、泣き笑いだとか、テレ笑いだとかいうものは、すべて眺めて美とする事は可能だろうが、それ自身は倫理的である理由で微笑の支配下に属する。

＊＊＊

喜劇を見て喜劇を生かす人は一人もないのである。見物はただ眺めて笑うのである。だが喜劇の作者は自分の喜劇に生きるべきではないか。自分の創作活動は、笑いではなく、微笑をもって、美的ではなく、倫理的に統一されるべきではないか。

＊＊＊

私は最近の「ナンセンス文学」が、過去の微苦笑文学の齎したものよりももっと明朗な笑いを表現したいという、倫理的欲求である事を望む。もし、文学の裡に操り人形の笑いをたたき込もうという洒落に過ぎないのなら、そういう笑いを表現するのに、文学などという表現形式は最も愚劣で貧弱な形式である事を知るべきだ。

新興芸術派運動

1

*プロレタリヤ派と*芸術派とが、座談会などでこそこそ論戦していた間はまだよかったが、最近「*新興芸術派」の人々が一夕の集会を開いたと見るや、忽ちこれに対する駁論、修正、既成の大家等は嘗つてプロレタリヤ文学運動を笑殺した伝で、これを笑殺しようとするし、プロレタリヤ派は、嘗つて既成ブルジョア作家等を撲殺した筆法で、これを撲殺しようとかかる、近頃文壇根性まるだしの醜体である。

所謂新興芸術派運動なるものは正にかけだしの手によって起されたかけだしの運動である。この運動が現在、見事な実質と理論とを持っているなどと誰が信じよう。信じていない癖に徒らに揚げ足をとったり、厭がらせを言ったりして脂下がろうなどと飛んでもない暇人達だ。

吾々(われわれ)に重要な問題は、現在かかる運動が如何(ど)んな形態をしているかという事ではなく何故にかかる運動が現われて来たかという事にあるのだ。つまり、*マルクス主義芸術理論の一撃をくらって沈黙を守った既成の作家等に対しても、又、マルクス主義芸術理論（作品より理論の方が十倍も幅を利(き)かせている）に対しても、若い作家達が正当に抱くべき不満がある筈(はず)だという事なのだ。

いつか*正宗白鳥(まさむねはくちょう)氏が、大宅壮一氏の*「文学的戦術論」を評して、これが文学無用論まで進展していない事が不満であると言った。これは決して白鳥氏の単なる皮肉ではないのであって、ヨーロッパにマルクス主義の社会運動が起った時、文学無用論なるものは当然起るべきものであった、作家はプロレタリヤ小説を書く前に、文学無用の命題にぶつかるべきであった。だが実際そんなものは起らなかった。何故起らなかったというと、文学は其時(そのとき)までに既に、今更文学無用論でいためつけるには及ばぬ程傷ついていたが為(ため)である。一体作家にとって見るという事と、見た処(ところ)を語るという事は不離である、如何(いか)に見る可(べ)きかという事と、如何に書く可きかという事は違った事実を指さない、つまり作家にとって、技巧論とは認識論以外のものを指さない以上、十九世紀の様に己(おの)れの意識を解析によっていじめつける事が、その最大な情熱の一つであった様な時代に、文学が最も傷ついた事は当然だ。解析的精神の冷酷な反逆を受けて、文学は極端な例をとれば例えばマラルメの場合の様に、その表現を失うに至った。浪漫派の音楽は勿論の事、画でも表現派とか立体派とかいう運動は皆文学に対する痛烈な冷笑であった点では聊かもかわりはない。近代文学というものは、文学自身に対する正当な懐疑から出発したといっても決して過言ではないのである。マルクス主義の社会運動が起った時、ヨーロッパに存在していた文学は、既に文学無用論との久しい血戦を切り抜けて生きていた文学である。この近代文学の一性格は殆どすべての西洋文学紹介者等によって忘れられた、平凡な重要な事実である。私は日本の近代作家で、文学の正当な懐疑に錯乱した人物を一人も知らない。

2

プロレタリヤ作家は、外国からマルクスの世界観と、プロレタリヤ小説とを両手にぶらさげて帰って来た。マルクスの世界観は成程新しい、だがその世界観によって素材が変更されたその小説は昔乍らの感傷小説だ。現今の日本のプロレタリヤ小説より、ゾラの小説の方が百倍も立派で新しい。成程プロレタリヤ作家諸君は社会に対し、又社会の裡に浮遊する文学という抽象体に対し、近世唯物論による冷眼を持っているだろう。だが、小説の実際制作の過程に関してはエドガア・ポオの百倍も甘ったるい、お目出度い理論しかもっていまい。

凡そ、平凡な事実を見ぬ振りする理論家程世に有害無益な存在はない。色々な事実を見ぬ振りすればする程理窟は云い易い。人はかかる不誠実を冒す事によって、己れの理論を安易にする事は可能だが、又理論はその安易性に正確に比例して、豊富な世の現実性に対して茶番となる。だが幸いな事には、社会はかかる安易な理論茶番性に対しては常に敏感である、敏感であるという事は、社会がその発達の為めに、正当に許された重要な衛生学であって、安易な理論がこの世で無益であるということが吾々に自明な事となっているのは、正に、かかる理論が、吾々生活人には不必要であるという平凡強力な事実の裡に存するのだ。

一体喧嘩で相手を笑殺するとか黙殺するとかいう事は、最も決定的かも知れないが、最も消極的な征服方法である。黙殺された相手は常に冷たい顔をしているものである。社会がお目出度い理窟を黙殺するに際しても、この喧嘩の法則は聊かもかわらないのであって理窟は依然としてのさばっているのだ。だが更に幸いな事には、吾々生活人は黙殺した理論家の面貌を云々する暇をもっていない。無益なものに背をむけるという事は無益なものから害を蒙らない為に生物学的に最も賢明な方法だ。人々は正にこの方法を実行して実生活に赴けば足りる。文学の世界に於ても、この社会のからくりは同じ事である。文学は文学の衛生学をもっている筈である。

文学活動というものが、この世で有益な活動であるか、馬鹿々々しい活動であるかは私の知った事じゃないが、文学活動というものを許す以上、文学の決定に関するあらゆる問題の落ち行く先きは、作家の制作という行動にある筈だ。あらゆる文学理論の真偽軽重は作家にとっては、彼の制作理論にそれが有益であるか無益であるかにかかっている。作家は彼個人の制作理論をよそにして、如何なる文学理論も聞く必要はないし、又そんな事は事実出来ない相談である、この平凡な事実を無視するなら、又吾々は世の中に作家という人物を区別して考えてみる必要もない、吾々人間だとか、吾々社会人だとか言っていれば事は済むのである、人は女に惚れるのに彼独特の理論を必要とする様に、作家は制作するのに彼独特の理論を必要とするのである。作家が最も個性的な理論によって制作するという事は生きる事実である、この個性的な理論が、社会的根拠をもつとは単なる一命題である。

人間の意識を規定するものは自然である、だが変化する自然に対して人の意識が様々な形態をとるという事実を規定するものは正に社会である。だから人の意識を規定する最後のものとして、社会をとらねばならぬ。これはあらゆる社会科学の守るべき正しい原則である。作家にとってもこの原則は正しいだろう、だが彼の実践に関して、こんな原則を守ることはなんの足しにもならんのである。作品を規定するものは社会である、だが社会の変化に対して、作品が様々な形態をとるという事実を規定するものは、正に作家の制作過程である、だから作品を規定する最後のものとして、作家は彼の制作過程という一自然過程をとらねばならぬではないか。

3

例えば人が目前のコップを見るという単純な事実でも、仔細にしらべたなら大変な事実であろう。訓練された眼の見る処と、訓練されない眼の見る処とは、凡そ天地の相違があるであろう。*ピカソは常人に比べたら単なるコップについても無限に豊富な事実を知っているであろう。すべては訓練の如何に依る眼球の構造にかかっている。かかる事実の洞見には人は常識のみで足りるのだ、敢て*ヘルムホルツの眼球の光学的力学の教にまつまでもないのである。かかる時、眼球のある活動が、その眼球を有する人間の棲息する社会の生産関係に条件づけられるなどと言った処で何になる？　人の脳中のある細胞が、ある光線の波長に条件づけられると言うのと同程度に滑稽である。眼球の問題が脳細胞の問題に移っても理窟に変りはない。画家の問題が、遥に猥雑な小説家の問題に移ったって理窟に変りはないのである。

近年、若い文芸批評家達が、*文学の社会学的解釈という武器を輸入して、大いに文芸批評を隆盛にしたという事は、兎も角てんで文芸批評なんか無いよりましな現象かもしれぬ。だが、こんな一撃をくらって、作家達が黙っているという事はちっとも結構な事じゃない。作家が文学に就いて美学的関心をもったって、社会学的関心をもったって一向差支えない。だがかかる種類の解釈によって、己れの制作理論の片がつくなんと思ったら、それは作家の恥である。一体世の中には正当な有益な事業は幾種類もあるのだ、それを何を好んで文学制作などという事業を選んだか。あらゆる文化科学を正当に軽蔑して、これを己れの制作理論に利用する覚悟がなければ、人は作家たる事業を好んで選ぶ権利はない。作家が文学を文学制作の立場から眺め、この立場の上に文学理論を築くという困難を廻避するなら、そんな作家は図々しいのか、馬鹿なのかどちらかだ。

社会科学を担ぐ文芸批評家の運動は恂に勇ましい、勇ましいものはいつでも滑稽だ。人間の真実な運動が勇ましかったためし*はないのである。何故彼等の理論が滑稽かというと、勿論これは滑稽の法則によるのであって、そこでは、世の最も平凡な事実が勇ましく見ぬ振りされているが為なのだ。それは、作品の個人の鑑賞という事実が、あらゆる芸術の問題の前提として存するという事なのである。批評家の最大の困難は、作品の個人の鑑賞という事実にある、個人の鑑賞に触れて、作品というものが突然この世に姿を現わすという事実にあるのだ。こんな事を言えば批評家諸君は、吾々はやっとそんな甘い考えからぬけ出して大人らしい理論を築いた許りなのだと言うかもしれない、又、そんな事を言われては、又もとの文学青年に逆戻りだとベソをかく人もあるだろう。そんな人はベソをかく暇に、さっさと文学青年に逆戻りする方が、世の中の誰一人感動させる事の出来ん様な批評論を書いているより遥に身の為、国の為だ。

作家の制作理論には単なる学的思惟のみでは足りないであろう、そこにはあらゆる種類の熱情の参加が必要であろう。批評家が己れの鑑賞を点検する時だって同じ事だ、この点検には彼の全肉体を要するではないか。これが一体文学青年の仕事かね。冷酷な自意識と正直な感動とを同時に所有する事が甘い事か、しょっぱい事か。

印象批評というものは新規まき直しに清算さるべきものである。これが現今の学者的良心もなく作家的情熱もない、往来の犬の糞の様に無益な、*広目屋の様に騒々しい文芸批評家達を清算する唯一の道である。

アシルと亀の子　II

旋毛曲りに語る

一九三〇年はプロレタリヤ小説家に対して若い芸術派小説家等の擡頭期であるそうだ。今日、文学の様々な運動が、騒々しい広目屋的形相でしか、吾々の眼に這入って来ないことを、私は兎や角言わない。文芸時評を書く以上、ジャアナリズムに不平を言うのは、女房の面の拙さを零す亭主なみには馬鹿である筈だ。私は「新潮」三月号、「近代生活」四月号に載ったプロレタリヤ作家対芸術派作家の討論会の速記を忠実に読んだ。近頃眼球突出症と両便失禁症との結構な摑み合いだ。私は別に仲裁しようとは思わぬ。あれでは仲裁人もテレるのである。

イデオロギイが出しゃばると文学は面白くなくなる。ではイデオロギイ三分という事に致したら如何なものだ、あとの七分は感情とはどうだ、と言って人間生活の合理化時代に理智は第一に尊敬しなきゃならん、それにしても感情がいやだと言ったらこれ又何等かの意味がある、等々。こんな議論を、時評でもやらなければならぬ男でなけりゃ、あくびを嚙み殺して読む勇気は誰にもないのである。現代の青年はマルクシズム青年と、エロティシズム青年と二つに別れるなどとは文学青年の寝言である、世間は広い、文学なんか屁とも思わない、冷酷な教養をもった勤勉な青年がいくらいるか分りはしない。

扨て私も徒らな寝言を止めよう、私は諸君の論議を一つ一つ辿るまい、だが、諸君の喧嘩記録が私には正にぐうたらに見えた、その根本的な所以に就いて一言したいと思う。

諸君の綿々たる饒舌は一体どんな地盤の上に立っているか、言うまでもなくそれは文学という地盤であろう。そしてその文学なるものは昔乍らの素朴さで理解された文学ではないか。諸君の鼻の下には昔乍らの文学という大提灯がぶらさがっているではないか。文学に就いて騒々しい論議をしている現代の青年文学者達が一人として文学というものを疑わないとは妙な現象である。

西洋の近代文学はその発生の当時から、熱烈な自己批判を孕み、これが文学自体への懐疑まで進まんとする傾向を蔵していた。吾が国の近代文学者にとって文学は屢々愚痴の対象となったが、文学が正当に懐疑された事は嘗てない。日本の近代文学ほど悠然と構えている文学もあるまい。これが幸福な事か不幸な事かという事は又別な複雑な問題となって展開するだろう。今はただ次の事を言う。諸君の喧嘩の基底に於いて、文学は昔乍らの感傷と素朴とをもって是認されている点で、プロレタリヤの諸君も芸術派の諸君も同じに私には見えるのだ。だが、私はこれ以上こんな漠々たる抗言をつづけまい。

恐らく諸君は抗言する、吾々の理解する文学は昔乍らの文学ではない、*マルクス主義世界観に立つ文学だ、或は近代感覚を通して眺めた文学だ、と。如何なる点から文学が理解されようが、理解された文学とは死物である。諸君も文学者である限り、文学を対象化して理解する事と、文学を形成する事とは異った二つの現実である事を了解すべきである。文学活動を人間活動、生産労働から、或は遊戯本能により解釈する事は可能である。又、文学という現実形態に、人は勝手に感動する以上、この形態を感動の総和と見て、理念により、感情により解釈する事が出来るのも明瞭であろう。だが次の事実も同様に明瞭なのだ、つまり、これらの解釈が作家に何物をも教えないというのは愚かであろうが、これらの解釈は作家の実践を聊かも容易にはしないという事だ。彼が現実に於いて必要なのは常に新しい努力である。彼が創作の各瞬間毎に依然として無限の前に手を振らねばならないとは一体どうした筋合いのものだろう。諸君の喧嘩で文学が論議されるに際して、プロレタリヤ派は社会学的関心を捨てる事を恐れ、芸術派は美学的関心から自由になる事を恐れている。芸術はその固有な形態で諸君の意識の裡に存していない。而も諸君は自ら制作にたずさわる若々しい芸術家ではないか。諸君の制作過程には、恐らく諸君の論議にはおかまいのない溌剌たる制作固有の法則が動いているのではないか。諸君の論争の奇体な錯乱はそこにある。

私は「文藝春秋」四月号の*三木清氏*「新興美学に対する懐疑」を読んで、この困難な問題の周りを少し許りうろつく機会を得た。

三木清氏へ

三木氏の論文は、*「パスカルに於ける人間の研究」以来読んでいるのであるが、こんどのものが最もナマッている。これは取扱われた問題が聡明な学者を充分混乱させるに足りる困難を持っているが為である。氏はこの論文で昨年来のマルクス主義文学理論に対する懐疑を小器用に清算しようと試みている。勢い其処では、私の様な常識しか信じていない男には腹が立って来る程、多くの困難な事実が踏み躙られている。私はこれらの事実の為に弁護したく思うのである。そして三木氏が機会があったら明瞭に答えて欲しいと思っている。

*平林氏や*谷川氏によって提言されて来たマルクス主義芸術理論に対する懐疑というのは、要はこの理論は芸術社会学としてはいいが芸術理論としては不満であるというのである。谷川氏は言う、「社会的批評は唯物論的であるに反して、芸術的批評は観念論的であるほかはない」、と。三木氏は、かかる抗言の基底には、作品の鑑賞は先ず作品を心を開いて享け入れるという、即ち個人の感情に依って行われるという単純な論理しかないと言っている。成る程これは単純な論理である。だが、これは決して理論家によって*一蹴さるべき態の単純な事実ではないのである。

先日久し振りで表慶館に這入ると、*抱一のささやかな扇面が廿許り並んでいたが、画家の目玉というものは衆人の目玉とはまるでからくりの違ったものだ、と今更の様に腹にこたえた。この時この扇面が私を動かし、私の批評精神を戸惑いさせる所以のものは、抱一の肉眼が獲得した秘密に、或は、彼の指先きが完全に理解したある自然の過程に存するのだ。この時、抱一が絵具がしこたま買えた*ブルジョアであった事が何を意味するか。彼の肉眼が社会的歴史的に規定されていたという事が何を意味するか。芸術の問題の決定に際して、作品を享受する個人の感情が先立たねばならぬ事を氏は認めている。個人の鑑賞のある処に、作品は忽ち意味をもち、個人の鑑賞がなくなれば、忽ち作品とは狂人の玩具に異らない。この奇怪な人間事実を信用する限り「吾々の問題は一層進んだ処に横わっている」処の段ではないのだ。

純粋に芸術的な感情などというものはない、と。そうだとも、世の中に純粋な水は流れてはいないのだ。だが、人間の能力では純粋と形容するより外、いかんとも規定し難い芸術的感情というものは厳として存するのだ。社会的歴史的に規定されていない意志も感情もあり得ない、と。当り前だ、意志や感情は社会的歴史的に規定されてはいるだろうが、学者の思案によっては規定されてはいない。人の心は時とともに移り変る。だが、人の心とはいつの時代でも傍若無人な化物である事に変りはない。社会的歴史的規定などと気取って言うと、何か変った事実でも指す様に聞える処がお慰みで、平林氏や谷川氏の懐疑がこんな事実を見ぬ振りした処から出て来たと誰が信じよう。*プレハノフや*フリチエの功績が芸術社会学に限られたとは、作品の評価が個人の鑑賞の上に築かれるという、芸術を認める限り人間にはどうにもならぬ困難な事実に衝突したが為だ。プレハノフもフリチエも、批評は作品の美的評価まで達しなければならぬと言っていると三木氏は言っている。だが、所謂唯物論の「幼稚園」にさまよう吾々現代の人間が、作品の美的評価に関して観念論的言葉しか所有していない事をどう解決するか。吾々が或る優れた画家の眼の光学的力学に就いて全く無智である時、吾々が彼の画の印象に就いて吶々と語る事に何んの差支えがある。この画家が自分の眼の能力の精密は、例えば三木氏の眼の能力に比べたら凡そ神秘的だと高言するとしても、吾々は彼の高慢を正当に軽蔑する如何なる言葉も持っていない。氏の論文が衛生無害な屁理窟に終っている所以は、先ずこの個人の鑑賞という事実に対する学者的横柄に依るという事は、私には疑う余地がない。

氏は言う、第一に作家も批評家も芸術的感情そのものを社会的に批評しなければならぬ。次に、芸術批評は単なる印象批評に終る恐れがある。印象批評が技術批評に進み、印象された心理の技術的基礎まで達した批評家は、更にそれの社会的基礎まで突き入る可きだ。第三には、芸術的批評の独自性を主張する思想の根柢には多かれ少かれ、意識的にせよ無意識的にせよ、*「芸術の為の芸術」という思想がある。この思想が既に一定の社会的根拠をもつ以上、芸術的批評の立場はまた社会的に批評されねばならぬ、と。

一体こんな調子で社会社会と言われて、世の作家や批評家に何が面白い。社会とはあなたの眼前に生きた現実だ。あなたの頭の中でひょっとこ踊をする概念ではない筈だ。現実の何処を切っても社会という同じ顔があるという態の社会なるものは、*飴の中から飛んで出る金太さんの様に無益である。あらゆる批評の前提として自己批評があるとは、私も批評の唯一の準度として信じている。だが、この事から芸術的批評は社会的批評に結びつくなどと言ったって始らないのである。現社会の様々な風景を素材としない自己批評なんてものがあり得よう筈はない。それなら自己批評という一語に人々の生きる苦痛は溢れている筈だ。作家が己れの感情を自ら批評するという事と、己れの感情を社会的に批評するという事と、現実に於いて何処が異うか。こんな区別がしてみたいのを学者根性というのである。

芸術的批評の独自性を主張する根柢には、多かれ少かれ、無意識的にせよ、意識的にせよ、芸術の為の芸術という思想がある、と。恂にそうかも知れぬ。然し、その多かれ少かれ、意識的にせよ、無意識的にせよ、とは一体如何なる事情を意味するか。例えばボオドレエルの出現に際して、幾拾人のボオドレエルみたいな詩人が暗中に葬られたか。彼一人燦然たる所以は、彼一人が当時の生の問題を強烈に体得したが為であろう。処で、人は彼の生きた時代の文学活動の何処を切っても芸術の為の芸術という思想を容易に発見するとする。だが、この思想を発見するという事情は、この思想がボオドレエルの生活理論に密著して多かれ少かれ、意識的にせよ、無意識的にせよ存したという事情とは全然相違した事情ではないか。後者は前者に比べて凡そ比較にならず、生き生きとした複雑な事情ではないか、吾々が彼の作品を正当に批評する事が出来る、つまり、彼の作品が吾々の自己批評の正当な素材となる事が出来る所以の最も重要な事情ではないか。それにしても芸術の為の芸術とは一体何んだ、ワイルド*はこの思想を主張した男だそうである。では、彼の「深き処より（*デ・プロフンディス）」は何んの為の芸術か。一と口に印象批評と言ってもピンからキリまであるわけだが、作品の個人による鑑賞という事実を信用する限り、人は印象批評から逃げられない。逃げられない以上恐れる事は無益である。人は己れの印象を精密にし豊富にする事を努めればよいのである。芸術活動は物質的技術を離れては成りたたぬという宿命を持っている。それは人の思惟（しい）活動が言葉という物質的技術を離れて成り立たないと一般である。作者の精神は常に彼の技術と不離である。人は思案するものが画家の頭であるか指先きであるか知る由（よし）もない。作者の技術論とは彼の認識論以外のものを指しはしないのである。これは実に平凡な事実だが、人々によって忘れられるのだ。忘れるからこそ作品とイデオロギイの関係に就いて数々の駄言が跳梁（*ちょうりょう）するのだ。何故人々がこの平凡な事実を忘れるかというと、日常生活に於いても人々は精神の考えた処を言葉が表現するのだという迷妄をどうしても忘れられないからである。処が事実、人は考えるのは自分の精神なのか自分の言葉なのか知る由もないのである。考えるという事と書くという事は二つの事実を指してはいないのである、言葉という技術を飛びこして何か考える等とは狂気の沙汰である。

印象批評と技術批評の区別などとは、そもそもおかしな事である、単なる印象の心理分析に止まらず、更にその心理の技術的基礎まで進むなどとは無益な言葉の洒落である。扨てこの技術の社会的基礎とは？　人は暗黒の前に馬鹿面をして立つだろう。学者から階級とか経済とかいう社会学的概念を武器として貸してもらったとしても、大砲でバクテリヤを狙う事業に等しかろう。

作品の個人による鑑賞という事実を捨てぬ限り印象批評を捨てる事は出来ぬ、これは如何なる意味をもつか。恂に印象批評なるものは次の如き困難な事情に誠実でなければ又無用の代物なのである。それは批評家が頭から信用出来るものは眼前の作品だけであるという事実である。人は作品を鑑賞するに際して様々な助言を受けるからだ。プレハノフも助言する、フロイトも助言する、作家の伝記も助言するだろう。だが、これは結局人を知るのに、人の噂が役に立つとか役に立たぬとかという問題を出ない。人を知るのには、その人を直かに生まな眼で眺める外に得心の行く手段はないのである。その人の作品とは眺められたその人の顔である。作家にとって作品とは、その生活理論の結果である。而も不完全な結果である。だが批評家にとって作品とは、その作家の生活理論の唯一の原因である。而も完全な原因である。これは絶望的に困難な事情だ、だから人は見ぬ振りをする、だが事実は依然として事実である。又、社会のある生産様式がある作品を生むと見る時、その批評家にとって作品とは或る社会学的概念の結果である、だが、個人の鑑賞に於いて、作品とはその批評家の語らんとする処の原因である。ここに社会的批評と芸術的批評との間の越え難い溝があるのである。三木氏はこの溝を越えてこの原因たる作品が何かの結果である事を見きわめるのが、批評家の務めであると言うだろう。学者というものは暢気なものである。物指で何かを計ればその何かは何んでも物指の結果になる事は必定である。人は芸術的問題の決定に於いて、批評とは物指を使うだけでは足りないという事を考えるべきである。批評するとは自己を語る事である、他人の作品をダシに使って自己を語る事である。だから印象批評にはピンからキリまであると言ったのだ。ピンからキリまであるという事は印象批評の愚劣も証するが、又、この批評の最も作家に有益である事も証するのだ。吾々の努めるのは正にこのピンである。

制作の根柢には作家の創作情熱を必要とする事は三木氏も認めている。一体情熱をもって書くとは比喩であって、誰も慄える手では作品は書けないのである。大作家は皆己れの情熱が「誰か」の情熱である事を冷眼を以って眺めているのだ。併し、彼はその情熱を社会的に批評せよなどという容易な言葉が何物も教えてはくれない事をよく知っているのだ。たとえ、人の情熱が*微分方程式で言い現せる様な日が来ても、今度はその方程式の方がその日の生きた曖昧な言葉に化けるであろう。作家は、己れの情熱に関して、どんなに精密な意識を持とうと、これが制作という行動に移る時には幾多の無意識を許さねばならぬ事も知っているのだ。昔から何か世の中の為になる様にと希って制作しなかった作家は一人もいない、芸術の為の芸術などという符牒も芸術の功利性も作家には本当は意味をなさぬものである。作家は功利的目的を目指す事は出来ない、目的を所有するのみだ、丁度人の目指す幸福なんてものが世の中にはない様に、人に所有された幸福だけがある様に。「芸術の功利性は歴史の証明する処である」と。芸術の娯楽性も亦歴史の証明する事さ。

以上、芸術の批評に関するほんの暗示するに止めた困難だが、三木氏もこういう困難を少しは、意識して、社会的批評と芸術的批評との妥協案を述べている。人々は一応は肯くであろう。そしてだがこんな理窟が作家や批評家に何んの益を齎すだろうと考え込むだろう。一般理論を具体化し特殊化する事が、マルクス主義芸術論の目下の急務である、と。そして文学の大衆性の理論を、*プロレタリヤ・リアリズムの理論を製造するのはよろしい。だがこの具体化が、特殊化が、遂に個人の鑑賞情熱の理論という困難に坐礁しなければ幸いである。プロレタリヤ・リアリズムとは、現象とイデオロギイとの*弁証法的綜合(そうごう)的コンポジションなんだそうである。でなけりゃ昔の単なるリアリズムなんだそうである。これで何んの事か解(わか)ったという奴(やつ)がいたらお目にかからない。こんな事を平気でいう学者が、フロオベルの*「ブウヴァルとペキュシェ」というブルジョア・リアリズム小説の中で出て来るから読んで御覧になるといい。フロオベルが果してこんな事を理解していなかったか。彼は彼なりに厭人(えんじん)主義のイデオロギイを持っていた、これが明瞭な形で吾々に見えないのは、正にあなたの言う様に、彼のイデオロギイは、現象の弁証法的運動過程そのものの分析から生れたものだからではないか。彼のリアリズムも亦彼のイデオロギイと弁証法的（何んていけ好かない言葉だ）に結合したものでなくて何が*「マダム・ボヴァリイ」だ。私は、*マアツァを読むより、フロオベルの書簡集を読む方が、プロレタリヤ作家諸君の為にもどれほど有益だか分らないと公言して憚(はばか)らないものである。

社会の或る事情が商品という物質をこの世に送り出す様に、文学作品というものも、ある人間の自然過程に依ってこの世に送り出された、言葉という、単なる物質である事に聊(いささ)かも変りはない。単なる商品が意味をもたぬ様に単なる言葉は意味をもたぬ。人がこれらに交渉する処に意味を生ずる。商品が人間の交渉によって帯びる魔術性は、言葉が人間の交渉によって帯びる魔術性に比べたら凡そ比較を絶するほど単純であろう。近世唯物論は多くの功績を齎した、だがそれは言葉の正体に関して未(いま)だ一指も触れていないという事実を人々は逆上しないで腹に入れとかなくてはいけないのだ。人間の意識を規定するものは全自然である。だが変化する全自然に対して人の意識が種々な形を呈するのは正に社会の事情に依る以上、人間の意識を決定する最後のものとして社会を取らねばならないであろう。この原則は正しい、然し次の原則も作家の信ずべき原則として正しい、――作品を規定するものは社会である。だが、変化する社会に対して作品が様々な形を呈するのは正に作家の制作過程に依る以上、作品を決定する最後のものとして作家の制作過程を取らねばならぬだろう、と。批評家が又この作家の信ずべき原則を信じていけない理由は一つもないのだ。

マルクス主義芸術論は目下の処立派な芸術理論を持っていない、然し今日に至るまで音楽理論、絵画理論に匹敵するほど立派な文学理論というものは一つもないのである。これは文学を文学の立場から批評することが間違っているが為では断じてないのである。文学というものがこの世に姿を現すのに、人の思惟活動と同様に、言葉という複雑豊富な記号を材料として持たねばならぬという困難な事情に依るのだ。この困難な事情の故(ゆえ)に批評家は文学を文学の立場から批評する事から顔をそむけてはならないのである。

アシルと亀の子　Ⅲ

*滝井孝作と*牧野信一

　滝井氏のものも牧野氏のものも、ちっとも面白くないという言葉を屡々耳にする。こんな言葉を聞くのは心外だと思う様な人物からさえこんな言葉を私はきく。不思議な事である。私は正直な処、現代の新進作家連の裡で、この二作家程新鮮溌剌たる心を持っている人を知らない、この二作家程個性的な新しい表現を吾がものとしている作家を知らないのだ。私が、ここで幾分子供染みた苛立しさをもってこの二作家を語るのは、両氏にとっては苦が苦がしくも笑止とみえる事であろう。又、「*時の用なら鼻を殺げ」という今日、私の饒舌は、恐らく勝手なむだ口に終るかも知れぬ。

　滝井氏のものは如何にも読みづらい、その通りだが、一体読み易い名文などとは意味をなさぬ言葉である。名文に難解は附きものだ。例えば志賀氏の文章の明確さを見る事は易いが、この明確な文章の朗然たる響きを聞くのには、注意深い耳が要る。最近、*谷崎氏や佐藤氏の文は淡々として流れる様な姿になった、そこに漾う無限の陰翳を摑むのは、容易ではない。名文は安易な読者の眼に、安易に理解されまいと身を守り、抵抗している様なものである。

「街角の裂目に、しのばずの水面が光って居た。松子は惹かれるような気がして、伴れの信一に一寸目を呉れた。彼も一緒に水面の光っておる方へ踏出した。

平らに伸べた水が明るく、池べりの広っぱの上には疎らな砂利が残っており、二人が踏む其僅かな礫が折々音を立てた。矢来の根に近づくと、ヒウ！ヒウ！云う細い鳴り音が耳近くをかすめた。初は何の音かと疑われる程の耳を惹く声で、雁鴨の類が水面に粒ぶ粒ぶに点在し、啼いているのだ。松子は其には一瞥を与えただけで立留った。信一も佇んだ。

釵で束ねた無造作な頭髪から肩へ、日がさし彼女は温かく、目立たない平常著のなりであった。出掛ける時暖気を感じたので、揃えた白足袋を手に持ち同じく二つに折れた襟巻とコートとを腕にからんできた。その素足には畳附の下駄を穿いていた。松子は外で左うしとる、自分の姿が何だか恥かしくて、其処の矢来の根に凭って、手にして来た品を体につける事をした。猶コートの隠しから青い手套を取出した。支度のすんだ松子が矢来から身を離そうと為た。信一はマントの翮を合せた、二つの釦の旧い型の胸をだし、水禽の啼く声から放れるように歩き出した」（*「無限抱擁」）

滝井氏は、文体で認識する。何んと正確な格調をもった溌剌たる文体であろう。この文章から光と陰とが同時に在る様な影像が浮び上がる。冷やかな水禽の鳴り音に貫かれた暖かい陽ざしが、精密な気泡を作っている様だ。だが、右にあげたものは恐らく氏の初期に属する文体であって、最近の作品では、色はいぶされ、光を底に秘めて、もう通俗なものの這入り込む余地のない文章となっている。月足らずや当て込みの駄文の横行する今日、少し長いが掲載するのも無駄だとは思わぬ。

「母が私に留守居の駄賃に*十銭くれるからと云い*五リンずつ毎日きめてつかうのじゃぞと云い、私は肯き、出立の日から留守番で実行した。日々たって、駄賃のない日がきて未だ帰らなかった。次の日も次の日も。そして一と月余りして帰って来た。

母のみやげ話に、在所の祝いごとの餅撒きを見に行き兄と四ツの妹とが小柴垣のかげにかくれる風に見たと云われた。母はのち或る日私に向き、あの時もう帰らない筈にしとったがと打明かした。私は驚いて一遍捨てられかけたと思った。

考え直して来た母は、日々窓の下で*賃機を織っているのだった。この借家のせまい塀の内に、樹が只一本立っていてさくらの幹で、竹箒くらいのせいたけにみえた。彼岸ごろ一ぽんの木の傍に葉のみの水仙が出た。さくらは小桜と云われる枝一杯の花の白々と散溢れるのだった」（「改造」三月号、「父の活計」）

今日の若い作家で豊富な影像群を持った人は沢山いるが、見事な文体をもった人はまことに稀れである。今日の様な解体期に、多彩な影像を所有する事は容易な事であろうが、これを一つの息吹きで立派な文体に統一する事は人並みな苦労では足りぬであろう。

見るという単純な事も、点検してみればどれ程複雑な現象であるか知れたものではない。私と画家とが同じコップを眺める、画家の眼の網膜が、無限の光線の戯れの中から、私の網膜がとらえると同じ分量の光線をとらえているなどと思ったら飛んでもない間違いであろう。すべては眼の構造如何にかかっている、眼の構造は又眼球使用の習練如何にかかっている。頭は知識で肥え、筋肉は運動で強くなるが、眼は、どうして利く様になるか判然しないから、視る習練などという事を普通考えてみないだけだ。あるが儘を見るとか、あるが儘に描くとは何を意味するか。滝井氏の表現が自然主義の表現を出ていないなどとは無意味である。殊に、滝井氏の様に極端に地道に精密な作家では、この眼の卓越をさぐり当てる事がまことに難かしいのである。氏の外貌をなでて、俳味があるだとか、稚拙であるとかいう評言を口にする者もあるが、稚拙どころか、氏の文章は綿密贅沢であり、氏の眼の様に生ま生ましくド強い眼も少いのだ。「無限抱擁」の中で細君が息をひきとる瞬間の描写があるが、痛烈を極めて立体的なものである。

この作家程、風物と人間との合流を清澄な眼で眺めている人はないであろう。松子は殆ど水禽の音をたてている。だが、忘れてはならない事は、氏の眼は、風物に人の心を読むのであって、人の心に風物を見ているのではない、氏の眼は人生から自然に逃げない、正統な小説家として自然から人間を*演繹しているのである。

近作の「*ゲテモノ」「*養子」「*大阪商人」等（平凡社版、新進傑作全集）の傑作の素朴と健康と重厚とは無類である。嘘つき共には真実すぎる、病人共には健康すぎる作品だ。そこに描かれた平凡な人々の肉体は、正にげて物の肉体である。余り自分自身の心を語ってくれる為に、それとは気づかず通り過ぎるげて物の美しさに溢れている。

滝井氏の下手ものの世界から*牧野氏の作品に来ると、恐ろしく癖のある上手ものの世界である。「新潮」の三月号に「*吊籠と月光と」という作が発表された時、みんな知らん顔をした。この作家も亦一読判然の作家ではない。

この作家の心は、芸術上の理智派（*アンテレクチュアリスト）の心である、と言えば変に聞えるかも知れない。芸術上の理智派といえば、人々は死んだ芥川龍之介氏を思い出すだろうから。牧野氏の作品から、飄々（ひょうひょう）たる酔漢の歌を夢み、何かいなせで而（しか）も舶来牧歌の匂（にお）いのする恋愛を夢みている人々はけげんな顔をするであろう。併（しか）し、私がここで理智派という言葉で言いたいのは、教養ある知性という意味ではない。牧野氏の教養を芥川氏の教養に比べる事は出来ない。表現の上での知的映像の鮮明度ともいうべきものを言うのである。私はここで、多彩な彼の全貌を語ろうとはしない。急激に格調を破り、光彩を増した彼の近作に就いて、書きたい。

百足凧（むかでだこ）の製作に身心をすりへらした「鱗雲（*うろこぐも）」の主人公が言う、「私は、はっきり展開されている私のあの幻の中だけに生きた」と。牧野信一が生きた幻は、凧でもない、芸術でもない、言わば理智の幻である。鮮明に展開される理智の夢である。

例えば人は、最も精密な理論を辿（たど）りあぐんで、緊張した理論の裡（うち）にいる時、理論そのものが欲情をもって、君の知らない歌を歌ってくれる様に思った事はなかったか。対象が限りなく解析されて行く時、理論の糸も遂（つい）に切れねばならぬ、人はもう対象のない解析の力だけしか感じる事は出来ぬ、そんな時、この力が君の知らない理論の影像を、突然見せてくれる様に思った事がなかったか。牧野氏は、そういう事を、殆ど本能的に感じて、これを楽しんでいる詩人である。

かような言わば理論の一種の眩暈を知らない理智は、牧野信一の作品を読んでも無駄事であろう。「吊籠と月光と」はこの詩人の制作理論である。「*西瓜喰う人」以来、彼の作品はすべて詩論であるといっても過言ではない。

「吊籠と月光と」は彼の制作理論が定着された美しい心理風景である。この風景中に描かれたあらゆる風物、あらゆる人々は、皆、それぞれ自分勝手に呼吸して生きる事を許されていない、作者の理論に関して象徴的な荷物を負わされている。作者の自意識の直接な機能を演ずる役目を強いられている。

「吊籠と月光と」中のマキノ君は、自分の裡に住んでいる三人の人物、――。

「Aは、

『諸々の力が上昇し、下降して、黄金の吊籠を渡し合う。』

云わば、その流れの呑気な芸術家である。だからAは、その言葉を吾々に残したあの*中世紀の大放蕩詩人の作物を愛詠して、いとしみから憎しみで、憎しみからと思えばいとしみで、あれからこれへ、これからあれへ、転がそう転がそう、この樽を、*セント・ジオゲイネスの樽のように――とか、兵士の歌だよ、今日は白パン、明日は黒パン……そんな歌ばかりを口吟みながら、昆虫採集で野原を駆けまわったり、

『マーメイド・タバン』*の一隅で詩作に耽ったり、手製の望遠鏡で星を眺めたり、浮気な恋に憂身を窶したりしているのであった」（「新潮」三月号、「吊籠と月光と」）Bは、「その父・母・妻・子・兄弟、そして汝自身の命をも悪まざる者は吾が弟子たる能わず」のストア派*聖人の忠実な下僕であり、Cは、ピサの斜塔の頂きに引き籠って、大小数々の金属製の球を地上に落下して「落下の法則」を発見したあの科学者*の、何時も悲しそうな顔ばかりしている弟子である。

この三人の人物を、諸国遍歴の旅に出して了って、「お前達を修業の旅に送ってしまった後の、孤独の俺こそ、本来の俺の姿だ。今夜限り俺はお前達の誰とも縁がないのだ」――「さあ、これで俺は愈々俺ひとりの天地になった。――ベリイ・ブライト*！」と、マキノ君は得意で山を降りて来る。作者は抜目なくマキノ君にアメリカ・インヂアンの鳥の羽根のついた冠をかぶらせ、インヂアン・ガウン*を羽織らせておく。酒場の前まで来ると、なかから女が飛び出して、そんな恰好で、あたしの眼をごまかして通り過ぎようとしたって駄目だ、何時もの様に抱いてくれ、と甘えると、「あんな詩人の真似は出来ない、僕には――」とマキノ君がテレる、すると女は「呆けるない！」と一喝する。

彼の作品の主人公は常に女に一喝される事を必要としている。

「私は、はっきり展開されている私のあの幻の中だけに生きた。私の心は、五体を鞭(むち)にして唇を鳴らし、馬を駆って、まっしぐらに凧を追っていた。――私は、一寸真近かに冬子の瞳(ひとみ)に自分の視線を吸いとられた刹那(せつな)に、極度の痴酔に感極まり、其処(そこ)に源爺(げんじい)のいることも忘れて、突如、奇声を放つと同時に彼女の頬を両手の平でぴったりとはさんだ。……」(「鱗雲」、平凡社版、新進傑作全集)

女は彼の理論の幻を破る実在として姿をあらわす、彼の夢が現実に下降する契点として姿をあらわす。彼の作品に描かれた女は皆潑剌としているが一種夢幻的な色気をもっている。

これは描かれているというより寧(むし)ろ作者のフェミニスト的気質が意識して創(つく)り出した形であり、作者の知的な夢が衝突する現実の象徴の様に見える。教養にも観察にも頼らぬ牧野氏の速度の早い知性は、抒情(じょじょう)と感受性の赴くがままに動いて、新鮮な映像をくり拡(ひろ)げるが、それは多様な魅力ある作者の擬態の様なもので、この擬態能には、動物の擬態能に見られる様な自然な生き生きとしたものが感じられる。これは約束する処の多い新しい世界である。

アシルと亀の子 Ⅳ

一つの根本的な問題に就いて

わたしの評論がむつかしいという奇態な抗言を屡々聞く。私はむつかしい理窟を捏ねた覚えはない。むつかしい理窟なるものが、如何にたわいもない粉飾態であるかという以外に、凡そ理窟というものを述べた覚えはないのである。

仮りに私の評論がむつかしいとするならばそれは二つの理由によるので、それ以外の理由はない。第一に、わたしの表現技巧が拙劣である事、第二には、単純な事実を語る事は、複雑な理論を語る事よりも、遥かに困難なわざであるが為だ。それにしても、私の評論がむつかしくて解らないなどという若々しい新進作家達は、一体どんな気で小説などというものを弄っているのか。理論が不得手である事は、作家そもそもの特権と心得ているのか。今日の青年作家達が、まだ昔乍らの＊戯作者根性を捨て切らぬとは、吾が国民の美風であるか。

私は知っている。私の評論は、諸君の小説より百倍もむつかしい、だが、バルザックの小説より千倍もやさしいのだ。私のたわいもない論理をむつかしがるが如きは、凡そ作家たるものの恥である。諸君にとって一体何が一番やさしいのであるか。恐らく諸君には答える勇気があるまいから、私が代って答えるが、諸君のとぼけた理性にとって、あらゆる理論はむつかしく、唯、やさしいものは実人生なのだ。人生はナンセンスだ、エロティックだ、さては階級闘争だ、それ以上むつかしい理窟は、われわれ芸術家は知らんよ。

「改造」誌上に、*武田麟太郎氏が、「嘘と真実」という一文を載せている。近頃読んで情けなく思ったものの一つである。私は、あなたが不真面目であると言うのではない、又、私に対するあなたの御世辞とも厭味ともつかぬ片言を気にかけているのでは更々ないのだ。私がこの最も戦闘的な、未来ある新人の文章に、溌剌たる気魄を期待していた事が何が悪いか。私は、この人物が、あんなふやけ切った、うじゃじゃけた気分を、堂々と一流雑誌に漲らしていては致し方がないではないかと言うのである。あなたの文章にさらけ出された様な俗流的眼光は、文芸評論に限らず、あらゆる人間事業に有害無益である、と言うのだ。この世の嘘も真実も、売物でもなければ買物でもない。

「ぼくはムツカシイことが云えんので、実に通俗的ではあるが、今日のジャーナリズムが新進作家と呼んでいる人たちを検討した」、と。これは決して武田氏一個の言葉ではない、今日の新進作家達がおそろいで公言している処である。僕はムツカシイ事が言えん人物で、僕は実に通俗的な人物である、と。小説を書く暇に、たまたま薬の効能書の様な空々しい論文が書けるかといって、何んの弁護にもならぬ。実物を見れば瞭然ではないか。どいつもこいつも通俗小説許り書いているのである。プロレタリヤ派の、芸術派の如何なる新人が、通俗小説以外の小説を、たった一つでも書いたか。私は不幸にして、今日まで諸君の小説を鑑賞するに際して、何等かの洞見を必要とすると感じた覚えは一度もない。まことに通俗万歳の御時世である。

ムツカシイ事が言えなければ言わなくてもよい。だが、それだからといって、通俗なものしか書けぬ理窟は何処にもない。通俗なものしか書けぬ男に、ムツカシイ事が言えぬも言いたくないもあったものではない。どう考えても通俗なものしか書けぬ男は、ムツカシイ事を言う修業でも、先ず始めたがよかろう。それ以上の高等な人間修業（例えば小説の修業の如き）は、それから先きの話である。

横光利一氏が「改造」で文芸時評を書いている、月々現れる文芸時評で、かくの如く作家が文学の本質的部分をまともに語ったものは稀有である。久し振りで人間らしい声を文芸評論の裡に聞いたものである。

一体論文というものが、論理的に正しいか正しくないかという事は、それほどの大事ではない、その議論が人を動かすか動かさないかが、常に遥かに困難な重要な問題なのだ。氏のこの文章を仔細にみれば、多くの誤りを発見する事は容易である、而もこの一文が一種八方破れの構えの如き風格をもっているのは、偏に作者の誠実な実践的情熱による。

文学は人間学である。人間を基本とした方法論である、と。氏の一文に執拗にくりかえされる人間学とは、最近、*シェラアとか*ハイデッガアとかいう人々によって目覚ましい発展を遂げたと言われる所謂哲学の哲学たる人間学を指すのではない事が、勿論であるなら、氏の一文は、その昔ゲエテが正当に語った処に要約される、*「われわれは人間に関係することなき如何なる世界も知らない。われわれはこの関係をあらわしている芸術以外の如何なる芸術も欲しない」、と。

「生産諸力の増大、社会諸関係の破壊、観念形式、の不断の運動が行われる、一定不動なるものは、ただ運動の抽象――不死の死――あるのみ」（マルクス、*「哲学の貧困」）

全自然が一つの運動ならば、もはや、人間は自然の外側に立って、存在する真理を認識し、表現する者として現れはしない。認識する主観も、認識される客観も対立して存在するものとして現れはしない。思惟(しい)と存在との区別も、ただそんなたとえ話も可能であるというに過ぎぬ。すべては運動の形態である。人間という形態が生産され、人間の脳髄を通過した様々な観念形態が、事実上在るというに過ぎぬ。自然の運動が人間精神を造型したのなら、人間精神が生産した多種多様な観念形態の運動も、原理的には異った性質のものではない。マルクスの言う様に、「人足と哲人との差異は、番犬と猟犬との差異よりも小である」。学的認識といい芸術的認識といい又五十歩百歩の問題だ。かかる*決定論的風丰(ふうぼう)は、凡そ*唯物論(ゆいぶつろん)必至の風丰であって、これが、あらそえぬ事実なる限り何等驚く可(べ)き事ではない。

　かかる常識の立場は、芸術活動の正当な尊敬と正当な軽蔑(けいべつ)との為に必須(ひっす)のものであって、芸術というものを対象化して考える時、私にはこれ以外の如何なる高級な立場も退屈であり、無益である。ただ、困難な点は、人間の全秘密は人間の五十歩百歩的実践のみに含まれているという事である。

　*太初に言葉があったとは、生命の或(あるい)は物質の起源を云々(うんぬん)すると同程度に愚劣であろう。人間を語るとは文化人を語る事である。人間は常にあらゆる伝習を纏(まと)って登場す

る。最初に言葉が語られたという事実があった。これは、精神が言葉に捕えられて、言葉に捕えられる事によってのみ明るみに出たという光栄を語っているのだが、同時にこの言葉を聞いた人間がいたという事は、言葉が共通な伝達物と化して不死の死となったという不幸を語るものである。言葉が元来、実生活の必要から、自ら姿を現したものなら、又、われわれの実生活の波に没し去って、容易にその真の面貌を現さない事も驚くに足らぬ。人々は日常視る処をことごとく言葉に飜訳して、蓄積する。人々は言う。「言葉ではそうだろうが、実際はそんなもんじゃない」、と。では実際とは何物か。実は彼等は次の通りに言ったのだ。「その言葉は簡単だ、もっと複雑な言葉もある」、と。

人は言葉を与えられて以来、出来るだけこれを利用した、電車を利用する様に。電車を利用する人達に心配な事は、電車がうまく走ってくれるか、くれないかという事だが、そういう不安を己れの言葉の表現能力の不足に帰してみた処で始らぬ。考えると語るとは飽く迄同一事実だからである。人間精神は言葉によってのみ壮大に発展出来るのだが、この事実は精神が永遠に言葉の*桎梏の下にあることも語るものだ。

社会は自然の破片である、個人は社会の破片である、人間精神とは言葉を生産する工場以外の何物でもない、言葉を個人とする社会以外の何物でもない。

マルクスの分析によって克服されたものは経済学に於ける*物自体概念であると言える。与えられた商品という物は、社会関係を鮮明する事に依って、正当に経済学上の意味を獲得した。商品という物の実体概念を機能概念に還元する事に依って、社会の運動の上に浮遊する商品の裸形が鮮明された。人間精神という社会に於いてもこの事情は同じである他はない。ただ、精神の運動は社会の運動と同程度に複雑だが、遥か精密で*神速であるに過ぎないのだ。われわれの精神も亦言語という商品に慣れて、その魔術性に誑かされている社会である。久しい間、人間社会の暗黙の合意の裡に生きて来た言葉は、その合意の衣をかなぐり捨てねばならぬ。合意の衣とは言葉の強力な*属性に他ならぬという事だ。古来あらゆる最上作家等の前提は、言わば言葉の裸形の洞見に存した事は疑いない。彼等の方法論はこの絶対の言語（勿論、*形而上学的にも形容詞的にも使われた意味ではない、例えば*エンゲルスが絶対自然と呼ぶ場合の意味でだ、以下同じ）を考えずに意味をなさぬ。精神が言葉のみによって発展し、言葉のみによって、同時に制約されるという事の強烈な意識が、既に*絶対言語を予想するものである。かかる言語の裸形が鮮明されるという事が不合理なら、あらゆる物理学的世界像も亦たわ言だ。

自然は常に人間精神の試金石である。一ったん事物を言葉に飜訳する事に依って、言葉の本来の性格を見失った精神の迷妄は、又、これを事物にひきずり下す事に依ってしか救う道はない。或は事物が言葉に飜訳される時、その言葉も亦一事物であるから、その言葉が、人間の共有の財産として固定する以前に、その一事物たる全貌が直覚されねばならぬ。人は「石」という言葉から、世に一つとして同じ石がないその一つの石の存在に到りつく時、又、世に一つとして同じ音声をもたぬ一つの石という言葉を発見するだろう。

「アンナ・カレニナ」が、大小説である所以は、そこに描かれたカレニナ夫人の心理が心理学者の*端倪を許さぬが為ではない（心理学者などというものは、どんな心理に出会しても驚かぬ覚悟のある人物を言うのである）、そこに彼女が肉体をもって行動する一性格として見事に描かれているが為である。こんな事を今更語ると、人々はわかり切った事を言うというであろうが、人間の性格は心理にあると信ずる迷妄から人々は決して脱してはいないのである。この迷妄を脱する事は、難かしい。その証拠には、諸君は次のドストエフスキイの名言が何んの苦もなく了解出来るか。*「人々は私を心理派だという。だが私は決して心理派じゃない、私は単なる写実派に過ぎない」、と。お魚の心理を描くとは愚劣であろう。処が、フロオベルにとっては、人間はお魚ではなかったか。いや、*セザンヌにとっては馬鈴薯は人間ではなかったか。はや、諸君の頭は混乱するではないか。

心理とは脳髄中にかくされた一風景ではない。また、次々に言葉に変形する太陽下にはさらされない一精神でもない。ある人の心理とは、その人の語る言葉そのものである。その人の語る言葉の無限の陰翳(いんえい)そのものである、と考えればその人の性格とは、その人の言葉を語る、一瞬も止まる事なく独特な行動をするその人の肉体全体を指す、という考えに導かれるだろう。

扨(さ)て、この性格なるものを、ドストエフスキイが、写実したとする。どういう事になるか。

例えば、「ドン・キホオテ」を読んだ人は、*檻(おり)に入れられたドン・キホオテと、従って行くサンチョ・パンザとの会話を読んで荒唐無稽(こうとうむけい)と笑うであろう。処が、この二人の間の会話には二人だけに通ずる隠語なるものは描写されてはいないのである。では、正しくかかる会話で両人は最も平凡普通の会話をしているのだ。諸君がこの会話の曖昧(あいまい)を、*セルヴァンテスの不才に帰するも、両人の精神健康に帰するも勝手である。然(しか)し、諸君が、諸君のあやまたぬ能力で、諸君が健康だと信ずる人間の最も精密な、感情的な会話を正直に写実してみたまえ。諸君は恐らく、ドン・キホオテとその従僕との会話と同程度に荒唐無稽の手記を得て驚くであろう。処で、現実ではこの会話は正当に通用した。

この場合、諸君の手記に写されなかったものは、両人の姿態と、言葉の抑揚による無限の陰翳だ。この時姿態を割引きして考えるとしても、二人が会話を完全に遂行した所以は、二人が互に相手の言葉の無限の陰翳に忠実であった事による。この瞬間二人は相手の絶対言語を直観していたという点で正に芸術家であった。だが、かかる瞬間は、まことに、実生活中で、人目をしのんで明滅する瞬間なのである。では、写実とは常に、それが正確であれば正確な程、荒唐無稽と見えるのであるか。正にその通りである。自ら写実派と公言するドストエフスキイの作品に就いて、屡々言われるその怪奇性の如きは俗流の幻に過ぎぬ。彼の怪奇性は、彼の写実主義に於いて捕えられる時、初めて正当に人を動かす真実となる。

絶対言語への道とは絶対自然への道だ、絶対自然への道とは絶対特殊への道に他ならぬ。普遍とは又特殊の絶対的信用以外の何物でもない。芸術上の現実主義とは、心の中にあると外にあるとを問わず、特殊風景に対する誠実主義以外のものを指さぬ。芸術上の*浪漫派と*現実派との区別を、言語の社会的公共性を過信するか、正当視するかという観点から考えると、余程変った意味を持って来るだろう。例えば、仮りに小説と詩とを、それぞれの内的法則を抽象して、上の法則によって比較してみたまえ。

如何に優れた小説も、小説たる理由で社会的公共的に、言語を詩の場合より遥かに多く使用しなければならない故に、遥かにすぐれた詩よりも浪漫的であるといえる。人々は小児の叫びが大人を動かす所以は、正に小児の現実主義精神によるという事実を思えば足りる。作家の実践上のこの現実主義が、擬科学的文芸批評の流行のうちに忘れられている。

　多種多様の精神の造型がある。芸術的形態も理論的形態もそれぞれその一面貌に過ぎぬ。これらの形態がすべて自然の子ならば、これらを貫く法則はある筈だが、この法則が完全を目指していよいよ衛生無害な不死の死に近づいて行く間に、それぞれの形態は、お互にその秘密を明さない、己れの固有の内的法則によってのみ生き生きと発展して行く事を、われわれは如何とも為難いのである。思惟的造型の明瞭性と、芸術的造型の不明瞭性とが、鮮明に対立している。両者がその世界を守っているのは、例えば、落体が落下の明瞭な法則に従って落下し、気体が確度論*の不明瞭な偶然の法則によって運動するのと一般である。芸術にあっても、音楽、美術、文学とそれぞれの形態はそれぞれの内的法則を決して捨てないであろう。その固有の法則のうちに沈潜する個々の芸術家の実践上の現実主義のみが普遍的な芸術概念に触れるであろう。

アシルと亀の子 V

吉例によって七月は、夏期特輯で、大雑誌は五百頁の大冊だ。机の上で厚さを計ってみただけで、げんなりする。この暑いのに、衛生上からしても面白くない事である。例えば「改造」をとり上げて、第一頁、失業問題討論会記事から読み始めてみたまえ。*安部磯雄という人は、何んて人の善いお爺さんで、*高橋誠一郎という人は、何んて薄みっともない皮肉屋で、とだけ教わって次の論文に移ると、*無産政党中間合同とは、あんまりあわてるなと言う事だと教えてくれる。近頃の紡績機は一分間に一万四千回転すると読んで行くうちに、たちまち*シュルレアリスム芸術の変痴気理論を読まされる、海軍軍縮の兵力決定問題と並んで、河豚は何故に腹が大きいかという論文を愛読し、氷河の漫談からエミイル・ゾラの情熱に接し、文士対出版屋の喧嘩文から女流運動家の日記、パリ踊子の楽屋はベルリン、プロレタリアートの悪戦状態に飛ぶ、やっと*創作欄に辿りつけば、お釈迦様と*ヘンリ・フォオドの二大作が肩をならべ、これをくるものが、細君に間男された亭主の告白小説だ、こう書いて行っただけで既にわれ乍ら文章の態をなさない事が情けない。五百頁順々に馬鹿みたいに通読して眼がくらんだ。夏期特輯を通読して癲癇を起した話を聞かないのは、これを通読する人間がいなければこそだ。

今日の読書階級を動かしているものは、書籍ではない。新聞雑誌である。だからと言って新聞雑誌を罵倒する理由もない、ジャアナリズムが文芸上に齎す害毒、今更、そんな事を言っても始るまい。文士のジャアナリズムに対する愚痴という事になれば、源は遠く百年の昔、名批評家*サント・ブウヴまで遡る。してみれば、近代作家は皆ジャアナリズムと戦って来た。戦って来たと言う事は、又御蔭を蒙って生きて来たと言う事だ。ゾラもバルザックもジャアナリズムの子供である、而も健康な子供である。それにしても、私は夏期特輯を通読して眼がくらんだ一読者として言って置きたい。

*七十銭出せば、現代の装飾が上から下まで解る。これは大変当世風なからくりに相違ないが、私には、こういう大雑誌の編輯機構は、凡そ現代に於いて伝奇的に古風にみえる。纏い付けた衣裳の重みで身動きも出来ない。豪奢な意匠を凝らして速力と合理化とを宣伝しなければならぬとは妙な事だ。夏期特輯を全部読めるものは、私みたいに退屈している男以外には一人もいはしない、これは確実な事である。こんなくだ

らぬ事が確実な様では、大雑誌の命脈も知れている。

広津和郎氏へ

広津和郎氏が七月「改造」誌上、「文士の生活を嗤う」という文章で、出版屋の横暴に対する文士団結の無力に大変腹を立てている。まことに尤もな癇癪である、罵られた面々文句のある筈はない。氏の近作「昭和初年のインテリ作家」に対して、人々が作品の出来栄えなどというくだらぬ事のみ云々し、この作品に描かれた文士の実生活的無能という事実に就いては、誰も口を噤んだという氏の忿懣が、蒸し返されて今度の「文士の生活を嗤う」なる一文を成したのである。「昭和初年のインテリ作家」を読んだ私は、「文士の生活を嗤う」に於いて前作の蒸し返し以上のものを期待していたのであるが。

ある作家が、一般作家の生活を嗤う以上、そこに、その作家の生活に対する個性的な見解が語られていなければ読者は退屈するのである。「昭和初年のインテリ作家」なる一創作に就いて、文壇人達が沈黙していたなどという事が一体何んの事だろう。沈黙していた文壇人以外に幾万の読者がいる筈だ。こういう読者のうちの、文学を愛する一読者が、氏の「文士の生活を嗤う」を読み、この文章は一体作家が書いたのか、出版屋が書いたのか、と思案して沈黙していないとも限らないのである。それ程この感想文に現れた作家の面貌は、朦朧として蒼ざめている。成る程正義の情熱はこの一文に漲っているが、重要なものは作家たる情熱の明らかな像ではないのか、面目ではないのか。

「私の期待したものは作の出来栄えについての批評ではない」と。だが、作の出来栄えこそ作家の心を隅々まで語ってくれるものだ。凡そ作品というものの唯一の興味はその出来栄えにある。世の中を眺めて遥かに愉快で有益な事象が無限にある時、世人はヘッポコ小説を読む寛度を持たぬ。作品の出来栄えを最大の関心事としない文士は、如何なる社会状態に於いても、文士たる存在理由はないのである。

「私が今文壇を見ながら関心を持つのは、誰々が好い作を書いたとか悪い作を書いたとか云う事ではない。そういう事に全然無関心でいるわけでは勿論ない。けれども、それよりも執筆家――殊に私と同業者である純文芸作家達の生活が、今後どうなって行くかという事の方が、より強く私の胸に来るのである」と。今日、かかる作家の実感を軽蔑するものはないだろう。今日囂々たる社会と文芸に関する論争の根柢に横わる実感だ。併し、これは作家終局の問題ではない、作家のその出発に際して戦いとる可き問題だ。私は、広津氏のこの実感が、氏の長年の制作理論の結末として洩されたものと信じたくはないのである。私は、氏の今度の一文に於いて、この実感が、純正な作家たる理論で、少しも積極的に語られていない事を遺憾に思う。

一体、作家の職業意識と制作意識との関係、芸術と生活との関係は、これを辿って行けば思索と実行、精神と肉体との関係に、いよいよ酷似して、いよいよ困難な問題となる。広津氏の感想が、作者の感想として、この困難な精密な領域まで這入って行かねばならぬことは必定だと私は思う。この領域に関して、大作家で彼独特の見解、確信を持たなかったものは一人もあるまい。少くとも近代文学が発生して以来、社会に於ける己れの作家たる必然性を、冷然たる自己批判をもって確信しなかった大作家は一人もいない。この確信の上に立って、最上級の制作をのこした後、又冷然として文学に訣別して実行に躍り込んだ*ランボオの様な人もある。

近頃、知識階級の没落という事が喧ましいが、知識階級が没落なんぞされては堪らない。没落するのはなまけもの階級だけである。知識階級の没落だとかスポオツの階級性だとかと堂々と論文が書ける様では、学者も中々暢気な商売止められなかろう。私は現代日本のなまけもの階級の存在は確信しているが、知識階級の存在はあんまり確信していない。知識階級の精鋭として、知識の演ずる悲劇を、情熱をもって歌った作家の存在に至っては、もっと確信していない。アントン・チェホフは、亡び行く知識階級を描いた、という。併しこの言葉は、多くの人々の眼を掠(かす)め去る一真実を秘めている。

「ボヴァリイ夫人」とは自分の事だ、とフロオベルが言った。大作家の手によって描かれた人間で、天才の影を担(にな)っていないものは一人もない。*グランデ爺さんも天才である。*ムイシュキン公爵(こうしゃく)も天才である。当節、如何に天才という言葉が流行(はや)らないからと言って、世の中に色男がなくならない様に、天才というものもなくならないものなら、これ又、致し方のない事だ。チェホフ一人は平凡人ばかりを描いたのか、そんなとぼけた話があるものじゃない。彼の小説にだって天才ばかりが出て来るのである。

世間には、味も素気もない人物がたんといて、而も、味も素気もない人物とは、大抵、学問もあり悧巧(りこう)な人物と相場が決っているから不思議である。まるで味も素気もなくなる為(ため)に学問をして、悧巧になったという面をしている。大小説中には、作者の後光がさしてる御蔭で、味も素気もない人物は一人も出て来ない。

学問もあり悧巧だし、而も味も素気もない人物を、*プチ・アンテレクチュエルという。プチ・アンテレクチュエルなんて言葉があるかどうか私は知らないが、*プチ・ブルジョアなどという言葉が使われているのなら、これもあったって一向差支えあるまい。この言葉が昭和インテリ作家という言葉にしっくり当て嵌(は)まるなら、ない方が不思議な位だ。

チェホフの小説に描かれた知識人は、プチ・アンテレクチュエルではない、彼は真正なアンテレクチュエルを描いたのだ。「*黒衣の僧」を見よ、「*匿名者の手紙」を見よ。彼の描いた知識人は、知識と心中した知識人だ。彼等は知識の貧弱に斃れてはいない、知識の過剰に斃れているのだ。チェホフの歌の重点は、処世に於ける知識の無力ではなかった。知識そのものの悲劇が彼の歌となったのだ。知識が吾が身を食うまで知識を食うとは、プチ・アンテレクチュエル根性の到底あずかり知らぬ真実である。

私は、詩人肌とか、芸術家肌だとかいう言葉を好まない。実生活で間が抜けていて、詩では一っぱし人生が歌えるなどという詩人は、詩人でもなんでもない、詩みたいなものを書く単なる馬鹿だ。広津氏は、「昭和初年のインテリ作家」で、こういう馬鹿を書いてみせてくれた。この馬鹿の描写から感銘を受けるものは、この馬鹿を詩人だと信じていた馬鹿に限る。（尤も、代作なんかで味噌をつける作家は、少し間が抜けてた方がましかも知れぬ。こんなの迄、芸術家だという事になっては、どんなお喋りでも、芸術家に就いて喋り切れまい。）文学者世事に疎しとは文学者の恥辱にこそなれ、自慢にはならぬ。

「作家というものは尠くともサラリイマンなどとは違うという氏（*阿部知二氏）の力

味方も好い。そう思っている方が無論よい。併しこれもどうだか解らないと私は思っている。そして現在、生活というものに対して、力を持っていない点では、やはり同じ*範疇に一括されるべき人種であると思っている」と、広津氏の言葉である。

では、作家たるものが、尠くともサラリイマンなどとは違うと力んでいい理由が何処にあるのか。何故に「そう思っている方が無論いい」のか。而も何故に「併しこれもどうだか解らない」のであるか。広津氏が、文士の生活を、食う為の生活で一括しようと欲するのならば、それは正しく目下の処、文士の経済問題が氏の胸を打つからであろう。では、目下の処、胸を打つとは如何なる筋合いの感動か。

成る程、こんな事を言い出しては、身も蓋もなくなって了うだろう。だが、理窟とは元来辿って行けば身も蓋もなくなるものだ。そして私の言いたい事は、チェホフは、正にこの身も蓋もない処から、その作家たる生涯を始めた人物ではなかったか、と言う事だ。問題は、ただ、虚無からの創造を確信する為には大作家たる熱烈な資質を必要とするという点のみではないのか。

チェホフを微苦笑などというもので片附けようとするのは大変な錯誤であろう。彼の心底は絶望的な忿懣に燃えていたに相違ない。処世と制作とは自ら別個であるという苦しい意識に生きていた。微苦笑とは彼の一処世術に過ぎぬ、それも俗眼には容易に看破出来ない処世術であったろう。心底からほほえむ男が、*「六号室」の様なやりきれない小説が書けた筈がないではないか。彼は、或る思想をもって他の或る思想と戦ったのではなかった。凡そ思想という怪物がすべて征服さるべき敵であった。人目を忍ぶ戦ではあったが。かかる作家の作家たる理論が、人目を掠めて、如何に戦闘的で潑剌としたものであったかは想像するに難くない。

私は、大変チェホフを愛している。広津氏も亦、尠くとも氏が*「死児を抱いて」を書いた頃には、チェホフを愛しておられたと信ずる。チェホフが若し今日あって、氏と同じ感想を書いたとしたら、其処には恐らく、静かにだが、確乎たる作家の面貌が浮んだ筈だと私は思うのである。こういう言葉は氏に対して失敬な言葉であろうか。氏の制作に漂って常に私を動かす、氏の誠実と純情とが、「文士を嗤う」一文に於いては、というのは又恐らく引いては氏の作家たる根本理論の領域に於いては、飄々として蒼ざめて見える事を悲しんで悪いであろうか。

文学は絵空ごとか

単なる人間の心理的事実に還元しようとすれば還元出来ぬ様な真理は、たった一つもないであろう。文学活動も一心理的事実に過ぎぬ。それなら、文学は*絵空ごとであるかと思案するのは、豚は絵空ごとではあるまいかと訝るのとあんまり異るところはあるまい。併し、今月、書くところは、そういう事ではない。

毎月、「アシルと亀の子」なんて同じ題をつけているのは芸がないから取りかえろと言われて、成る程と思い、偶々、正宗白鳥氏の*文芸時評を読んでいたら、文学は畢に絵空ごとに過ぎぬという嘆声に出会ったので、今月は、多くを語りたい作品も読まなかったし、ただわけもなくこんな標題をつけて了った。だが私にとっては、依然として、アシルは理論であり、亀の子は現実である事に変りはない。アシルは額に汗して、亀の子の位置に関して、その*微分係数を知るだけである。

文学は絵空ごと、とは、正宗氏の今に始った感慨ではない、機会ある毎に、氏の口を洩れた実感である。他人の実感を兎や角言う事は愚である。私は、この一流作家の感慨に対して、抗言しない。ただ、私が訝るのは、これまで、屡々洩された、この作家のこの感慨に対して、批評家等が誰も尊敬を払わなかったという事である。そっとして置くという事は尊敬する事にはならぬ。私は、文学は絵空ごとか、という題をつけたに際して、氏のこの実感の意味を私なりに考えてみたいと思った。世人が氏に課した冷眼という一概念をでっち上げる為に、様々な要素を、我武者羅に結合する事を必要としたと同じ程度に、私は、この概念を様々な要素に分解する事を先ず必要とするらしい。

*懐疑派とか*虚無派とかいう言葉は元来舶来の言葉である。例えば*パスカル的風丰を思わずに私には、懐疑派というものは了解し難い、*スタヴロオギンを想わずに、虚無派というものを想像し難いのである。正宗氏の作品には、パスカルもスタヴロオギンも漾ってはいない。私は、氏を懐疑派だとも虚無派だとも思ってはいないのである。氏の作品の酷薄性が、氏に対してかかる名称を流行させたのであろうが、私は氏の世界観上に何等痛烈に悲劇的なものを認める事は出来ない。氏の作品の妖怪味などとさわぐに至っては、既にお茶番ものである。例えば、ポオから怪奇探偵性を捜し出して、

人々はポオに就いて何を語った積りでいるのであろう。そうかと言って、氏は又、日本伝統の血を受けて苦労人の諦念も歌ってはいない、清澄な非情の世界も歌っていないのである。ここに、それ自身困難ではないとしても、はっきり理解するには、まことに困難な文学上の一資質に面接する。

氏を自然主義作家などと呼んでみた処で、氏の作家たる心に関して何物も暗示出来ない。自然主義作家フロオベルは造型美の夢の殉教者だったし、ゾラは社会正義の幻に憑かれていた。如何に客観的に描かれた小説でも、優れた小説には常に二重の眼が光っている。作中人物の眼と作者の眼と。この作者の眼を明瞭に掴むとは人間能力を超えた事かも知れないが、直接肉薄しようと努めない処に、批評に於いては、様々な無益な符牒の隆盛を来し、鑑賞に於いては、愛読者根性というものが発生する。正宗氏の描く人物の、人々の所謂酷薄とか陰惨とかいうもののうしろにどんな眼が光っているのか。

正宗氏の作品で、私が動かされるのは、氏独特の文体である、調子である。氏の文体は、勿論豊かでもなければ、軽快でもない。併し又、素朴でもなければ、枯淡でもない。氏の字句の簡潔は、磨かれた宝玉の簡潔ではなく寧ろ、捨てられた石塊の簡潔だ。私は、氏の文体の強い息吹きに統一された、味も素気もない無飾の調子に敬服するのである。ここにも亦（また）、それ自身困難ではないかも知れぬが、その索漠たる美を了解する為には、最も困難な一文体に、面接する。そして、この文体はこの作家の資質の鏡である。

氏の作家たる心は、決して濁ってはいないが、決して澄んでもいないのだ。何故な、ら氏の心は、濁っていることを嫌う程、澄んでいる事を望んではいないからだ。若（も）し散文的精神というものが、言語上の観念美は勿論の事、世のあらゆる造型美に誑（たぶら）かされない精神を指すとすれば、正宗氏の精神は正しく生れ乍（なが）らの散文精神である。氏は深刻な雑文家である。ドストエフスキイとかバルザックとかの、普通の小説概念では律し切れない茫漠（ぼうばく）たる小説には、この深刻な雑文精神が見られる。正宗氏は恐らく生れ乍らの最も散文的な小説家だ、この点で、現在の作家の中で氏に最も近い作家は、人々は奇妙に思うかも知れないが、私は宇野浩二氏だと思っている。

正宗氏は、人生を信用していない様に小説というものを信用していない。人生への懐疑が小説という形式で完了すると信じていない。自信ある作も苦心の作も自分にはない、と氏は言うであろう。扨（さ）て、文学は絵空ごとという氏の感慨に、私の課そうとする意味は自（おのずか）ら明瞭であろう。この懐疑派がいつの間にか文学を唯一（ゆいいつ）の事業としなければならなかった運命に関して洩された実感だ。

私は、未だ評判の細田民樹氏の「真理の春」という小説を読んでいない。どうも昔から評判の本にはスカされ通しなので、近頃は評判と聞いただけで二の足を踏んでしまう。だから氏の作に就いて今何んとも言えぬが、世評によると、これは現実暴露小説というものだそうである。いろんな名前がぞくぞく発明されるものだ。私は、現実とは何かなどと言うのではない、現実というものが不可知のものである事は大昔からの通り相場なので、ただ、これが気にかかった幾人かの人間がいただけである。重要な事は、人々は、人々のそれぞれの生活に即した現実を見ているに過ぎないという事、人々は各自の職業習性を離れて決して現実を眺める事は出来ぬという事である。魚屋は彼の習性に従い、魚の美しさは知りはしないし、画家は彼の習性に従い、魚の美しさが魚屋の習性に逃げ込んで、滅形し、永遠に再現の機会を失う事を恐れる。若し魚屋の感覚が画家の感覚に比べて、くもっているという理窟が成り立たぬとすれば、魚屋は正しく必要上その感覚を節約するのだ。一瞬に逃げ去るものを追わぬのだ。色の感覚を、認識の本道として尊敬するのは画家という職業の習性である。現実は夢ではないが、人々は、各人の夢を現実に織る他はない。現実暴露小説も、小説家という一習性の夢みた新しい一種の夢である。見なれぬ風俗習慣を見せてくれるのが暴露小説なら、*ごけが知らぬ土地に旅行したら見るもの聞くもの暴露小説だろう。御存じの御方には退屈でしょうが、なんて小説はない。夢という言葉が嫌いなら次の様に言えばいい。人間に現実自体を暴露する事は不可能なのであるから、現実暴露とは現実の諸関係を暴露する事に他ならぬ。小説家の習性に従って、現実の新しい諸関係を発見し表現する事である。

私は、「新潮」誌上で、*平林初之輔（ひらばやしはつのすけ）氏の「芸術に於けるRealityについて」という論文を読んだ。この論文には、氏も断っている通り、何等この問題の本質的部分は語られてはいないのだが、氏の語る処をここに一言に要約する事が出来るから要約するが、一般に*シネマは写実であると考えられているが、実は現実を構成するものだ、してみればあらゆる芸術に於いても写実とは、迷妄ではないかしらん、と言うのである。勿論、一般的な意味に於いては私は迷妄であると信じている。

併し、一度、この一般的意味から踏みだしたならば、芸術家というものは、写実する人か構成する人か、誰も知りはしないのである。ロダンに言わせれば、芸術とは自然の研究以外の何物でもない。彼等は出来るだけ正確に現実に肉薄しようとする。この時、文学に於いては問題を一括する為に写実という言葉が便利であり、造型美術や音楽に於いては同じ意味で構成という言葉を使った方が適当であるに過ぎぬであろう。

写実は正確になればなる程、一般人の現実の姿からは益々(ますます)離れて行った。正に、フロオベルから*ジェイムズ・ジョイスに至る道ではないか。フロオベルの手法は古いであろうが、平林氏の言われる様に間違っているものでは決してない。現代フランスの*超現実主義という文学運動は、その名称の為に、日本に輸入されて、殆(ほとん)ど笑止を通り越して情けない程の誤解を受けた。若し、*ブルトンの正体が、最も深刻精到な写実狂だと大胆に考える勇気が詩人達にあったなら、無用な混乱は起らなかったであろうと私は考える。

私は、シネマというものが、二十世紀に於ける最もすぐれた芸術形式であるなどという言葉を信用していない。尤(もっと)も、信用していないなどと公言する権利はないかも知れぬ、私は恐らく嘗(かつ)て、シネマを正当に鑑賞したと感じた事はないのだから。私は、映画に一番動かされる時は、必度(きっと)画面から勝手に文学の夢を作り上げる時である。画面を眺め乍ら、私にそんな夢をみる暇を与えてくれる様な監督は、なまけ者か、下手くそなのだろう。名監督は、観客の全身を眼だけにしようと心掛ける可(べ)きなのだろうから。今時、*ジゴマの探偵物なんか見たら、シネマ・ファンは死にそうに退屈するに違いない。不便な人種である。シネマの隆盛が文学を征服するかしないかなどという問題に至っては、人間唖になるのと、盲目になるのとどっちが余計嫌いかという事情が判明せぬ限り判明しないだろう。

私が、平林氏の論文で、興味を覚えたのは、氏が引用したアベル・ガンス*の言葉である。アベル・ガンスは言う。「現代の社会に於いては、言語はもはや真理を表わさない。いろいろな偏見や、道徳や、諸種の不祥事や、生理的の欠陥等が、言語からほんとうの意味を奪い取ってしまった。――映画は、行為に総合し、言語をなくしてしまうことによって言語を媒介とする芸術よりも、より多くの真理を表わす」――ドン・キホオテはサンチョに言う、「これが人生なんだよ。だが残念なことには、この人生は芝居で見る人生程の値打ちはないがね」――「これは、一般の芸術、特に我が映画芸術を弁護した、何と素晴らしい言葉ではないか。――スクリインの上の人生の姿は、人生そのものよりも美しい」と。私も、先日アベル・ガンスの本を読もうと思って買って来たが、こんな事を言う男と知ったら買わなけりゃよかった。煙草銭に困っている時、愚書を買った位口惜しい事はない。

言葉は真理を表さぬとは現代に限った事ではない、言葉が嘘と共に生れた事実に就いては、私は先々月*の時評に、口が酸っぱくなる程喋ったのだ。今更一言も語るのは厭である。言葉が社会の発展につれて、益々尨大な社会的偏見を孕む様になった十九世紀に至って、言葉を嘘から救助しようとする熱烈な文学運動が起った。この悲劇的な志は三人の天才の手から手に伝承されて、最後の一人は、言葉を愛する余り遂に言葉の表現を見失うに至った。三人とは、ポオとボオドレエルとマラルメ*であったとは人の知る処である。然るに、彼等の背後には、以前から小説という一文学形式が、最も健康に肥大して悠々と流れていた。

印刷機械が発明されて、人々は小説を楽しむという快楽を発見した、丁度、アメリカ発見が、文明人に喫煙の楽しみを齎した様に。喫煙の楽しみが、今日既に楽しみの域を通り越して、人々の習慣となった様に、今日小説の愛読は人々の第二の天性と化している。人々は、ただわけもなく小説を読んでは暇をつぶす。小説の隆盛は偏に大衆の加護による。では、何故に大衆は小説に味方したか。それは小説というものが、その根柢に於いて、言葉の社会性を信用するものであるが為だ。社会的偏見を肯定してかかるものであるが為だ。詩は詩という独立の世界を目指すが、小説は人生の意匠と妥協する。この小説の生れ乍らの大衆性に対して、敢然と叛逆した人物が、小説の開祖セルヴァンテスであったとは面白い事である。

ポオとセルヴァンテスは、恐らくは、言葉の嘘に対しては同じ厭嫌と忿懣とを覚えたのであるが、ポオは、言葉からその社会性、通貨性を洗い落し、言葉の実体化、純粋化に近附き得るという信念の下に、言葉の嘘から逃れようとした処を、セルヴァンテスは、詩的言語の自律性を信用せず、社会とともにある言葉の嘘をあるがままの嘘として高所より受け容れ、この嘘を逆用する道を選んだ。彼の時代にあって彼自身無意識のものであったとしても、このセルヴァンテスの発見した小説の根本理論は今日に至っても、聊かも傷つかない正統な小説理論であると私は信じている。マラルメが嘗て大衆の手に渡った機会がなかった様に、セルヴァンテスも亦大衆の手にあったと同時に、大衆の手を遥かに飛び去っていた。

「サンチョ、これが人生なのだ。だが残念な事には、この人生は芝居で見る人生程の値打ちはない」。アベル・ガンスが素朴にも、シネマの提灯をもってくれたと信じた*ラマンチャの騎士の言葉の持つ逆説を、私ははや説く事は要るまい。セルヴァンテスは言ったのだ、文学は絵空ごとだ、と。セルヴァンテスが死んで三百年、文学が小説の異名とまでもなった今日、われわれが、文学は絵空ごとであると確信するのに、はや、彼の天才は要らぬ筈だ。

精神とは嘘であり、言葉とは嘘である事を痛烈に知った*ジャン・コクトオという一つの精神が言う。

「私たちは、盲目ではない。だから、ものを書く馬鹿々々しさははっきり感じている。然し私たちは苦しまない、だから私たちは黙っていないのだ」と。

文学と風潮

世紀の纏う豪快な意匠*も、明日を知らぬ、人間脳髄に簇生*する、ささやかな装飾と等しく果無事だ。歴史の腹は、飽満する時を知りはせぬ、踏み躙られた、数々の人間栄光を想いみよ、と。嘗ては、かかる想いが、正当な詩人の歌であったひと頃もあったのか。そして、今日、これが、一売文家のざれ言*だとしてみても、既に、一種、怪しからぬひびきを伝えるとみえるのか。私は信じない。それ程、今日は、華々しい世紀であるか、それ程、作家等は溌剌と制作しているのか。

何れにしても、翩々*と移い行く世の風潮はおそろしい。風潮の完全な軽蔑は、完全な忘却を意味するなら、これは人間の何かの道かも知れぬとしても、文学の道ではあるまい。文学は常に世の風潮と同居している。当然、文学の社会性という簡単な明瞭な問題が呈出される。文学は社会の鏡であると。人々は、社会に数え上げたと同量の形を、文学の上に数え上げる。人々に心配な事は、鏡が平であるか、歪であるか、さては曇ってはいないかしらという事だ。こういう言わば、原理的には、トランプの*神経衰弱みたいな手法に、決して錯誤がないのは、こういう手法にとって文学とは、社会に浮遊する抽象体以外の意味を持たぬが為だ。人は、死物の計量に際して誤りの冒し様がないのである。

だが、幸か不幸か、文学という形はその影をもっている。瞬時も同じ格好をしていない人間の心という影をもっている。作品という死物に、命を与える人間の心は、社会の鏡でもなければ、又、社会は人間の心の鏡でもないのである。文学に関する困難は、ただこの影の世界を覗くにある。ここには、ただ、数々の、互に異質な、個々の組織が、犇き合っている。この影の世界で、世の風潮とは無意味である、少くとも、無意味な程、錯乱した事情を示すに過ぎぬ。

世の波風が荒い時、作品に現ずる波風は荒い。とは何事でもない。作者が、社会の秩序に飽満して、手を拱いている時も、崩壊する社会の機構に苛立しい眼を据えている時も、彼の心と社会との関係は、同じく錯乱を極めた乱戦状態にあるという事を忘れてはならぬ。奔流の変化は、静水の変化に比べて一層錯雑であるという何等の根拠もないのである。

世の風潮は、決して文学の核心を突きはしない。だが、若し世に文学が存在しなければ、世に風潮も存在しないであろう。世の風潮は文学の世界に、見事にか愚劣にか、兎も角最も鮮明な姿を現ずる様にみえる、概念として、風景として姿を現ずる様にみえる。換言すれば、世の風潮とは、低劣な文学にも可能である処の世人への馬鹿々々しい寄与である。

*エレクトロンの舞踏を計画する今日、階級争闘の今日、等々と言えば、甚だ颯爽と聞えるが、人間創造の世界は、そんなきれい事では行きはせぬ。現代文学の表現する今日とは一体如何なる今日か。

今日、騒然たる批評家等の争論は、凡そどれもこれもたわいがない。文学の影を垣間見る骨折りを惜むのか、いや、見事な批評家となる為に、文学に惚れ込む狭量を捨てるが為かも知れぬ。現代文学の表現する雑然とした色彩を眺めて戸迷わぬ奴こそ不思議である。戸迷えば*沽券が下ると信ずる批評家には、風潮という餌がある、そして彼等は、文学を論ずる事を止めて、風潮の製造に憂身をやつす。たまたま物欲しげな作家達、釣られた魚に又釣られて、大いに啓発された面である。

凡そ今日の文学程、熱烈に適確を求めて、適確を失っている文学はない。健康を求めて頽廃を得、明朗を求めて感傷に堕している。私は、あらゆる新興の文学作品に、この頽廃的影を読む。翩々たる享楽文学には勿論の事、堂々と見える争闘暴露の作品でも、その*蹌踉とした、徒に煽情的な諧調は決して作者の健康な心を語ってはいない。こういう問題を、唯表現技巧の巧拙に帰するのは、作家の*遁辞に過ぎぬ。作家にとって技巧とは心である。例えば、一流頽廃詩人の作品から、作者の毅然とした健康な心を感得出来ないものに、文学を語る資格はありはせぬ。

私は独断も語っていない。大袈裟にも語っていない積りだ。今日作家達の無意識を往来する事情に注意したまでだ。若し彼等の創作の殿堂の奥深く侵入する事が出来たなら、そこには恐らく、嘘から出た真、真から出た嘘、蒼ざめた享楽、腑抜けの笑、誤算する科学、計算する抒情、逃げ場に困った逆説、絶望した偶然、騎士的虚栄、争闘的*阿諛、等々等々と渦巻いているに相違ない。当代の*ハムレットの面貌は、凡そ歴史上のどのハムレットよりも蒼ざめている筈だ。ただ、ここ数年間、恐るべき速力で巻き起った世の風潮で狡猾そうにささやくのみだ、懐疑は愚劣である、と。

詢に懐疑は愚劣である。だが、愚劣を演ずる事は必ずしも愚劣じゃない。私には、今日の作家達にとって、懐疑は面倒だから愚劣なのか、それとも真理の道ではないから愚劣なのか、よく分らん。だが、確かな事は、人々が、何を置いても愚劣は演じまい、利口になろう利口になろうが、凝って形をなしたものが現代のナンセンス文学である。*中村正常氏に、彼の人生に対する覚悟を訊いてみたまえ。彼は答えるであろう。

「愚劣は、自分にも見せるな、他人(ひと)にも見せるな」

ある評家が、今日のせせこましい、数理、必然の世の中に反感をもち、一切の粉飾を退けて、偶然から偶然へと自由の飛躍を試みようとする要求が、ナンセンス文学を生んだ、と書いているのを読んだが、私には如何(どう)にも受けとれない。こんな見事な笑は、十返舎一九の笑であって、決して現代日本の笑じゃない。「*膝栗毛(ひざくりげ)」を愛する為には、愚劣の苦い味を知った人間でなければ駄目な事だ。今日のナンセンス文学は、心掛けのいい紳士でなくては面白くない。

将来の文学を*席巻するものは、恐らくは、第二のゾラであろう。彼こそ懐疑の愚劣を、静かに語ってくれるであろう。だが、まだまだだ。

九月の作品で、実に久し振りで出会った作家が二人いる。「文藝春秋」に載った*泉(いずみ)鏡花(きょうか)氏「木の子説法」、*武者小路(むしゃのこうじ)実篤(さねあつ)氏「頑固な男」。

今日、鏡花氏の作品を鼻であしらう事は詢に容易な事であろう。そして世の批評家はこの容易な事をお揃(そろ)いしてみせるであろう。大体、鼻であしらうという芸当が、既に最も容易なわざである、嚔(くしゃみ)の次位やさしい。鼻であしらう事が退屈になれば、人間も一っぱしなんだろう。尤(もっと)も、これは、決して他人事(ひとごと)じゃない。私なぞは、時々人を鼻であしらわないと調子が出ないなどという仕誼(しぎ)になるのだから情けない。

鏡花氏の才は今日稀有である。一度失ったら二度と得る事は覚束ない。いくら商売上、世間の機嫌を買う必要があるとはいえ、まさか、*楔形文字を判ずるのじゃあるまいし、どころか、氏は現に無類の情熱をもって制作している作家である。それを見向きもせぬような新時代作家の心根が私には解せない。この手近な最上古典が、眼に入らぬ程、文学にたずさわる人々が怠け者でも、頑固でも致し方がない。氏の作品がはや古いという事は、この言葉が正確である範囲では凡そ馬鹿気ている。当来の作家等、誰が氏の作を模倣しよう、氏の様に書けといって、誰が書こう、誰に書けよう。今日を溌剌と生きて、而も氏の作に心を打たれるという事は、余りやさしい業ではないのだ。だが、作家には、この余りやさしくない事だけが大切だ。

氏の作品には、先ず何を置いても、極限に達した芸がある。至芸、と聞いただけで、唇を歪める人々を、私は沢山知っている。青臭い唇である。世に甘やかされて青臭いとも気が付かなくなった青臭い精神が齎した青臭い芸術、はて、意味を成さない言葉である。至芸は、心の完璧な象徴である事を常とする。

氏の*流絢たる文字を辿って夢みたのは、はや十年の昔である。その後、私は長い間、氏の作を忘却した、私は変り、従って氏の作は形を変えた。*「高野聖」の山海鼠の描写は、今も猶、昨日の様な同じ生々しさで生きてはいるが、今、氏の作は全く違った現実を、私に明かす様だ。*陥穽をもって真実を捕えようとして、ただ陥穽を握り、夢を極端に嫌厭して、ただ陰惨な夢を得た様な気がしている今日、私は、鏡花集を、そこここと読み直して、貫かれた太々しい情熱の線を見て赤面する、「俺は一体何を読んでいたのか」と。

昔の事は知らないが、少くとも私が鏡花氏を読み始めた時は、氏は既に、世の自然主義作家達の乗じた潮流に、はばまれて、特殊な、傍流の存在となっていた。以来、氏は、限られた鏡花崇拝者の群れに、支持されて今日に至った。人々は、既に鏡花渇仰者という一典型を容易に心に浮べ、鏡花趣味なる一概念を苦もなく目に描く。

氏の描く人物は、凡そ類型的だ。粋な紳士に、野暮な金持、*伝法な芸者、いなせな魚屋等々、と、そして、趣味とは由来、類型を蒐集する心に生れるものだ。氏の描く人物が類型的であるという事は、何等氏に対する抗議とならぬ。そんな事なら馬鹿でも言える事だ。又、鏡花趣味などという言葉は、凡そこの天才の核心から遠い。

氏は、日本で稀に見る多血な、肉感的な作家である。大陸の味、一種の野性すら帯びている。中々、江戸趣味処の騒ぎではないのだ。「*歌行灯」の冷徹にも、「*眉かくしの霊」の凄艶にも、奔溢する血潮が滾っている。

鏡花集は、決して空想家の創ったものではない、熱烈な信仰の記録である。

描かれた人物も風物も、聊かも作者の情熱の呪縛から逃れない。そしてそこに絶対的な夢を孕んで見めく現実の世界を織っている。あらゆる人間感情は、いや、雲の色、鳥の歌に至るまで、すべては極限点に彷徨して、怪しい音を放つ程、緊迫している。平俗な法則は、全く無視されて、ただ情熱の抜きさしならぬ流がある。

蓋し*浪漫派の手法であるか、だが、私は、既に、かかる論戦は聞き飽きた。一流浪漫派の問題が、嘗つて空想の問題であった事はなかった。彼の問題は夢にはない信仰にある。そして*信仰が阿片であるのは、心弱い風俗に於てのみだ。現実派と称するおい、けら共にとって、現実は正に甘い阿片ではないか。

「精神は文体を持たぬ」、これは、文芸の道を最も逆説的に洞見したヴァレリイの名言である。精神が肉体に比べて、遥かに自由に、神速に運動し、平然と人々の脳中に滲透して安住し、人々も亦、外来の精神をわが物顔に振り廻せるのは、これが為だ。幾千年の伝統も、僅か数年の風潮に姿をかくすと見えるのもこれが為だ。

文体をもつものは肉体だけだ。芸術の秘密は肉体の秘密である。人々は、泉鏡花氏の作品に、今日最も忘れられた、肉の匂いを、血潮の味を認めないか。

（甚だ申しわけない事だが、発熱でどうにも先が続けられない、はんぱだがこれで止めます。*あとは来月につづけます。）

新しい文学と新しい文壇

「新しい文学と新しい文壇」という課題でありますが、一体、何を書いたらいいのか、見当がつき兼ねます。事実、見当がつく方が、余程、如何かしているのかもしれません。と言うのは、今日、文学が大きな改変期に遭遇して、甚だ、紛糾を極めているということで、それと言うのも亦、新人が雲の如く輩出して、新しい文壇が、堂々と姿を現したという事になるのでしょうが、私は、ここに、そういう事情に関して器用な*鳥瞰図を制作する勇気は、持ち合わしていないのです。

成る程、何々氏が何々派で、こんな調子の作品を書き、それは、又、かくかくの社会事態の、そんな具合の反映だ、という様な、あんぽんたんな案内書きならば、お蕎麦をたべ乍らでも書ける事でしょうが、私は、*鉄道省の時間改正係でもないのですし、それに又、そういう調子のものは、今日迄、掃いて捨てる程書かれておりますし、人々も、もう大概あきあきしてもいい頃だとも考えますので、何か変った事と思うのですが、そんなものが又あろう筈がない。

批評家というものは、洵に世にも情ない商売であります。兎も角も、批評文というものを、でっち上げる為には、自分の事は如何しても棚に上げる必要があります。而も人々は相手の言う事が如何であろうが、相手が自分を棚に上げているという事だけには、例外なく反感を持ちます。いや、反感を持つという事に就いては、人々は皆天才的に鋭敏であります。だが、これは余談です、尤も余談許り書く覚悟はしておりますが。

何々派とか何々主義とかいう分類法は、紛糾した文学運動の流れを、明瞭にみせて呉れるには、大変賢明な方法でありましょう。この分類法があればこそ文学史というものが出来るのでしょう。それにしても、文学史というものが、*勧工場みたいにいやに整然とした格好に出来上るのも亦この方法の御蔭であるからには、この方法は、作家や作品の真実の姿を決して人にのぞかせない為にも大変便利な方法であります。

何々派などという言葉は、元来、問題を解決する為に発明されたのか、それとも問題を決して解決させまい為に発明されたのか、私にはわかりません。と、言っても、私は、近頃流行らないそうである懐疑派という一派に属する人物だとも考えておりません。

最近、「改造」誌上の*大森義太郎氏の文芸時評を読んでいましたら、*新芸術派の人々を、金魚鉢の中の金魚にたとえておられます。金魚鉢を、ひっくりかえさない限り、金魚鉢を、縁側から便所にもって行こうが、何処へもって行こうが、中の金魚は、大変嬉しそうに游いでいるという塩梅で、まことに心もとない次第だ、という尤もなたとえと思いますが、すると、プロレタリヤ作家の人々は*呑舟の魚という事になるのでありましょうか。私にはどうも其処の処は判然致しませんが、次の事は確信しております。金魚鉢の金魚となる為には、別にへっぽこ作家たる資格が要るわけのものじゃない、ゲエテだって*ゴオリキイだって金魚は金魚です。金魚鉢が、縁側から便所に移った事は、神ならぬ金魚の知った事ではありますまいが、金魚たる以上は、自分の游いでいる金魚鉢の格好位は承知している筈でありまして、矢鱈なやつは、鼻をぶつけて腹をかえすだけの話でありましょう。そこで、重要な事は、金魚の信仰は游泳術のみにあるという事です。

近頃、経済問題と文学との関係が、複雑して来るにつれて、色々な専門の方々が、文学批評もなさる様になった事は、いずれ結構な風潮とは思っております。生理学者にとって人間が、廿日鼠にみえたって誰も文句を言うものはありません。だが、例えば、五百万平方キロのロシヤの土地を、理論の実験室とみる覚悟があれば、金魚はおろか、まっこう鯨でも、せみ鯨でも、金魚鉢に放って眺める事は苦もない業でありましょう。処が、ロシャの人々にとっては、革命とは正に*今様十字軍に他なりますまい。金魚の場合でも同じ事です。金魚の身になってみれば、いや、これ以上を喋るのは愚でありましょう。

近頃、文学の*社会学的批評というものが、文学の一番まともな批評であるという事が、人々の暗々裡の合意となっている様に思えます。だが、私は、そんな事を、これっぱかしも信用してはおりません。そういう議論を、異人のものも、日本人のものも色々読んではみましたが、皆、空々しく、いい気なものに思えるのは、私が臍を曲げている故かとも思いますが、又、臍を曲げるなんて退屈な事が出来るなら、私は、もっと仕合せな筈だとも考えるのです。

文学の大衆化という事も、新しい文学の運動といえば言われましょうが、私は、沢山売れる本は読みません。沢山売れる本を決して軽蔑しているわけではないのでして、私は本は勉強以外には読まぬ覚悟をしているだけです。遊びたい時には外の事をして遊びます。凡そ、本を読むなどというとぼけた、愚劣な遊びは御免なのであります。

作品を勉強の為に読むとすれば、必定、作品を通じて作家の心に*推参したいと願います。作家の個性的な心情を、或は個性的な体系を明らかにしてくれない様な作物は、私には、何の興味もありません。

　私の様に、文学を愛好していながら、何んにも出来ぬ人間は、せめて、一流の作家を心から尊敬したいと願います。心から尊敬するとなれば、金魚の身になってこようと心掛ける以外には、どんな立場も空々しい。そうすると、作品の評価とか判断とかいうものも、尊敬という心情の一型態に過ぎなくなる道理だ、尊敬するという事だって並大抵の事ではない様です。

　新しい文学が、大変な勢いでふくれている今日、こんな事を言うのは、まことに時代遅れのそしりを免れますまいが、ほんと言えば、新しいとか古いとかいう概念が、私には、全く不明でありますし、又、明瞭だとしても、*ナンセンスだとか*イデオロギイだとかいう符牒の喧騒が、蛙の合唱に酷似している所以を、ここに細説する暇もありません。

　勿論、こんな大雑把な言い方をするのは、甚だ好まぬ処ですが、新文学の闘士達が、あまり苦にしない事かとも思うので、しめ括りみたいに申すのですが、ナンセンス文学とかイデオロギイ文学とかいうもののお手本は、その名が舶来である様に、外国にはたんとある筈です。だけど、*泉鏡花の舶来なんてものはないのです。外国語に飜訳するのが無意味な日本文学というものは、私は好きません。文学の国際化とかいうものかも知れんが、国際というからには国が二つ以上あるもんだ。

幸い、大いに国際化して、語学の達者な読者が、うんと増えたら、新文学の売れ行きにも関係しましょう。尤も依然として売れぬかも知れない。世が変っても文壇というものはやっぱり賭博場（とばくじょう）的魅力を失うまいし、現今にした処が、私は日本プロレタリヤ叢書（そうしょ）とゴオリキイの飜訳とどちらが沢山読者があるか知らないのですから。

「精神は文体（スチル）をもたぬ」*とあるフランスの偉い人が言いました。文体をもつのは肉体だけです。事、芸術に関する限り、私は、この偉い人の言葉を信じております。芸術の秘密は肉体の秘密であります。血の秘密であります。異人の精神なら電波に乗っても到来します、ですが、血肉は汽船に積んでも到着いたしません。

横光利一

1

*横光利一氏の「機械」（「改造」九月号）、私はこれに就いて、*先月号で色々な事を書きたかったが、発熱で頭がほてって来て、どうにも*法がつかなかった。とこんな前置きを書かなくてもいいのだが、私にはいかにも口おしかったのだ。私にはその当時、もうこの作に対する人々の正面切った批評は大概見当がついていた。そして一方裏道から一途に此の作者の心を思って切なかった。今、「機械」に関する穏やかな理智と好情とを織り込んだ人々の批評を読み、それを反駁しようとも思わぬし、又、間違っているとも思わぬが、私にはただ味気なく素気ない。

人々は、この作に新しい試みを見た筈だ。これは一目瞭然の事である。この作品の手法は新しい。それは全然新しいのだ。類例などは日本にも外国にもありはしない。

と言う意味は、其処に立っているのは正しく横光利一だという事だ。抜き差しならぬ横光利一が立っている。

独自な野望の煥発は、燎火の様に明るく又暗い。その輪郭をはっきり摑む為に足をすざれば光は薄れる。近づいて見据えれば光は要もない暗鬼を呼び起す。これは当の作家自身にとってもそうである。作家にあって熾烈な野心が純粋な作品を生む事は、容易な事ではない。事実、氏はこの容易でない事の為に非常に多くの失敗作を持っている。処が、「機械」は例外な場合なのである。これは第一の「日輪」だ。

2

自意識の勝った優れた作家の制作の系列を眺める時、生涯の若々しい時期に、決定的な制作を発表しているのが屢々見られる。処女作にすべてがあるという言葉は弱々しい、凡庸な作家でもその処女作にすべてがあろう。そうではない。自身の特異性をはっきり見定めた歌、己れの独自の象の発見の退引きならぬ定著があるのだ。横光氏にとって、此の作品が「日輪」だ。この極度に圧搾された絵模様に何んの発見があったか。それは眼の発見であった。「御身」に「蝿」に「赤い色」に、ただ外象に放たれて自らを知らず現実を縫っていた氏の眼は、「日輪」で鏡を覗いた。「日輪」は自身の眼の讃歌である。この時氏は、*ゴオチエの有名な言葉を、ゴオチエよりも呪文めいて、又、遥かに急き込んで呟いた。「私とは、ただ自らにとって、外界だけが存在する態の一存在である」と。

ここに氏の不幸は始った。所謂新感覚派文学運動なるものが氏を取巻いて起った。それは若年の模倣者の追従口と、「しみじみ」とか「つらつら」とかいう味の好きな大人共の、大人気ない反感とで大変賑やかであった。以来氏は自分の眼の理論にいそがしかった。氏の眼が次々に織り出す生硬に光を揚げる彩色は、人々の眼から（この彩色に酔う眼からも酔わぬ眼からも）氏の心情をかくして了った。*「花園の思想」は、この間の消息を語る重要な作であり、又、氏の眼の理論の頂点を語る名作である。これは、氏の夫人の海辺の療養院に於ける臨終を描いたものだ。病院を花園に変じた氏の眼は、夫人の臨終すら絶望的に造園しなければ止まなかった。波立つ悲嘆すら氏の眼に貫かれて水を張った*一碧の水盤と化した。人々はこの凝然と固定した風景を眺めて、その少し許りの崩壊を希うのだ。人々の心は水盤の水が何かの奇蹟で洩れ零れて欲しいと希う。恐らくこの皮肉な希いに嘘はない。

併し、この希いを心から知ったものは恐らく作者一人であった。氏を新感覚派の*驍将などと思っていた人々が、この時自分の心底に湧いた筈のこの希いに気が付く道理はなかったろう。又、この作を意地の悪い世間ずれのした眼で眺めた人々が、作者の絶望的な造型の蔵する*アイロニイに打たれた筈もあるまい。

私は行をずらして同じ事を繰返そう。

「日輪」は「日輪」以前の諸作に対する叛逆であった。以前は現実と共に流れていた肉眼を、現実の手から奪って掌の上にのせた。忽ち肉眼は*擬眼となった。「日輪」の眼は*玻璃の眼だ。そして擬眼発見の歓喜が、この作に最後の*点睛を与えたのだ。擬眼の彷徨のうちに、氏は氏の作品に千番に一番の点睛を与える為に、己れの最も動揺する心すら擬眼への*贄とする時まで待たねばならなかった。形はすべてであると氏は信じた。いかにも形はすべてである。だが、氏の心は形について動くことを禁じられていた。氏には形を動かして心まで引き摺って来る他に術がなかった。そして心は遂に形となったのだ。

氏の青春の歌は「花園の思想」と一緒に死んだ。以来、氏の作は私には色褪せて見える。只屢々、「*古い筆」が昔日の夢を閃かすのみだ。氏が身を以って極度の形の裡に叩き込んだと信じた、氏の持って生れた心情が崩れ始めた。氏はこの崩壊に怯え又これを嗤った。人々は氏の「*ナポレオンと田虫」という短篇を覚えているだろう。「お前はヨオロッパを征服する奴は何者だと思う」「それは陛下が一番よく御存じでございましょう」「いや、余よりもよく知っている奴がある」、人には見せぬ彼の腹の上の田虫は、「脂の漲った細毛の森を食い破って」没落に向う彼の忠実な兵士の行進に正確に比例して、その地図を腹の上に拡げた。

併し、氏の貪婪な眼には、自然の崩壊は遅過ぎた。崩壊は狂気の様に援助された。兇暴な遡行が敢行された。氏は己れの心の形を寸断する事によって現実から偸んだ眼の返済を果そうとした。これが上海を舞台とした作品を中心とする最近の諸作である。人々はここに漾う虚無を覗いたというか。間違いだ。ここに歌われたものは悲劇である。虚無は風の様に何処にでもある、こういう狂気染みた破壊に参加する力はもたぬ。氏は心の形を微塵にして、微塵になった仇敵に嗤われた。人間心理の交錯する嘘を蹴って翔び去った鳥の眺めた虹の群れは真実の虹の群れであったか（「鳥」*）。墓穴を掘る老人の眼に、天空の様に浮き上った赤貝や花や帆船や又晃く海は、束の間の幻ではなかったか（「高架線」*）。擬眼の亡霊は追い縋る。

3

「蟻*、台上に飢えて月高し」。長い道であった。「機械」の輝やきはこの長い道の輝やきに外ならぬ。

希望は華やかな幻だ。華やかに心を捕えるから希望は新しい作を齎す様にみえるのだ。併し糸を引く手は過去にある。過去だけが動力だ。作品は人が知ろうと知るまいと伝統の上に咲く花だ。創作とは人間の一種の記憶術である。作品に明瞭な統一性などというものはありはしない。あれば機械だ。作品ではない。作品の背後には、いつも生きた人間が立っている。生きた人間の明瞭性とは、ただ其処に立っているという事だ、これは同時に大変不明瞭な事である。この立っている人間を一わたりは明瞭に想像させてくれるのが、作者の術である。そしてこの術の糸引くものは、——止そう。頭は希望の様なものである。肉体は過去の様なものである。「機械」という困難な作品の最後の点睛は、作者の肉体で行われた。

「この作品は私に幸福を感じさすと同時に、また一種の深い不幸を感じさせる。この不幸は作者に取り扱われた人間の担うべきものであるか、また、人間をこういう風に取り扱わねばならぬ作者の担うべきであるか」と、*川端康成氏は書いている。私もこの作から深い不幸を強いられた。だが、私の感じた不幸は作者の担った不幸であった。正しく横光利一の不幸の計量を私は見た。

「私たちの間には一切が明瞭に分っているかのごとき見えざる機械が、絶えず私たちを計っていてその計ったままにまた私たちを押し進めてくれている」と横光氏は語る。

いかにも世界は人間の心と共に粛然とした巨きな機械に過ぎないかも知れぬ。生きるとは例えば電磁波の進行に過ぎぬとすれば、街上の小石に心なしと又誰がいおう。

幾多の計り知れない暗面は持っているが、この世は機械である。機械以外のものでない。斯様な信条は、幾多の最上小説家の核心に存した。小説家の心とは、このような壮大な又索然とした事実への凄まじい好尚であると言っていい。小説家は出来るだけ己れの姿をかくす。彼は世のからくりを眺める以外にどんな思想も信じない。作中人物の思想は作中人物の思想に過ぎぬ。斯様な意味での小説家に機械なる標題は無用である。比喩に過ぎない。横光氏の「機械」の場合は事情がまるで違っている。この場合、「機械」という名は氏の心に対して、全く象徴的な意味を持っているのだ。作中の人物はネエムプレエト工場の骨組と合体して機械の様に運動する。これはそんなに重要な事ではない。重心は作中の「私」という人物が、此の機械の運動に就いて決然たる覚悟を語っている処にある。作者は勿論「私」より偉い。だがこの「私」の哲学は作者の哲学である。作者はこの作品で、新しい心理の取扱い方だとか、文体の改変だとかとちっとも周章てていやしない。作家たる覚悟を語っているのである。

4

もう青春の歌はない。玻璃の眼は膠質となった。夢は溶けた。

氏は嘗て、聖書の雅歌の中の一鏈を、美しい影像だと言って私に示した。「恋茄かぐはしき香気を発ちもろもろの佳き果物古き新しき共にわが戸の上にあり」。私は氏の擬眼の極致だと思ったが、首肯しなかった。私は他の句を氏に示したが氏は黙っていた。「なんぢの歯は毛を剪りたる牝羊の浴場より出たるがごとし、おのおの双子をうみて一つも子なきものはなし」

氏の持って生れた粘著ある、肉感的な、純潔な心情は、「機械」に於いて最も逆説的に生まに語られた。

5

「機械」は世人の語彙にはない言葉で書かれた倫理書だ。本屋には売っていない作家心得だ。それは兎に角、この作品から倫理の匂いをかがぬ人は楽書を読む方がよい。事実この作から作家の心情を語る言葉を取りのけたらこれは仕様のない楽書だ。私は好まぬ乍ら大変危険な分析を行おう。

主人は世人の所謂お人好し、軽部は常識人、屋敷は理論家、この三つの傀儡は、各々極端な典型として作者にあやつられる。だが作者は「私」を決してあやつり切ってはいない。そんな余裕は、恐らくこの作の制作過程にはないのだ。武器として主人は底抜けの善良をもち、軽部は暴力をもち、屋敷は理論をもつ、これらの武器を「私」は観察しつついじめられ、如何なる反抗も示すまいと覚悟した人物だ。無抵抗が唯一の積極的な反抗であると覚悟した人物だ。

この作には、格言めいた表現が散在している。例えば「いったい人と云うものは信用されて了ったらこっちが負で」とか「そう主人のように底抜けの馬鹿さにはなかなかなれるものでなく」とか「彼が怒れば怒る程、こちらがびくびくしていくという事は余程の人物でないと出来るものでない」等々と。こういう片言が恐らくただ御景物の様にみえるのは、この片言の行く末が、この作の緊密な而も一見変態的に見える機構の裡に消え込んで最後まで辿る事が難かしい為であろうが、それよりも先ず「私」という人物の理論に就いて全く了解する処がない為である。左に最も平凡にみえる一文を引こう。

「よくよく軽部も腹が立ったと見えてあるとき軽部の使っていた穴ほぎ用のペルス*を私が使おうとすると急に見えなくなったので君がいまさきまで使っていたではないかと云うと、使っていたってなくなるものはなくなるのだ、なければ見附かるまで自分で捜せば良いではないかと軽部は云う。それもそうだと思って、私はペルスを自分で捜し続けたのだがどうしても見附からないのでそこでふと私は軽部のポケットを見るとそこにちゃんとあったので黙って取り出そうとすると、他人のポケットへ無断で手を入れる奴があるかと云う。他人のポケットはポケットでも此の作業場にいる間は誰のポケットでも同じことだと云うと、そう云う考えを持っている奴だからこそ主人の仕事だって図々しく盗めるのだと云う」（傍点小林）

ここで例えば、それもそうだと思って、という言葉の意味がわからなければ全文は寝言である。それは次の様な次第なのだ。

「使っていたってなくなるものはなくなるのだ、なければ見附かるまで自分で捜せば良いではないか」、これは洵に立派な理論である。だが軽部にしてみればただ「私」を怒らす目的で自然と口に出た意地の悪い感情の言葉に過ぎぬ。理論の意味は全然ない。これをそれもそうだと思った「私」は、愚鈍からそう思ったのじゃない。此の言葉を純粋な理論として受けたのだ。理論として受けたのは「私」が理論家であった為でもない。理論家なら、相手の感情の言葉を理論だと思う筈はない。「私」という人物の無垢にとっては、世の中の約束に関する法則は示すが、それ自身の法則は全然示さない処の軽部の感情は全然意味をなさないのだ、意味があるのは軽部がそう言ったという現実だけだ。そしてこの現実が純粋な理論として映ったのだ。この時、裸形の現実は理論そのものなのだ。「私」は最も明瞭に法則を明かしてくれた現実という機械の一部をこの時見ているのだ。現実という機械がその法則を明かすのは、法則そのものが、機械である時に限る。人間が様々なものを計算出来るのは、計算されない前に、さまざまなものは計算されて存在しているが為である。これが「それもそうだと思って」という言葉の意味である。さて、次の分析はもう明瞭だろう。「他人のポケットはポケットでも此の作業場にいる間は誰のポケットでも同じことだ」。これは、「私」の厭味(いやみ)や皮肉などという高等な（機械としてみれば）言葉じゃない。純粋な理論であると共に、「私」が人間の約束を無視して、眼前を見るが儘(まま)に語り出た言葉だ。だが、軽部の約束に対しては、この理論は全然意味をなさぬ。常識人は世の約束の手をはなれれば、現実とは*瘋癲院(ふうてんいん)に過ぎぬ。だが、軽部には全然意味をなさぬなどという意味がわからない、「私」はともかく狂人ではなさそうなんだから。併し軽部はちっとも困らない。そこに図々しいという便利な言葉が待っているんだから。

これは人間の無垢と人間の約束との対決である。だがこれはこの作の基底に過ぎぬ。この作の舞台に過ぎぬ。無垢はどういう風に踊るか。この分析は当然殆(ほとん)ど不可能に近い。

6

一般に無垢は、己れも知らぬし、世の約束も知らぬ処から世にいじめられる。つまり穢（けが）れてくる事が教育されて、紳士になる事である。処が「機械」の場合は逆である。無垢が無垢を知る*撞著（どうちゃく）から歌は始るのだ。

一般の無垢は約束から学ぶ。つまり約束から理論をもらうだけだ。「私」の無垢は、前章に述べた通り、理論そのものだ。機械の自意識だ。勿論、「私」は世の約束も亦（また）機械である事を知っているが、この機械は約束の法則しか明かさない。約束の法則と機械全体の法則との関係は全く不明である。「私」の無垢は又勿論機械の一部だが、この一部は機械全体の法則を明かしている。「私」にとって正当なのはこの明らかな機械全体の法則だけだ。「私」とは全く理論的存在であり、又存在する理論である。嘘とはただ不明を明瞭と誤る処にある。それ以外に凡（およ）そ嘘というものはない。「私」の倫理は*デカルトの倫理である。もう一歩進める。

この世で世人が行動するとは、約束を辿（たど）る事である。約束を辿ることは機械が機械を辿る事だから罪悪ではないが、「私」の自覚にとっては冒瀆（ぼうとく）だ。冒瀆とは自覚との約束に過ぎぬから少しも全的に明瞭な理論でない。故（ゆえ）に嘘に過ぎぬ。この嘘だけは捨て切れぬのは、「私」は死人じゃないからだ。或は、この嘘だけは嘘と思えぬのは己れの無垢への尊敬の故である。尊敬とは常に奇蹟である。つまり、「私」はただ生きて行く為に、己れの無垢を守らねばならぬ。「私」という言わば非存在的な存在を、この世で取り扱う為には、これを無垢と象徴しなければ支え切れないのだ。当然「私」は周囲の人々に己れの無垢の鏡を捜す。この鏡だけが人間の真実だ。「私」が主人の底抜けの善良さに頭を下げるのは、己れへの尊敬に他ならぬ。主人を馬鹿々々しいと認めるのは、不明瞭な理論を明瞭だと思い込むに過ぎない嘘だ。もう一歩進める。

軽部の暴力は機械の運動に過ぎぬ。これに反抗するのは機械と機械との衝突だ。だが、「私」はこの掟の為に軽部の暴力を忍ぶのではない。軽部を怒らした自分の無垢の為に忍ぶのだ。無垢はただ無垢自身にとって正当なだけだ。軽部の約束に対しては論理関係が全く不明だから少しも正当ではない。そこで「私」にとっては他人に己れの鏡を発見しない時間はただ邪神を守っているに過ぎないのだ。だがこの邪神は「私」の知らない邪神である。*況やこの邪神を祓おうとは無意味である。祓おうとする事が既に己れの無垢への反逆だ。だが邪神である事は、飽く迄も理論的に確実だ。もう他人にいじめられるより他に道は一つもない。これが「私」が軽部の暴力をあっけらかんと忍んで恥じない所以である。こうして、「私」は軽部になぐられ乍ら、暴力ほど恐ろしいものはないと平気で感心する、「私」は自分の「心が黙々として身体(からだ)の大きさに従って存在している」のを静かに眺めている。

聡明(そうめい)な屋敷に至っては、自分の顔が苦痛の為に歪(ゆが)んだ時は、心まで同じ恰好(かっこう)で歪んで醜い、という事実さえ弁(わきま)えぬ世のお悧巧(りこう)な学者という馬鹿者に過ぎぬ。作者の描いた*ポンチ絵だ。「私」は屋敷を軽蔑(けいべつ)する。而(しか)も屋敷には軽蔑されている事がわからぬ程、深刻に軽蔑する。

「私」の侮蔑(ぶべつ)は黙々とした存在の発(はな)つ侮蔑である。善良な主人の肉体の発つ光の様に、否応(いやおう)なく黙々たる存在に追い込まれた、「私」の無垢の光が、人の眼には見えず屋敷を貫く。

7

私はもうこれ以上を語るまい。

「機械」は信仰の歌ではないとしても、誠実の歌である。其処には人間の誠実の正体が痛烈に描かれている。作者は誠実を極限まで引張って来てみせた。世人の誠実とは何物でもない。世間の誠実で己れの誠実に不潔な満足を感じていない誠実は一つもないのだ。「私」という人物の誠実は、己れに何んの満足も感じないで死んで了う誠実だ。最後に誠実は助けを求めているではないか。

横光氏は、今日私が悲劇的という言葉を冠し得る唯一の作者である。氏は自身の不幸しか嚙んで来なかった。氏は常に動揺する*叙事詩人であったとともに不幸を計量する*抒情詩人であった。氏の彩色は、梢に開いた花に過ぎぬ。氏の持つ逆説家、心理家に至っては散りこぼれた花びらに過ぎぬ。

私は氏の深い愁い顔をよく知っている。

批評家失格 I

陰口きくのはたのしいものだ。人の噂が出ると、話ははずむものである。みんな知らず知らずに鬼になる。余程、批評はしたいものらしい。

面と向って随分痛い処を言った積りでも、考えてみれば屹度用心してものを言っている。聞いて貰う科白にしてものを言っている。科白となれば棘も相手を傷つけぬ。人の心を傷つけるものは言葉の裏の棘である。

＊＊＊

陰口では、人々はのうのうとして棘を出し、棘を棘とも思わない。醸し出されるきたならしい空気で、みんな生き生きとしてくる。平生は構えてきれい事に小ぢんまりと蒼ざめた男が、ふと、なまなましい音をあげたりする。そんな時、私は成る程と、きたならしさに心を打たれる。このきたならしさを忘れまい。これは批評の秘訣である。

⁂

人の噂を気にするな、と。人の噂を気にする奴に、噂は決して聞えてこない。自分の心をしゃっちょこばらせ、さて噂を聞こうは図々しいのだ。ふと耳に這入った陰口に、人はドキンとするがいい。

自分の心に自分でさぐりを入れて、目新しいものが見附からぬと泣き事を言っても始らない。凝っと坐って*一日三省は衛生にいいだけだ。分析はやさしい、視点を変える事は難かしい。

⁂

毒は薄めねばならぬ、批評文とは薄めた毒だ。――*サント・ブウヴ

誰でも、心の底には、凄まじい毒をおしかくしている。どんな心にも百年の恨みは潜もう、命知らずの情念は棲もう。ただ、理智が浮世の風に乗ってこの毒に絶えず水をさす。生のままの毒は他人の判断を借用する暇をもたぬ。息せき切った判断が、たまたま的を射抜く時、これ程あやまたぬ判断はない。

毒は薄めねばならぬ。だが、私は、相手の眉間(みけん)を割る覚悟はいつも失うまい。

＊
＊＊

臆病(おくびょう)で皮肉も言えぬなどという好人物は別だが、みんな臆病をかくそうと皮肉をいう。それにしても皮肉とは一体何の事だろう。よく、大変元気のいい率直な評論を読んでいて、ふと、心にもない事ばかり言っていやがると気がつく、もう板についていない文字をどうしてもおとなしく辿(たど)ってやる気にはなれない、これは屹度皮肉の積りで書いているんだと思い込んでみる、忽(たちま)ち評論の意味は、どんでん返って、私はげらげら笑い出す。やって御覧なさい。

＊
＊＊

文芸批評論を読む人種に二種類ある。読んで揚げ足をとらねばならぬわれわれ仲間と、自分の名前があるかないかとうろうろする作家と。一般まともな人達は読みはしない。専門語などという気の利(き)いたものはない、隠し言葉に満ち満ちているからだ。こういう人達の為(ため)に文を作る事は易(やす)い。

＊＊＊

私は、理智を働かせねば理解が出来ぬ様な評論を絶えて読んだ事がない。(私の評論などは言わずと知れたこの部類だ。)感受性はまことに細やかで、これに準じて理智はまことに太い、などという見事な頭は、稀有の事件に属する。現代日本の文芸評論の一大特色は先ず何を置いても理智だけは参加していない事である。ただカンの鈍さが理窟を言わしている。

＊＊＊

若し人間の精神が、人間共有の物差に過ぎぬのなら話は楽だ。だが精神とは、われわれの頭の中に棲んでいるやっぱり心臓をもち、肉体をもったもう一つのわれわれだ。精神が物差になる時は、この分身が退屈な一役を振られたに過ぎぬ。

＊＊＊

その退屈な一役こそ、肝腎要の*立役だ。将来の文芸は科学的でなければならぬ。独創とは感情の誤算に過ぎぬ。ああ助かるよ、浮世はさばさばするだろう。

＊＊＊

よく*冠履顛倒の論文を読まされる。しまいの一行を真っ先に書いてくれれば、読者の労は省けるものを。一行で書ける処を十行に延ばす才能をもった人は、どんな結論が出来て来るかわからない思案の切なさを知らぬ悧巧ものである。冷静に思案するは易い、感動し乍ら思案するは難い。

＊＊＊

作品から思想許りを血眼になってあさっている態の評論は、見た眼がどんなに痛烈にみえようが、所詮お上品な仕事だ。作者の臭いとこにも痛いとこにも触れはしない。骨のある作家なら舌を出す。「私は、手袋をはめた手で、仕事をいじられたかない」

＊＊＊

批評家が、作家の私生活の端くれを取り上げて、真顔になってものを言う。何んと広大無辺な計算に首をつっこむ事か。奴さんそんな事とは露しらず、目っけものでもした気でいる。*犬の川端歩きよろしくだ。

＊＊＊

「理窟はどうにでもつく」、この言葉を会得するのはそう容易な事ではない。ほんと言えば、浮世の長い辛苦だけが、この言葉の秘密を明かしてくれるのかも知れぬ。若年の身で、この言葉を曲りなりにでも会得しようと思う人は、議論で揚げ足をとられてまごまごしている様では到底望みがない。理智の空漠不毛の奇術位は会得していなくては駄目なこった。理智は何物も改変しない。批評の困難は理智の逆説性の利用に他ならぬ。

＊＊＊

精神分析学とやらを批評に応用したがる。さぞいい切れ味だろう。心理学というものは頭に来る酒みたいなものだ。安かったと思ってもあとで屹度後悔する。私は両方とも性懲りもなく経験して来た。

＊＊＊

「他人に意見をするような気楽な身分になってみたい」、ずい分といじめつけられた感慨だ、惟うに批評の極点である。こんな日を過ごした人は過ごした人だ、知らなかった人は知らなかった人だ。どうやら前世の約束事みたいに区別がある。人は苦労している時だけ批評の極点をさまようものだ。

＊＊＊

「犬も歩けば棒にあたるそうだ」「そりゃあそうでしょうともね、あたりますよ、そりゃあ」と彼は答えた。ここにも批評の困難がある。

＊＊＊

困難々々とよほど困難の好きな男だ、やさしい事がつまらなくって難かしい事が面白いなんて地獄だぜ、元も子もすっちまうのも知らないでさ。

＊＊＊

歌は人を傷つけぬ。批評は人を傷つける、いや傷つける振りをする。「自分のことは棚に上げて何だ」、言いさかいは棚に上げっこだ、自分を棚に上げれば上げる程、相手の上げてるのが眼につく。口論はこの領域に最も繁栄する。

併し、自分を棚に上げなければ批評文は出来上らない。自分を棚に上げるとは、つらい批評家の商法だ。これをつらがるに準じて批評というものは光るものであるらしい。やり切れない事実である。こいつ仲々つらがれないものだが、又読む方だってつらがっている処は仲々見破りはせぬ。批評文に対して、人々は知らず知らずに白眼をつかう。喧嘩腰で読む格だ。

自分の事を言われて自分の事しか考えない人は、馬鹿でなければ傑物だ。

*
**

数学者に、頭のいい悪いはあろう、だが仕事の上で嘘をつく数学者なんてものは一人もいない筈である。処が文化科学になると、いや芸術学というものは、頭がよくないという事は、嘘をつくと同じ意味を持つ。換言すれば、みんなが不誠実を否応なく強いられる。この世界では仕事の上の仮定は、生活上の仮定の様に頼りがない。

*
**

公正な立場からものを言う。この時、人は慧眼にもならなければ遅鈍にもならない。冷い心に甲乙はない。人々は冷い眼で、或る作品からみな同量のものを読みとる。見窄らしい致死量だ。他人も自分も殺せない。

月並みの定量以上のものが見える眼は、屹度熾烈な興味でかがやいている。興味は様々なものを明かす。作品のうしろに隠れた、ペンを握る掌の厚さも明かす。

***

独断家だ、と言われる。ほんとにそう思うかと真顔になって聞き返す。相手は黙って何んにも喋ってはくれない。

私はただただ独断から逃れようと身を削って来た。その苛立しさが独断の臭いをさせているのだろう。だが私には辿れない。他人にどうして辿れよう。きたならしい臭いである。

***

探る様な眼はちっとも恐かない、私が探り当てて了った残骸をあさるだけだ。和やかな眼は恐ろしい、何を見られるかわからぬからだ。

***

理性が心と結ばぬうちは、だれのもみんなおんなじだ、光源を離れた許りの光の様に。この無色の光の手を借りて、私は理窟を建築する事も好まない、建築を叩きこわす事も好まない。それはおんなじ事を意味する。

私は客観的な尺度などちっとも欲しかない。客観が欲しいのだ。片時も尻の暖まらない、姿も見えない心を追い度くはない。心は凝っとしていて欲しいのだ。掌で重さを積ってみたいのだ。姿も色も見たいのだ。眼の前の煙草の箱を見る様に。

＊＊＊

気分をかえようと散歩に出かける気で、自分の心を点検している人がある。他人にも自分にも迷惑はかけず、恐ろしく精密に自分の心を点検している人がある。

だが、優れた作品に漾う心は、決して点検された心じゃない。日を送って来た心だ、生きて来た心だ。どんなに点検された心とみえようとも、それは反吐が出るほど自分を可愛がった心だ、いとおしくなるほど自分を憎んだ心だ。

＊＊＊

実生活にとって芸術とは（私は人々の享楽或は休息或は政策を目的とした作物を芸術とは心得ない）屁の様なものだ。この屁の様なものとみなす観点に立つ時、芸術というものを一番はっきりと広く浅く見渡す事が出来ると共に、一番朦朧と深く狭く覗く事が出来る。ここに客観的批評と主観的批評が生れる。芸術が何か実生活を超えた神聖物とみなす仮定の上にはどんな批評も成り立たぬ。

「芸術を通じて人生を了解する事は出来るが、人生を通じて芸術を決して了解する事は出来ない」と。これは誰の言葉だか忘れたが或る並々ならぬ作家が言ったことだ。一見大変いい気に聞えるが危い真実を貫いた言葉と私には思われる。普通の作家ならこうは言うまい、次の様に言うだろう。「芸術は人生を了解する一方法である」と。これなら人々はそう*倨傲な言葉とは思うまい。だが、これは両方とも同じ意味になる、ただ前者の様に言い切るには余程の覚悟が要るだけだろう。理窟を考える事と、考えた理窟が言い切れる事とは別々の現実なのだ。

芸術の、一般の人々の精神生活、感情*陶冶への寄与、私はそんなものを信用していない。

それより人々は実生活から学ぶ方がよっぽど確かだ。事実人々はそうしている。実生活で鍛え上げた心が、どうして芸術なんかを心底から味おう。鼻であしらうのは彼等当然の権利である。

実生活に追われて人々は芸術をかえりみないのではないのだ、生活の＊辛酸にぬれた心が芸術という青春に飽きるのでもないのだ。

彼等は最初から、異ったこの世の了解方法を生きて来たのだ。異る機構をもつ国を信じて来たのだ。生活と芸術とは放電する二つの異質である。

作家の栄光は批評家にとっては癌である。

＊＊＊

どんな切実な告白でも、聴手は何か滑稽を感ずるものである。滑稽を感じさせない告白とは人を食った告白に限る。人を食った告白なんぞ実生活では、何んの役にも立たぬとしても、芸術上では人を食った告白でなければ何んの役にも立たない。

優れた作品はみな人を食っている、どんなにおとなしく見える作品でも人はちゃんと食っている。そこには人世から一歩すさった眼があるのだ。暫く人間を廃業した眼があるのだ。

作品の現実とはいつも象徴の現実である。

心境小説というものがある。＊婆娑（しゃば）臭い心根を語って歌とする事は至難の業（わざ）だ。本格小説というものがある。苦しんで辿った自分の心を歌いたいという情熱をおさえる事は至難の業だ。このどっちかの至難を痛感しない人は作家でもなんでもない。

＊＊＊

作家というものは、生み出そうと足掻（あが）いているだけだ、現実とできて子供が生みたいと希（ねが）っているだけだ。なにも壊そうとはしてはいない。あらゆる意味で、作家の制作とは感動の化学なら、これを感動の世界で受けとって計量するのが順序である。ほんと言えば批評はもう其処（そこ）で終っている。扨（さ）て、批評文でも書くとなれば、お話しかわって云々（うんぬん）という事になる。壊す事業が始る、壊して組立てる事業が始る。私は組立てる方はからっぺただが、壊す方なら得意である。

悪口なら反吐が込み上げて来る様にこみ上げて来る。根が馬鹿な証拠である。＊脛（すね）に疵（きず）をたんと持っている証拠である。私は悪口が自然とくたぶれて呉（く）れるのを待っている。脛の疵を思い出すのにくたぶれないわけはあるまい。

＊＊＊

批評と創造との間には、その昔、無機体が有機体に移った様な事情があるのであろう。正しくつながりがあろうが、又、正しく透き間があるのであろう。

私信——深田久弥へ

私は、君に何を書いたらいいのかよく分らない。君は「オロッコの娘」に就いての色々な人の批評をみんな読んで了っているだろう。結局俺の知ってる事しか書いてない、などと怒るまい。雑誌の批評なんというものは朝晩の挨拶みたようなものだ。寝る時になってお早うなんて言われない限りはまず大目にみて置く方がよいと思う。当節小説でも書こうという人物は大概悧巧ものだから、自分で一とわたり作品へ挨拶をすましてから世間に出してやる。世間のまともな挨拶が食い足りないなどとは虫がいいのだ。

私は君に挨拶なんかしたかない。挨拶がいやだとなると、何を喋っていいのかわからん、などと、こいつも負けずに虫がいいとは思っている。

「オロッコの娘」はいい短篇だ、とみんなが言う、私も異存はない、異存があれば話は楽だ、異存はないのだけど、異存みたいな事が言いたいのでもやもやして了う。もやもやして来ると、もやもやしないものがちっとも面白くなくなる。こういう神経的な悪癖は、毎度の事乍ら助からない。

或る人が「オロッコの娘」を読んだというから、如何だと訊ねると、深田さんて人は実に器用ですねと答えた。なんとも取り附く島もないいやな答えである。器用な短篇が流行るとなんでも器用だと決めたがる。事実、みんな器用に書く、一人で器用がってては足りなくて*合作とか称して三人がかりで器用がる。それも黙ってすりゃあいいのに器用な理窟をくっつけてみる。どこ迄も抜け目がない。どこ迄も抜け目なくやろうとかかるのが、そもそも世の中での失敗の元である。抜け目なくやって失敗すると愛嬌がない、愛嬌のない失敗を批評家は許すが、世間は愛嬌がなければ成功も失敗も許さない。せち辛いもんだ。ことに*マルクス主義文学を奉ずる人々なぞはまず器用は苦手の作家でなくてはならぬと思うのだが、この派の人々でも有名になった人はみんな小手先きが利くもの許りだ。お前の描写は*ブルジョア臭いぞ、などと言い乍らプロレタリヤ臭い描写なんぞやっている。おかしな話である。批評家が拙いぞ、と言う、うん拙いのは認める、うまくするよ。実にやり切れん茶番だ。私は勿論私流にだが、*プロレタリヤ・リアリズムというものを信用している。だが合作なんかでこのリアリズムの核心が突けたらおなぐさみだと思っている。難かしいのはただ自分の手の器用を嘆く事だ。おやおや何を書いていたんだっけ、ちょっと待ち給え、読み直す。そうだ、「オロッコの娘」は果して器用であるか、というんだ、どうも大問題みたいになっちまっていやだな。みんなが器用な処へもってきて、不器用で頭角を現そうなどとは愚かであろう。いや、われわれ凡人の理論では理窟に合わぬ話である。だからほんと言えば君だって実に器用なんだ。深田君て人は器用な人ですね、如何だい、ぞっとするだろう。世間はそういうものだ。自分ではそれと知らぬが、傍若無人に正しい事をいうものだと今度は世間の肩を持つ様だが、君がこの世間の無礼をゆるす寛度がなければ、私は世間の肩をもつよ。

或る男は、どうもこの作品は地方色が薄いと言った（この男、*樺太に行った事がない事を信じ給え）、地方色なんて鮮やかに出されてたまったもんじゃない。*日活特作「オロッコの娘」じゃあるまいしさ。ぼやけた処が身上だ。鯡の群れも独木舟の競争も、娘の恋情で、雲母のむこう側を動いている。なかなかいい景色である。せっかく肌理の細かい惚れ方をしている娘を樺太の寒風でまくしたてる必要はさらさらない。ギリヤアクの若者の謙譲な歌声を、*天然色でけしかける必要も亦ないのだ。君は不必要なものはちっとも書いていない。これはまことに大手腕だなどというと君の方から願い下げにするだろうから、仕方がない器用だと言って置く。君は一体装飾のある心に対しては全く無器用だが、素朴な心には大変器用になる。こうなると器用という言葉も、余程器用に取扱わないと甚だ当らない。

君は登山家だ。ぼろぼろになった君のリュックサックは見事である。いつか借用して山に行った時なぞ、気恥しい程リュックサック許りが幅を利かせた。君は山を知っている様に素朴な心を知っているに違いない。登山期になると方々の雑誌で一っせいに登山記を掲げる。どれを見ても例外なくあまい文章だ。だが大概の創作よりみんな見事だ。つまりあまくならなければ法がつかない一種の感動を孕んでいるのだ。「オロッコの娘」は君の登山記だ。扨て、ここでこの作品に描かれた人物は、原始未開の人々というものより大変遠いものであると言っても君は解ってくれるであろう。たとえ、私も君も原始未開の人々については全く知る処がないとしても。

君は、「オロッコの娘」を描こうとはしていない。それは不可能な事だ。君はただいかにも構造の純粋な感情を語った。だが君は其処で詩人として終る事は出来まい、終ってはならない。例えばオロッコ族と鮏の群れの実写を映画が映し出してくれたとしてみたまえ。われわれが全く関知する処のない*悒愁が、思い掛けない方角から近よって来るに違いない。

では、さようなら。

我ままな感想

いやだ、いやだと思いながら書きだす。正直なもので、てんで感想なんて浮んで来ない。やれ病気だから書けないの、失念したのと断って来たが、さてもすまじきものは約束だ。

毎月雑誌に文芸時評を書いて身過ぎ口過ぎの代金をかせいでしまえば、もうなんにも書くのがいやである。私の様な若年者は、批評をする時に豪（えら）そうな顔をこしらえなければ書くものがまるで文章をなさない様なあんばいになる。人間豪そうな顔をする程、しんの疲れる事はない。一と月に一週間ずつしんが疲れれば沢山だ。書きたくない原稿は出来るだけごま化して断らねば私の様な我ままものは身がもてぬ。

正宗白鳥氏*の文芸時評は毎月読んでいるのだが、そして、得をしたと思った事は一度もないのだが、もっとも、近頃は、得をしようなどと思って他人の文章を読む不埒（ふらち）な心がけはやっと捨てる事が出来たのだが、氏の批評を読んでいると、如何（いか）にも普通な顔をしてものをいっている。うらやましい事だと思う。*年は薬の感なきを得ない。

大人でもなければ子供でもない、私位の年頃が一番やり切れない。いわば、*沈香をたいて、屁をひって、苦り切っているのである。早く頭がはげて、背中を丸くして机の前に坐りたい、という様な事をチェホフが手紙の中で書いていた事を思いだす。チェホフなんていう誠実な聡明な人はずい分若い頃から、実在の時間というものが持っている真実を知ったに違いない。時間とは思惟の形式ではない、客観的実在であるなどと、他人の尻馬に乗って論ずるのはたやすい事だ。それでしんの疲れも覚えなければ見あげた*青二才である。

とも角、私は近頃しきりと自分の若年者である事が気にかかっている、これを気にかける事だけが文学の道だとさえ思っている。なんのかんのと文学について色々な議論があるのだが、所詮文学を仕事とする人は、この一種の女々しさをごまかす事がどうしても出来ない気質を持った人だという事になるのだろう、私はそう信ずる。

先日、*一高の人々と話す機会を得たが、近頃「*校友会雑誌」の文芸作品の原稿がまるでないのだそうだ。詩なんか書くとすぐ軽蔑されるんだそうである。もっともマルクス主義文学ならいくらでもあるのだが、学校でとめられるから、雑誌が甚だ貧弱になるのだそうである。いっそ文学なんてさっぱりとやめちまったらよさそうなものだ。

親の脛と イデオロギイは齧っていて、なかなか齧っているとは気づかぬものだ。

*ジャック・シャルドンヌの「エヴァ」を読んでいたら、なかで作者が、憚りながら私は、小説を書くからには、尻のあたたまらぬ青年読者のためには書かない、と書いていた。

これがやっぱり作家のまともの覚悟だろう。ただ今日の様にセチ辛い時世になると、こういう苦がい覚悟は並々の文学者の手には合わぬ。幸いに今日の青年達は他人に教えられて文学軽蔑の心を養ったかも知れぬ。だが文学を軽蔑する事と文学を一生の仕事と覚悟する事とは紙一重だ。そしてこの間の事情を悟るにはもはや他人の言葉は一文の足しにもならぬ。

古来若年者で大小説を書いた人は一人もいない。詩人には若くして一流の詩がかけた人がいる、だが彼等はその詩のために当然不幸にしてその身を殺した。

近頃感想

1

*今朝「帝大新聞」へ書き、午後から又これを書かねばならぬはめになった都合上、おんなじ事を述べる。午前と午後と所感が違うなんていう気楽な身分じゃないのだから致し方がない。

早く頭が禿げて背中を丸くして机の前に坐りたい、という様な事を、チェホフが手紙の中で書いていたと記憶する。これは、聡明な又聡明を振り廻す事がやり切れない程誠実な彼の本音である。いつものには本音と嘘音があるものだ。チェホフは、時間とは思惟の形式として存するのではない、客観的実在としてあるのだ、などと黄色い音を揚げているのではない、そんな音をいくら揚げてみた処で実在の時間が孕む真実はうかがえぬと嘆息しているのである。黄色い音はいろいろな事に有用かも知れぬ、だが文学だけには無用である。どうかして心からの事を語りたいという覚悟は、いつの世でも文学にたずさわる人々のいろはである。いろはを知らぬ男はあるまい、だが、事毎にいろはを思い出す事はそうそうたやすくは参らぬ。

自分の発音する言葉が、本音であるか嘘音であるかと気に掛けるのは、女々しい事だという。併しわれを忘れて本音を吐く処じゃない、嘘音にたぶらかされてわれを忘れているのも亦甚だ女々しい次第である。この処、両方でお前こそ女々しいと睨み合っている為体だ。如何にもなるものでもあるまい。

文芸上の現実家というものと行為上の実際家というものは屢々混乱して考えられ勝ちである。だが事実この二つの間には大きな*逕庭があるのであって、前者には後者が甘ったれてみえ、後者には前者が甘ったれてみえる処に、めいめいの明瞭な性格があるのだ。この二つの性格が混同されるというのも、人間の心の裡でこの両者の縮図が交錯し運動しているが為で、この場合にも、実際家の縮図は、意識の統制上便利な実用的認識へ向う力となって現われるし、現実家の縮図はこの実用的認識を肩ごしに眺めようという、換言すれば無意識のひく糸が辿りたいという*観照的な直観へ向う力となって姿をあらわすものだ。世人はこれを逆に考える。いや、逆に考える処ではない、彼等の眼には一般に空想家と実際家と人間の二つの形式だけが映るのであって、文芸上の現実派精神などというものは全く無用なのである。実用的認識を貫ぬいて彼方に行く事は、生活の障害にこそなれ、決して何の利益にもならない。それなら何故今日の人々がリアリズム小説を好むか。それはただ世の流行がそうなったというだけの話である。リアリズム小説であろうが、*神仙譚であろうが世の愛読者の心構えというものは聊かも変りはしない。人々はただ空想したいから文芸を愛するのだ、空想の形式は世の移りかわりと共に移り変るまでである。空想にだって色々あるのだ、ほんとみたいな空想もあり、空想みたいな空想もある。近頃ほんとみたいな空想をする事がみんな好きなだけである。而も空想といっても、実用的認識で捕えられない空想なんかする事は出来ぬ。

2

私は、ここで精密な議論をしようとは思わぬが、文芸とは飽くまで血肉の科学であって、世の転変と共に、文芸がその意匠を異にしたというのも、その時々を生きた肉体に即した表現であったが為だ。文芸の道とは、所詮、板についたものの言い方をしたいという人間の願望なのである。板につくなどという平凡な言葉を鼻であしらおうとするから嘘音も本音もけじめのつかぬ仕誼になるのだ。一体なんとか的だとか、かんとか的だとかいう言葉を、馬鹿(ばか)の一つ覚えみたいに振り廻さねば批評というものが出来ぬと心得るのは今日批評家の悪癖である。自分の言葉というものを持たぬ、持たぬばかりか軽蔑(けいべつ)したがる、それで文学批評も凄(すさま)じい。借銭で首が廻らなくなって来るのは自明のことわりである。すると新興芸術派（幸いに私もその一員に編入されたが、どうも私は個人主義者とかいうものであるらしいので、自分の言葉以外には一度も喋(しゃべ)る興味がなかったから、安心してものを申すが）の面々がそれ見た事か、言わないこっちゃない、と*マルクス主義批評家の前で見えを切る。おやおやどっちがほんとなんだい、と世間は困っている。

今年はマルクス主義文学批評論が凶作だったなんて言う。一体何の事だ。米と一緒にされては困る。マルクス主義批評家が言う事がなくなったといって、マルクスまでが馬鹿にみえるという様な顔をするのは以(もっ)ての外である。マルクス主義は、もう今日の常識だ、などと涼しい顔で享楽(きょうらく)文学を製造する。私は食うに困らぬ身分じゃない。貧乏ぐらしはよく知っている、だが残酷な労働も、飢餓の味も知りはしない。私の様なものにでも、今日マルクス主義は常識であるなどという事が戯言(ざれごと)である位はよく解(わか)る。マルクスの世界観と経済観とは違うのか違わぬのかなどとんでもない議論を戦わせている癖に、マルクスが解ったも解らんもないのである。マルクス主義文学論が行きつまったというのは、ただただ批評家が悪いのである。大森義太郎なんという人ははきはきちゃんとものを言ってるじゃないか。

嘘をつくからいけないのだ。己れを語ろうとしないからいけないのだ。借りもので喋っているから種切れになるのである。身についた言葉だけ喋っていれば、喋る事がなくなるなんて馬鹿々々しい目には決して会わぬ。借りもので喋るとは言葉への冒瀆(ぼうとく)である。言葉は思想の奴隷(どれい)だなどと高をくくっているから言葉に仇(かたき)を取られる様な始末になるのだ。

私は、先日一高の人達と話す機会があって、今更の様に痛感した事がある。

一高には「校友会雑誌」がある。それが今まで文芸作品でにぎわっていたのだがこの頃はさっぱり駄目だ、詩なんか書こうものなら頭から軽蔑されるのだそうである。マルクス主義文学は、雑誌で出してくれない、まごまごすれば放校だ。まあ私なんかが勝手に考えれば、廿歳(はたち)やそこらの青年を毎年廿人も放校して一体何になる。実に残酷なしうちとみえる。

3

マルクス主義文学でも評論でもどしどし雑誌にのせる事を何故許さぬか。どうせイデオロギイを齧ることは、親の脛を齧る位容易なわざであるから、原稿は山程集まる筈である。そうして青年達に、その情熱のはけ口を作ってやるのが道である。読む事を制止出来ない以上、書く事を制止するのは無意味である。情熱のはけ口を止めて了うから、極端に過激なものと仕様のない意気地なしとが出来るのだ。馬鹿気きった悲劇である。

紙数がないから道草は食うまい。道草で終って了ってはあんまり申し訳ない。私はここで、一高の生徒諸君まで引合いに出して言い度い事は、今日は、はや文学に溺れ、溺れているうちに知らず知らず文学の秘密を極むなどという時期ではない。昔はそうであった、いやそうしても作家になる事が出来た。今日はもうそういう時期じゃない、或はそういう時期はまだ来ないのだ。今日、文学への道は文学の軽蔑から始めなければならぬ。文学への道は最も逆説的に辿らねばならぬ。事実、明瞭な覚悟もなく文学をやって行こうという若い人々の間には、文学軽蔑の心が暗黙の裡に流れていることは否まれぬ。かかる不安を持つとは既に今日知識人の意識に生きている明瞭な証拠である。而もこの不安を明るみに出して点検する勇気をもたぬ。だからこそこの何とも知れぬ不安が、マルクス主義イデオロギイに吾が身もかえりみず飛びついて安堵する多くの人々を生む始末となるのである。

純粋な文学などというものは昔からありはしないので、今日急に無い無いなどと騒ぐのはおかしな話であるが、純粋な文学というものは作家たる覚悟として、或は作家たる実践の前提としてどうしても必要なものなのだ。この覚悟を今日する事がどんなにつらいとしてみた処が、この覚悟なしでは、文学なんて言うものは、毒にも薬にもならぬ戯れ事だ。そこで人々は仕方がないから文学を政治運動の手段とする。この不純な覚悟に断じて誤りはない。純粋を支える覚悟をするか、不純を守る覚悟をするか、二つに一つである。妥協点なんていうものは絶対にない。文学青年をうれしがらせるプロレタリヤ小説が何になる。*尖端娘の機嫌をとる様な助平短篇が何になる。

プロレタリヤリアリズムという事がある。だが、これは今日まで文壇に評判だったプロレタリヤ小説には全然当てはまらぬものである。これを一言にして言うなら労働者だけが労働者の事を知っているという事だ。プロレタリヤ階級を生きた人間が作家の眼を持つという事だ。これは全く純粋文学上の一理論である、と私は心得る。この理論が雨降って地固まった後に生れた所以である。これを純粋文学上の理論とみなさぬ百千の議論は空言に過ぎぬ。

文芸上のリアリズムとは、その核心は、自分という特異な全個体の科学にある。これ以外にリアリズムという言葉を濫用する処から種々な迷妄が生れるのだ。例えば共*

同制作とやらで大いにリアリストになった気でいる。君達はただ実際家になっただけだ。成程科学的方法であろう、だが科学的という事と科学という事は似ても似つかぬものである。何にでも的の字をつけて胡麻化そうとは一般によくない了見である。個人主義的イデオロギイの清算だとかなんだとか馬鹿も休み休み言うがよい。共同制作に文学以外の目的がなければ無意味の戯れ事だ。

人は持って生れた処を語る以外何事も出来ぬ。私は自分の道が危難に満ちている事をよく知っている。

物質への情熱

1

正岡子規（まさおかしき）に「歌よみに与ふる書」という文章のある事は誰でも知っている。そのかたくなに、生ま生ましい、強靱（きょうじん）な調子を、私は大変愛するのだが、読んでいて、病牀（びょうしょう）に*切歯（せっし）する彼の姿と、へろへろ歌よみ共の顔とが、並んで髣髴（ほうふつ）と浮んで来るには少々参るのだ。子規の矢はあやまたず的を射抜いているのだが、的が不死身なものなら、これまた致し方のない事で、どうもこれは人を苛々（いらいら）させる。馬鹿（ばか）は*花崗岩（みかげいし）みたいなものだ、ぶつかって行けば、こっちがぺちゃんこになるだけだ、とは誰やら名高い人の言葉である。昔から石に*お灸（きゅう）という事もある。こういう事情を、個人主義だとか天才主義だとかいうのも、変な話で、正直に日を送ってさえいれば誰も毎日経験している処（ところ）だ。どうもうまく言えないだとか、結局わかっては貰（もら）えまいだとか、大がい悧（り）

巧ならこんな言葉を吐いているものだ。石上の灸を嘆ずる為に、わざわざ天才になる男もない。

「歌よみに与ふる書」を読んでいると、これは到底歌よみ共には合点が行かぬと私は思う。少くとも子規が難詰したい歌よみ共には通じまいと思う。「日本文学の城壁を今少し堅固に致し度、外国の髯づら共が大砲を発たうが地雷火を仕掛けうがびくとも致さぬ程の城壁に致し度心願有之、しかも生を助けて此心願を成就せしめんとする大檀那は天下一人も無く、数年来鬱積沈滞せる者頃日漸く出口を得たる事とて前後錯雑序次倫無く大言疾呼我ながら狂せるかと存候程の次第に御座候。傍人より見なば定めて狂人の言とさげすまるゝ事と存候。――心配、恐懼、喜悦、感慨、希望等に悩まされて従来の病体益々神経の過敏を致し日来睡眠に不足を生じ候次第、愚とも狂とも御笑ひ可被下候」などという苛立しい文句が愚問に接して飛び出して来るのである。「総じて同一の歌にて極めてほめる処と他の人の極めて誹る処とは同じ点に在る者に候」。いかにもそういうものである。こういう嘆きを知らぬ人はまた何事も語る事は出来ぬものである。惟うに正岡子規は、日本詩人稀れにみる論理的な実証的な精神を持った天才であった。彼の俳句や和歌は、まことに厳正な造型感に貫かれて彼の生地をかくしているが、その批評文には、時としては殆ど笑止ともみえる程見事な彼の実証家精神が露出している。「歌よみに与ふる書」でも、勿論、極端に曖昧と飛躍を嫌う理論が綿々として進行するのであるが、歌よみ共には解らない。成る程、彼等とてもこの綿々たる理論の糸は辿れたであろうが、子規の情熱は何んとしても辿れなかったのである。彼等には子規の言葉が子規の抜差ならぬ叫喚であった事が如何にしても解らなかったのだ。どんな大きな情熱も情熱のない人を動かす事は出来ないのかも知れない。子規の言葉は理論ではない、発音された言語である。「歌よみに与ふる書」は真実の語り難いのを嘆じた書状である。果して他人を説得する事が出来るものであろうか、若し説得出来たとしたら、その他人は初めから、説得されていた人なのではないのか。私の様なものにも、この確信は日増しに固まる許りである。

山を歌い、水を歌い、ささやかな吐息を歌う、言わば浮世の臭気を遠く離れた歌や詩に、私は心を動かされる事は極めて稀れだ。だが時としてこういう人間の謙譲な観照が、思いも掛けぬ現実の形を明かすのに驚く。詩人は美しいものを歌う気楽な人種ではない。在るものはただ現実だけで、現実に肉薄する為に美しさを頼りとしなければならぬのが詩人である。女に肉薄するのに惚れるという事を頼りにするのが絶対に必要な様なものである。

ささやかな美に溺れても、溺れ切った人は、傍人のうかがい知れぬ現実の形を握るであろう。一見感傷的な歌も、達人の歌は底知れぬ苦さを蔵する所以である。*名人は危うきに遊ぶという、真実とは常に危ういものであるらしい。

2

近頃尖端女性の描写に憂身をやつしている若い作家の一群がある。音頭をとられて尖端娘だか尖端奥様だか知らないが続々と文学の世界に登場する。やれ*イットだとかエロだとか、これはなかなかいい言葉であって、色気などという言葉は勿体なくて使えない。そこに彼女等の取柄がある。では、この悲しい取柄を作家達は何故に描かない。

文学上に現れる世態というものに較べては、実際の世相というものは、常に遥かに悠々たるもので、或は凄まじいもので、*モダン小説に現ずるモダン女性が、そこらにちょろちょろしているなどと思ったら飛んでもない目に会うのであるが、この複雑な問題は此処に触れない。最近文学上とみに幅を利かせ出した尖端女性なるものは、*帝都復興祭りで飛んで出たものであって、これをブルジョア頽廃期の産物であるなどといきり立つのも、テレ臭い様な代物である。*龍胆寺雄氏が先年「*放浪時代」という作で魔子という娘を文壇に送り出した。当時私は氏の才能を充分に感じた。処が間もなく新聞で、「珠壺」*という作を読んだ。珠壺という娘はやはり同じ様に鮮やかに、色っぽく描けている事を思い乍(なが)ら読み進んだが、主人公が飛んでもない新時代理論を振りまわすに及んで中止した。以来魔子は急速度に野暮ったらしく色気づき、洒落(しゃれ)にもならぬ警句*や、低調な理窟(りくつ)を人前で平気で言う様になった。若い作家達は期せずして、自分の描く女達を、無理矢理に近代趣味とやらで装飾し始めた。読む者は、空々しい作者よりも、空々しく描かれた女達に同情するのである。彼女等とても人間は人間だろうにと思うと、どたん場でどんな音を揚げるだろうと気にかかる。新時代の女性をもって任ずる者達が、今日、様々な新しい意匠を強いられて、いや強いられているとも気が附かぬ程強引に引き摺(ず)られて、喚声をあげたり、取り澄ましてみたり、妾(わた)しゃエロだってマルクスだって、何んだって見逃しやしないときょろきょろし切っている癖に、自分の見窄(みすぼ)らしさだけは何んとしても眼に入らず、右往左往する様は、まことにみじめな観(み)ものである。だがこれを描く尖端作家等は、少しもみじめとは眺めない。これを傍から社会意識が足りないなどと言ってみた処で始らないのである。当人達は決して足りぬなどとは思っていない。社会意識の具現とはこういうものだと信じているらしいから。

みじめとは感じないから人間らしく描く事が出来ない。みじめとは感じないのも、彼女等に対する同情心が足りぬからだ。同情心が足りぬから、彼女等にはエロだとかイットだとかいう薄みっともない語法がしっくり嵌っているというその事が、彼女等の人間たる悲しい取柄であるという危うい現実に気が附かないのである。

3

ジャズというものがある。これは大変悲しいものである。

大分以前に*長谷川如是閑氏の*「ジャズ的思弁によるジャズ批判」という論文を読んだ事がある。これは明瞭な分析であったが、私には興味もなかった。私にはこの一文は嘘にみえたのである。この文中ではジャズはアフリカ森林中の原始音楽と結びつけられている。ジャズは、あらゆる表現からの兇暴な逃避である、と。冷眼をもってジャズを語る人々はすべてジャズの持つこの性格を語るのだが、長谷川氏の一とひねりひねらねば済まぬ頭によってジャズは最後に次の様にひねられた。ジャズの親玉*ホワイトマンの「ジャズは現代アメリカの空疎な切ない心の表現である」という言葉を、氏は観念論的美学に憑かれたたわ言だと一蹴した。これは一見鋭く尤もらしく聞えるが、併し現実はそんな生易しいものではないだろう。ホワイトマンがどんなに見窄らしい音楽家であろうとも彼は本音を吐いているのだ。ホワイトマンの作品が数あるジャズの作品のうちで頭角をあらわしているなどという事は氏にはどうでもいいのである。好都合な事には、人間わからないものはどうでもいい様に出来ている。こういう機微に亙(わた)る辺りは、学者よりも私の様な怠けものの方が、身につまされて、百倍もよくわかるのである。

　ジャズはまさしく切ない心を語っている。切なく私に聞えるのではない、その音符が悲しく配列されているのである。人々はジャズの音に耳を澄ますがよい。ジャズは例外なく*短調をもって書かれている事に気が附くであろう。例外なく短調をもって書かれているという事実は、観念論的美学どころの段ではないのだ。音と聴神経との間の、機構のつまびらかでない生理的必然の問題だ。音というものは恐ろしく正直なものだ。ただ聞く耳が、ジャズなどに浮かれる男の聞く耳が恐ろしく嘘つきなのである。純潔な神経が触れればどれにも暗澹(あんたん)たる調子を聞くのである。耳がちゃんと暗澹としている癖に頭が愉快になろうとしているから始末に悪いのである。ジャズの作家は愉快になろうとして愉快な曲を書くのだが、音は彼の知らぬうちに叛逆(はんぎゃく)して悲しく並んで了(しま)う。作者すら明瞭な表現意識がない。ジャズが音楽中の下手(げて)ものである所以(ゆえん)だが、この下手もの音楽の親玉が、親玉だけあってたまたまこの間の悲劇に気が附いて洩(もら)した言葉に嘘はないのだ。だが、彼は「空疎な切ない心の表現だ」と言った時、恐らく元気のいい顔をしていた事だろう。嘘があるならこの顔にある。ジャズは決して観念の破壊なんぞ企図してはいない。そんな元気な情熱があるなら、それはまともな見事な近代音楽になって了う。ジャズはただ謙譲に衰耗(すいこう)を歌っている。其(そ)の生理的悲調を固く守っている。そして、ジャズを原始的だとか感覚的だとか言う社会科学者を、お前さんも奇妙な観念論的美学者だと嗤(わら)っているのである。

ジャズの持つ生理的悲調、こういう生ま生ましい危うい現実は、社会科学者達には用はない。彼等は生まな耳を持つ用はないのだ。ジャズはブルジョア怠け者達の感覚への逃避を表現すると言えば間違いもなく又用は足りる。怠けもの共は感覚を追って逃亡する。だが逃亡した彼等の耳にジャズは又その愛すべき真実を明かしはしない。彼等も亦(また)ジャズにいい気持ちになり乍らジャズに馬鹿にされているに過ぎないのに、ジャズは低級だなどと飛んでもない白(しら)をきる。君達の感覚とは一体何んだ。

4

扨(さ)て、ここでジャズの問題を、前の所謂(いわゆる)モダン小説にあてはめて考えて呉(く)れたら、私の言いたい事情はわかって貰えるであろう。モダン・ガアルとはジャズの様なものであり、これをのうのうと描く作家達は、合わせて踊っている人達の様なものである。

彼等の捉えるエロティスムは、ジャズが暢気に聞える態の、概念的な眼の眺める飄々たる装飾に過ぎぬ。伏字をいくら使ってみた処が、毛の生えそろわぬ趣を如何ともなし難い。私が先きに特に龍胆寺氏の魔子をあげたのは、魔子は確かに色っぽく描かれていたからだ。最近の魔子はみな堕落している。手法を変えようとの努力であったか。だが、その為に純潔な感覚を汚す事はいけない事である。何故に新しい手法を求めなければならず、又、求めて汚れたか。

今から一世紀以前といえば丁度*為永春水が盛んに書いていた頃である。彼も亦一八三〇年の尖端を切った男であった。私は「*梅暦」と「放浪時代」を比較しようなどとは思わない。此処では話に必要なだけを抽象する。春水の生きた時代は、恐らく日本文学史上で、芸術が最も大衆に近附いた唯一の時代であった。こういう時代に享楽小説が唯一の小説形式であったことは言を俟たぬ。こういう時代では、優れた作家も、この世での作家たる覚悟をしかと定める必要もない、その制作過程に倫理的影も必要としない。すべては趣味であり、趣味を持つ事が生きる事であった。こういう時代の享楽文学と一九三〇年の享楽文学とは月と鼈の逕庭がある。すると今日の大衆文学の問題が当然這入って来るのだが、実を言えば芸術家だと力んでいる尖端小説家などは、今日の大衆作家の足もとにも及ばないという理由で、問題は徒らに錯雑するから、便宜上＊一寸の虫も五分の魂なる所以のみを取りあげて行く。扨て、春水の様にのうのうとして筆を舐めている心を、私は作家として残酷な心情だと呼ぶのである。無自覚無思想が聊かの障害ともならず、あさり歩く尖端都会人の人情姿態が、色どり豊かな趣味としてのみ意味をもち、眺めて舌なめずりが出来る心を残酷な心と呼ぶのである。春水は見事な残酷な心を持っていた。彼の残酷な眼が生き生きと人間を描く事が出来たのは、当時の都会人は皆残酷に生きていたが為である。徳川末期の大衆で板に附かない行動をする人間は一人もいなかったが為である。今日でも見事な残酷な眼をもった人は所謂老大家の間にはある。例えば谷崎潤一郎氏の「＊卍」の如きは最近残酷小説の頂である。龍胆寺氏が魔子を見た眼にはそういう眼があった。だがこれを守るには時は既に遅い。君は時既に遅い事を知った。だが君は悲しむ余裕もなく新意匠を求めて走った。滑稽な事ではないか。

今日の都会を描こうとしても都会ははや性格を持ってはいない。都会行進曲などと飛んでもない出鱈目だ。バアやダンス場を幾つ書いた処で、それは都会を生きた人の文学じゃない、都会を見物して驚いている奴の文学である。本当に都会人の心をもった人だけが今日の都会に生きる事のつらさを一番よく知っているだろう。つらさを知っている人だけが秘密を見ている。帝都復興祭りで踊り出た尖端都会人共がどうして板についた行動が出来よう。バアで愉快に騒げるのが板に附いているという事ではない、心に観念のむらのない事を結果的にみて板についていると言うのである。板につかない人物を描いて板につかぬとは悲しい事である。作家は自分が板についていないので、他人が板についていない事がどうしても眼に這入らない。

魔子は残酷な眼で描ける、だが魔子は間もなく板につかぬ事を喋(しゃべ)り出すのだ。そうなってはもう残酷な眼だけでは追い縋(すが)れないものを魔子は持って了うのだ。近頃*大森義太郎氏と*雅川滉(つねかわひろし)氏とが尖端小説に就いて大変議論を戦わせている。だが問題はそんな高尚な処にはない。足下にある。モダン小説をけなそうと支持しようと、*大正大地震という大事件を忘れては無駄事だ。例えば現に今日モダン・ガアルなどというものを可憐(かれん)な一存在と鼻で笑う遥かに教養の豊富な、図々しくも悲劇的な、冷いブルジョア女性が姿を現して来ているのだ。こんな女性は現代日本のブルジョア作家の手におえぬ、プロレタリヤ作家の手にもおえぬ。今日作家たる眼を磨くとは何んと困難を極めた事業であろう。理論はあんまりやさし過ぎて興味がない。現実はあんまり面白過ぎて手がつけられない。

5

「文藝春秋」十一月号で、*水木京太（みずききょうた）氏の戯曲「混凝土建築（コンクリートけんちく）」を読み、氏が以前やっぱりこの雑誌に、自動車屋の娘を描いた戯曲を思い出し、氏がここで新しい女性の一典型を描こうとしている事を推察して不思議な感じがした。無智（むち）な淫乱（いんらん）な而（しか）も健康な女、ただ昔の女と異るのはこの健康という意味であって、彼女はのらくら者が大嫌いでせっせと働く女なのである。たまたまコンクリート建築場で働いていたからいい様なものの、背景がとり代ればごくごく平凡な女である。これが近代女性であるかどうかは少しも問題ではないが、これが近代女性と目に映る為には、今日の、のらくらするな働けという漠然たる概念にたぶらかされるのがどうしても必要だ、という事が私には大事なのだ。こういう言わば偶然に依拠して性格を描こうとする試みはしばしば行われるので、例えば*片岡鉄兵（かたおかてっぺい）氏の「一つの性格」（「中央公論」十一月号）を見てもこれを感じた。これは作品としては甚だ用意周到な鮮明な佳作だ。だがプロレタリヤの運動に貢献する為には*貴司山治（きしやまじ）氏の「記念碑」（「改造」十一月号）の方が遥かに拙劣で甘くてよろしいであろう。ほんと言えばプロレタリヤ運動の為にも文学として立派な文学がいいには違いない。だが、目下のわが国の状態で、プロレタリヤ・リアリズムの理論などは惟（おも）うに空論に近いであろう。批評家に拙（まず）いと言われてうまく書きましょうなどと答えるプロレタリヤ作家は、さっさと文学をやめるがいいと私は信ずる。現実の真形を見定めようなどという希願に燃えていては、百害あって一益あるまい。それはさて置いて、片岡氏の作品であるが、ここには一見所謂知識階級人の悲劇が描かれていると見えるが、これは少しも嚙(か)みしめられた悲劇ではない。ただ友人のプロレタリヤ闘士との偶然の交友によって、ただ相手の圧力に圧倒されて、この圧力に漠然たる正義感を覚えて固くなっている人物である。彼は悲劇を演じているのではない、硬直しているのだ。ここに又一ブルジョア女性との恋愛が織り込まれているのだが、彼は勿論恋愛に対しても硬直している。

彼は社会に対する漠然たる正義感の為に、ただその為に女を捨てる。女は捨てられて初めて惚れていた事に気が附いて、短い切ない手紙をかく。男は漠然たる正義感によってこの手紙を握り潰(つぶ)す。女は怒らないで彼を憐(あわれ)み、今度は彼を憐む短い手紙をよこす。彼の漠然たる正義感ははじめてほっとして、御説御尤(ごもっと)もと正直な返事を今度は書く。この時、男は女が返事をよこしたら、あの「女は台なしになって了う」と思う。これは生き生きとした文句である。だが男にはこの生き生きとした想(おも)いをこれ以上追い進める勇気がない。彼は直(す)ぐ硬直して口をつぐむ。若(も)しこの台なしになるという想いを突き進めたならば、この男はこの作にかかれた男とは別人になって了うであろう。だがこれはどうでもよい、併しこの作で硬直してない筈(はず)の女までが、男の硬直の傍杖(*そばづえ)

をくらっている様に思われるのはどうした事であろう。嘘から出たまことで男を愛する様になった次第は、又男を憐む様になった次第はこの作には一言も書かれていない。悲劇は女の方にあるのだ。作者はこの悲劇をはぶいた。氏の巧妙な技巧は見るも邪慳（じゃけん）に女の秘密を削除した。技巧は曲者（くせもの）の感なきを得ない。この男の頑固な良心的一概念、成る程、この男の様に必死に守れば概念も悲劇性を帯びるであろうが、概念は飽く迄（まで）も概念だ。この一概念の為に人間性を捨てて乾枯（ひから）びるとは悲しい事だ。作者は男であるか、女であるか、私は知らぬ、恐らく作者も明瞭には知るまい。だがこんな事は作品評にはならぬだろう。併し私の言いたいのは、この女の演ずる悲劇は、男の演ずる悲劇にくらべて遥かに豊かな、危うい現実を孕（はら）んでいる筈だし、この女の顔を摑（つか）む為には遥かに、透徹した眼力を要するという事だ。

　最近、合作の問題がやかましく、見本も出来た。批評家等が色々論じているが、結局理論としては正当だが実際問題としてはいかがな事であろうという処に落着いている様である。意気地のないとぼけた結論だ。合作はプロレタリヤ運動に貢献する事によってのみ、正当なのである。その他の合作などというものは断じてたわむれ事だ。たわむれ事たる所以の理論をここに書くのも面倒臭い。個人主義、そんな意味のない言葉は、私はとうの昔に自分の語彙（ごい）から抹殺した。

だぶだぶの着物も着てみるがよい。自然は装飾を惜しみはせぬ。*襤褸も惜しまぬ。

6

「*足あり、仁王の足の如し。足あり、他人の足の如し。足あり、大磐石の如し。僅かに指頭を以てこの脚頭に触るれば*天地震動、草木号叫、*女媧氏未だこの足を断じ去つて、五色の石を作らず」(子規、「*病牀六尺」百廿五)と。見事な言葉である。これこそ作家の勇躍する物質への情熱だ。子規が病牀に輾転して痛烈に叫んでいる時、子規は、近世唯物論に耳をかたむけている人々とは全く異った現実を生きているのだ。彼は女媧氏の譚を聞いたのではない。五色の石を貫いたのである。

中村正常君へ――私信

いつか、誰やらが批評文中で、甚だ見当のはずれた悪口を書いたというので、これは営業妨害であると、君は腹を立てていたが、此たびは端なくも、*私の批評文中の十行程が君の触覚をいためたらしく、「文藝春秋」十一月号紙上で、君の抗言を読んだのであるが、何とも恐縮な次第だ。一体あそこの十行許りで、私は君を鼻であしらった形である、その癖もう少し先を読んで行くと、人を鼻であしらうなんてことが退屈になれば人間一っぱしであるなどと書いている。まことに、しゃあしゃあの国からまじまじを取りに来た面とはこの事だ。読み返して閉口している。以後こういう失敬な態度は努めて気を付ける事とする。

扨て、私は、これを機会に、君にまともにものを言おう。

幸いに、君は私のナンセンス文学に関する片言に賛成の意を表してくれた。尤も、私は君の抗言を読んで君が私の意の在る処を正当に汲んだとは思われなかった。だが、これは私が言葉を倹約し過ぎた為だろうとも思うし、又、あそこで活字が脱落して文章の態をなしていない個処があった為だろうとも思っている。それにしても、ナンセンス文学という名称が土台世間がつけたやくざな折紙であってみれば、今更ここに詮議立てるに及ぶもテレ臭い話しである。

「愚劣は自分にもみせるな、他人にもみせるな」、これが君の信条だと私は書いた。君は答えた、いや僕の信条は「自分の愚劣は自分で大事にする、他人のことにかまうな」であると。私の使った愚劣という言葉と君の使った愚劣という言葉との間には天地の逕庭がある。さてさて言葉というものは頼りにならぬものである。たとえ片言にしろ私は真面目にものを言っているのだ。私の言葉は成程少々厭味だが、君の痛い処はちゃんと突いていると私は思っている。そいつを涼しい顔ではぐらかされては、こっちは馬鹿みたいなもんだ。君は何故、私の言葉をまともに取らなかったか。痛くても痛くないという顔がしたいのか、それが「調戯師の美徳」なのか。そんな美徳はうっちゃり給え。ひとの事を感心してあげることは、なんと快き娯楽であろう、などとしゃら臭い文句で文章を始めないこった。悪い癖だよ。

利口になろう利口になろうが凝って形をなしたものがナンセンス文学だ、だが、利口になろうが凝って形をなしたものがアインシュタインの相対性原理だなどと誰も言ってやしないのだ。私はただ、愚劣は演じまい、損はすまい、ときれい事に構えているさもしい根性に就いて語ったのだ。利口になろう利口になろうという傾向は結構な事ではないかと君は言う、そりゃ結構な事さ、利口の標本みたいな面を拵えない限り結構な事さ。君は文明論者として馬鹿よりは利口を支持するのだそうだ。そしてよき*ファルスが書きたいのだそうである。文明論者がファルスを書くとは正気の沙汰じゃない。今日最大の文明論者はカアル・マルクスという人である。神の目からは必然的に可憐であろうナンセンス文学たあ一体なんの事だ。神の目なんざ私は知らないよ、神の目から見れば*シェクスピヤも豚のしっぽも大した変りはあるまい。私の茶化したナンセンス文学とは、私の目から見てみっともなかっただけである。私はただ小利口文学というものを好かぬと言っただけだ。こんな揚足取りみたいな事は言いたくないのだが、いかにも君の訂正なるものはたわいがないのだ。たわいがないのは一向にかまわんが、私には君の*お為ごかしみたいな書きっ振りが気に食わないのだ。重ねていう。悪い癖だ。

君がどういうわけで私の愚劣という言葉を懐疑の同義語だと曲解して了ったか敢て訊ねないが、君が君自身の懐疑を大事にしている事を私はよく知っている、君が君自身の言葉をもっている事もよく知っている。君の愛読者或は君の悪口者なんかよりは私は百倍もよく君の作品を了解している積りである。だから私は君の悪癖が君の心を傷つけている事が気に掛るのだ。大きなお世話だと言うかも知れぬ、だが、大きなお世話だと言って家に引っ込む事はやさしい事だ、子供が赤んべエするみた様なものである。他人の事にかまうなという覚悟はよろしい、だがすぐ里ごころを起すのはあまいのだ。君は私が酒間屡々口角泡を飛ばすという。併し私は君に一ぺんも朗かに議論が吐けた事がないのだ。君が吐かせない、君は逃げちまうのだ。相手がちゃんと腹を見せている時、誰がとんがらかって突っかかって行くものか。君は君と僕とは幸いに所説を異にするなどと平気で書いている。どうしてどうして、まだあたし達にはそんな小生意気な言葉は板につかぬ。君程、板につかぬという事を心得ぬ男もめったにない。幸い、作品が面白おかしく塗り潰されていれば、作者は顔を見せなくて済むものだ。板につくもつかぬもないわけだ。だが一度自分をまともに語る言葉になると必度君の言葉は野暮なしゃれになっちまう。勿論、私は君のきれいな心が屡々覗くのを決して見落しなんぞするものか。だが終いまで流れ切った文章を嘗つて読まぬ。これは一体どうしたことか。ひょっとすると君は生活まで道化てしまわねば嘘だなんて凄まじい事を考えているのかも知れぬ。まさかと思うがそうだとしたら、それは猿智慧だよ。喜劇俳優、家に帰って道化ていたら身がもてぬ。

君は、ハムレットの永遠の懐疑を胸に秘めて、見事なファルスが書きたいと希って いる。私はちっとも反対しない。その昔やっぱり君みたいな覚悟を噛みしめたジュウル*・ラフォルグという文人がいた。甚だおしい事にはラフォルグは廿八で死んで了ったから彼の運命の全部を見る事が私には出来ない。ただ、ラフォルグは人を笑わそうとは試みなかった。君は人を笑わそうと希っている。若し君が決して間違ってはいないとすれば、君の辿る路は、よくよく考えてみればラフォルグの道より遥かに危難に満ちている。時世も君には不便に出来ている。「人々は僕の作をよんでみんな笑った癖に、あとで悪口を言った」と君はいつか私に語った事がある。これは君の言った言葉のうちで最も美しい言葉だ。だが、恐らく君はこの言葉に君の現在の危難が全部包含されている事をそう明瞭に知るまい。そういう事は他人の方がよくわかるものだ。君の作品には正しく笑いがあるから人々は笑ったのだ。だが笑いやんで言葉がなかったから人々は悪口を言ったのだ。成程、人々は何んにも知らずに笑ったり悪口言ったり為たかも知れぬ。だが君は人々の隠密な眼を忘れまい。

私は君にもっと広く世間を見渡せなんて黄色い音を揚げるんじゃない。又、君が心の中におしかくして世の荒い風にはあてまいと大事にしているハムレットをまともに拝ませろなどと無理なことも希わぬ。

君が例えば、ハムレットの心を笑いをもって処理する為に、ジュル・ロメン[*]のファルスに感心するのはいい、だがロメンが「ラ・ヴィ・ユナニム」[*]を書いた人物である事が君に不必要な限り、君のかり集める笑いは、君の心に溶けこむまい、油で水を処理する様なものである。かきまぜ様として君は一生懸命にゆすぶらねばならぬ、人々は笑う、君は疲れる。だがゆすぶる必要がなければ君は泣き笑いをして了うだろう。而も、泣き笑いとは君が切り抜けて来た過去に過ぎまい。君がこれからどういう風になるのか私には勿論わからない、ただ、君はまだこれからたんと日を送らねばならない。私にどうやら確かに見える事は次の様な事だけだ。君の懐疑は、なにもかも平凡であると君に教えて来た。又この御蔭で君は君独特の言葉も見つけた。そして君はその独特な語法を守る為に、他人の事にはかまうな、かまうなと念じて来た。併しこういう切ない修錬は、君の見事な平凡という心根には何等関する処ではなかった。今、君は極く平凡な語法が屢々首を出したがる事を大変うるさく感じ出したのではないのか。

感想

毎月雑誌に、身勝手な感想文を少し許り理窟ぽく並べ並べして来ている内に、いつの間にか批評家という事になって了った。批評家などと厭な名称である。平生の痴行を承知している知己等に対し実に申し訳ない次第だと思っている。だが、まあ、彼等には、大変一っぱしみた様な文章を書いたあとでは、多少テレた顔をして置けば事は済むからいいが、知らない人達となると、とてもいけない、「先生は御在宅ですか」などとやって来る、やり切れたものじゃない。お袋もあきれている。情ない事になったものだ、と、こんな具合に、ものを書き始めると、世間は僻々しいもので、直ぐ、何をいい気になりやがって、とくる。世間というものは、実に扱い難い、尤も扱おうなどと夢にも思った事はないからいい様なものの、ただ甚だ心外に思うのは、いや、心外に思うのも当方が愚だと思い至って甚だ悄気る事は、私は元来ものを書く時、世間というものは到底扱い切れぬと観念してふて腐れる覚悟は失わぬ積りなのだが、結果としては、世間を甘く見てると言われても致し方のない様なものが出来上って了う事だ。ふて腐れるという事がどうもいけない事らしいのかな、由来そもそも甘いのかな、どうもよく解らない。

昔から偉い人で隣近所に気兼ねしてものを言った男は一人もないので、みんな悠然としてお臍までみせていた。理窟がだんだん詰まらなくなる、いやいやでなければ理窟が言えなくなる、そういう今日この頃、ただただお臍だけが見事にみえる。頭で考えた言葉というものは所詮だらしのないものだという具合の心構えが自然と出来て来るのだが、拙い事には、他人のお臍なんぞが気に掛るというのが、一体、自分のお臍はみせ難い奴に限るもので当然、この処さっぱりと行かない、仕方がないからふて腐れる。ふて腐れていて気が滅入って、ええい、とやけっぱちになると盲蛇に怖じずといった格好になる。どうもこの格好が一番衛生的でいい様である。

文芸行動上、盲蛇に怖じずという態度を極端に嫌悪しているポオル・ヴァレリイという傑物がいる。私は学生時代、彼の「*ヴァリエテ」を読んで身動きも出来なくなって了った。彼の諸論文を読んでいると、文芸に関する凡その論文が、たわいもなく凡庸にみえて来る。御蔭を蒙って減らず口だけは自在にたたける様になったが、お臍がみせ難くなったのも亦彼の御蔭だ。

盲蛇に怖じずという事を極端に嫌厭すれば、眼があき過ぎてものに怖じるという勘定になる筈だ。ヴァレリイは現代に於ける衰弱的天才の一番見事な典型である。彼の所謂「知的コメディ」*の精密と絶望と光輝とに推参した人々で、しんの疲れを覚えない様なものはまず何処か足りないのである。

やれ、やれ*、俺も生得根が馬鹿で助かったよ、と、テレ臭そうに呟いてみる。そうかと思えば、一体理智の絶望的精密などというものは、溢れる心情の前で何が出来るなどと拗ねてみる。尤もヴァレリイにつかまって、こんな風に反撥してみない人は、やっぱり何処か足りないに違いないと思えば、本人見事に拗ねている積りかも知れないが、傍目には悪く足掻いているだけの話だろう。悪足掻きしている処へもってきて、批評家などと言われてみろ、ぞっとするよ、全く。

毎年おしつまると新聞雑誌で、文壇回想の文章が並ぶ。みんな詰らない。そりゃ詰らない方が理窟である、大体の処を見渡せば、だれが見渡そうが風景は同じ様なものになる他はない。鳥瞰図を独特な格好に製作しようなどと出来ない相談である。だが、そういうものが並ぶのは、一つの慣例であって、文句を言ってみた処で始らぬ。文壇が黙って新年を迎えては格好がつかないのだろう。それにしても、今年の文壇の回想とか、明年の文学予想とかいう文章を少し許り冷然と眺めていると、凡そどれも人を小馬鹿にした様なものである。嘘をつけ、と腹の中で思う。

昔から来年の事を言うと鬼が笑うという、どうもこれは修身*の教えではない、昔から現実家という種類の人物の舌打ちだ、ほんとに鬼が笑うのである。

誰だって文壇の回想文だとか予想文だとかいうものを真面目に書く人はあるまい、鬼が笑っている位、誰だって心得ている筈だ、だが商売だ致し方がない、商売であるからには、何も嘘つけ、などと思って読む筋はなさそうなものだ。どうも批評家というものは世にも奇態な商売である。

頼まれたんだ、奇態な商売だと観念して、書いちまおうと思うのだが、何んとも馬鹿臭くて書けない。先だっても一九三〇年文壇回想文を或る処から頼まれて、どうにも厭で勝手な駄々をこねたら、こねた処だけ返された。幸い私は良心はもっているが、芸術的良心などというケチな良心は持ち合わせていないから、返されても何の不服も感じなかった。今度もこうやって駄々をこねている。又、返されるかも知れない。勿論不服は申さぬ、不服なんぞ言うのも面倒な程私は生得我儘な男である。

歳末に過ごした一年を回顧するのは、いずれ人情だ。私も自分の身の上の事だけはつらつら考える気になる。

私は嘗て批評で身を立てようなどとは夢にも思った事がない、今でも思ってはいない。文芸批評というものがそんな立派な仕事だとは到底信ずる事は私には出来ぬ。小説を書いても目下まず碌なやつは出来上らない。どうせ、恥を曝すのなら文芸時評でもやってた方が景気がよくていい。第一批評なら世間知らずでも出来る。理窟を間違わぬ様に云う位の芸当なら若年者で沢山だ。尤も小説なら世間知らずにでも書けるからなんて心得ている人もあるかも知れぬ。それに、理窟を並べている分には、揚足は取られまいというたわいもない心構えさえあれば、楽屋はちょいと人目につかない処が都合がよい。これが小説となると、一流品となれば話は別だが、厭でも根性まる出しだ。尤も当節は根性まるだし小説などという言葉がある。若しこれが本当だとすれば、そういう事が平気で言えるには余程立派な根性がなければならぬ筈なのだが。こういう事柄は、安直に考えても困難に考えても、口に出していう言葉は一つだから大変都合がよい。口に出していう言葉は一つであるとは大変面倒な事だ。言葉というものは口を洩れてこの世に記号として存在した瞬間に、この言葉を発言した肉体との縁は切れるのだ。縁が切れるから各人様々な意味をこめて喋った言葉は、結果として区別のつけられぬ同じ文字として眼前にある始末になる。この面倒な事実が文芸批評家の前にある。批評される作品は、その作者に関する真理とその読者に関する真理と、二つの完全に溶け合わない世界をいつも提出している。作品を眺めて正直にものを言おうとすれば、どうしてもこれに引っかかる。だからこそ文芸批評とは何かという議論は永遠に絶えまいし、又言うは易く行うは難いなどという昔乍らの格言が百千の理窟よりは批評家にとって一番教訓的な言葉になる様な仕儀にもなる。

人を賞めても、くさしてもあと口はよくないものである。批評は己れを語るものだ、創作だ、などと言ってみるが、所詮得心のいくものじゃない。あと口をよくしようなどとは思わぬ、今によくなるだろうとも思わぬ。人の事を兎や角言う事がそもそもつまらん事なのだ。

どうなる事やら。

マルクスの悟達

1

「新潮」十一月号誌上で平林初之輔*氏が科学的批評というものに就いて甚だ悲観した懐疑を述べられた。私はこれを読んだ時、何んの興味も感じなかった。だが十二月「改造」で大森義太郎*氏がこの一文の駁論(ばくろん)を書かれたのを読んで私は今動揺する私の心を語りたい想(おも)いに駆られる。

「作品の評価の最終の決定者は主観だということだ。こんな状態はのぞましくはない。だが仕方がない」。この平林氏の文章は以上の言葉で終っていた。十年一日の文芸批評家等のふやけ切った吐息であった。平林氏の一文が何故に私を少しも動かさなかったかと言えば、氏の文章に対する理論的な駁論は私には次の一と口で足りたからだ。批評家達が吐息をついたにしろつかなかったにしろ、今日まで批評が綿々としてうち続いて来た事実は如何とも為し難い。では何故つづいたか。批評に科学性があったからだ。ある批評家が少くとも一人の読者を持ち得た事情は批評の一般科学性を孕む、と。これは馬鹿々々しい駁論である。私には馬鹿々々しい抗議をする興味がなかっただけの事である。若し私が平林氏にものを言うとすれば何故あなたは悲観なんぞしておられるのか、悲観なんぞする暇があるか、それだけだ、これこそ大切な事である。

大森氏の駁論は大変意地の悪いものと見えた。人は他人に対して意地悪くなる時は当人はそうとは思わなくても、実は心の張りが弛んだ時に限るものだ。私は大森氏の明瞭な頭には敬意を失うまいと思っているが、氏の文学に対する愛情の少しもにじんでいない文章をいつも遺憾に思っている。文芸の道は人が一生を賭して余りある豊富な真実な道の一つだ。文芸の批評は人物の批評と何等異る処はない。この一種不遜な事業を敢行するには文芸を愛して恥じぬ覚悟が要る。

実を言えば平林氏の一文は批評の科学性に対する懐疑文であるかそれとも批評の実践に関する詠嘆文であるか明らかに不明である。恐らく氏自身にとって不明であったとみるが至当と思う。だが、氏の文章が曖昧であったとしても清潔な正直な表現であった事は確実な事だ。平林氏は大森氏の言われる様に「最初は謙遜な疑問の提出者であるが、次には傲然たる理論の主張者」なぞになっていない。そこには理論も何もなかったのだ。そこにはただ切なくも見窄らしい告白があっただけである。大森氏は器用に平林氏の一文を歪めた。そこから科学性に対する懐疑を意地悪く抽象して抗言した。氏の抗言が明瞭に書かれた事は自明の理である。明瞭にしろ不明瞭にしろ批評家の論争は多くそういうものである。一体これは致し方のない事なのか。致し方のない批評家の悪徳なのか。

私は大森氏の終った処から始めよう。そして、恐らく後戻りをする。氏は言う、凡そ芸術評価の科学性を各人の評価が十人十色であるというわかり切った事実に依って否定するのは間違いである。又整理された評価が最も悧巧なものなら、馬鹿につける薬がない事を嘆くのは無意味である。人さまざまはこの世の定めであり、すべての人を改宗させる事がどうしても必要なら、*マルクシストも坊主もやりきれたものではない。評価の帰一性は科学性の表徴ではない。科学性とは科学の方法に存する、と。これはまことに明瞭で正確である。今日まで頭の濁った多くの文芸批評家によって妥当性の問題が、エンゲルスの手を離れて古風な意匠を纏って横行していた事は衆目の見る処である。私は氏の言葉を空言とは申すまい。扨て氏は一歩を進める。かかる科学的方法はどうして得られるか、氏の言うところを約言すれば次の通りである。芸術を人間の精神活動の一つとしてその成立、構造、機能を明らかにするならば、又われわれが今日生きて今日の社会の必然的な展望を有する事が出来るならば、この事から芸術作品は評価する事が出来る。この二つ共に、*新カント派風な表現をかりれば、存在学としての芸術学の任務に属する。そして凡そ芸術学なるものは存在学としてのみ可能であり、且充分である。と。これも亦全く正確な理論である。私は世に充満するマルクス主義者と称する人々の言説的雀踊りは、一向に興味をもたぬから知らぬ。併し以上の大森氏の言葉はマルクスの心を正当に汲んだ理窟であると思う。扨てこの正確な条理が、今日未だ何等見るべき実現をみないのは、ただただこの条理発見の日が猶浅いが為だ、と氏の文章は颯爽として畢るのである。

「君は*弁証法的唯物論なるものを信ずるか」「いかにも」「では君の文芸批評はその実践であるか」「いかにも」「それで見当がはずれているのは何故か」「日が浅いからだ」。こういう取りつく島も無い陰惨な喜劇が、氏の颯爽たる方法論から幸いに生れない事を私は希望する。今日までこの種類の己れを棚に上げた、かたくなな喜劇を私はもう見飽きたのである。やれ又かと思う位人間を無益に疲れさせるものはない。私は大森氏の文芸時評が喜劇であるなどと失敬な事を申すのではない。私は人をからかっているのではない。ここに何んとしても言いたい事は、弁証法的唯物論というものは成る程最近書物の上に現れた理論に相違なかろうが、その真理は世の創めと共に古く、人はこの理論の真実を書物から学ぶことは出来ぬものだという事である。この理論は見事な人間生活の規範である。だが、物指ではないという事だ。だがそんな事はわかり切っていると人々は言うかも知れぬ。いやわかってはおらぬ。少くとも私はここにこの真理を摑む困難を語る事を無益な事とは思わない。大森氏程の明瞭な頭脳が既に他人の文章のあるがままの弱気を、あるがままの欠陥を見なかったではないか。或は見るを欲しなかったではないか。

2

弁証法的唯物論とは今日猫も杓子も口にする処である。何故に猫も杓子も口にするか。はやりだからだ、口にするのは易いからだ、とは言うも愚かな事であるが、又、この言葉がいかにも屈伸自在な言葉であるが為だ、屈伸自在に現れる言葉を、猫は猫、杓子は杓子の眺める処から固定するのは、固定した言葉を猫は猫なりに、杓子は杓子なりに、摑むよりも遥かに容易であり、これに準じて種々様々な猫と杓子の数は増加する道理である。何故にこの言葉は屈伸自在に現れるか。この言葉は屈伸自在な真理を語るが為か。違う。この言葉の明かす真理は厳然として動かす事は出来ぬものだが、それは言わば屈伸自在である事によってのみ固定できる真理であるが為だ。真理は詭弁的なものではない。併し真理を語るには詭弁的に語るのが最も適するという事もあるのだ。自然科学的真理の言語による表現が詭弁学の見本の如き外観を呈する様を知る為には、人々はエンゲルスの「自然弁証法」*を読めば足りるであろう。マルクス主義の哲学的方法論的な基礎を云々する議論は夥しい。私は幸いにして無学であるからこれらの意見に興味を持たぬし、恐らく、これらのすべての意見は無用であろうとさえ思っている、又意見が無用であると安心する顔さえも無用である事を知っている。嘗て、大森、山川両氏*の飜訳でレニン*の「唯物論と経験批判論」*を読んだ時、私には弁証法的唯物論の真理は素直に自明と観ずればまさしく自明と見えると思った。そして平凡な真理を理解する事が頭のいい学者達にとってどれ程困難な業であるかという事を理解した。レニンの文章は明快である。特に最も複雑な贋物の分析は極めて見事だ。人はこの明快に眼を見張る、眼を見張って、次の事実を忘れて了うのである。即ち、例えばここで叩かれているマッハ*という、最も複雑な贋物の頭は、レニンと同程度に明快であるという事実だ。レニンの眼にマッハが贋物とみえたそもその理由は、マッハの小癪な学者根性に関するのであって、二人の間の理論の関係などというものはほんと言えば喧嘩上必要だった文字に過ぎぬ。

「マルクスとエンゲルスの天才は、なかんずく彼らが、新しい言葉や、ひねくり廻した術語や、狡猾な『主義』などを以ってする*衒学的な遊戯を軽蔑して、率直に、哲学には*唯物論的方向と*観念論的方向とがあり、かつその間に、種々なる色合の*不可知論が介在していると説明した点に現われた。哲学上に『新しい』観点を見出そうとする痙攣的な骨折は、『新しい』価値論や『新しい』地代論などを、もっと創造しようとする骨折と同じような、精神上の貧困を表わすものである」（二四四頁）

　これはただ明瞭な頭の言葉ではない。堂々たる人物の確信である。この言葉はあらゆる立派な言葉に共通した性格をもっている。つまり限りなく平凡であり、又限りなく難解なのである。この一短文が提出する問題は単に理論の問題ではなく、言わば人間*悟達の問題も含むのである。と、言えば直ぐ観念論的曲解だなどと言う。度し難い。尤もレニンだって決して度してはおらぬのだ。この書物を読んで、マッハや*ボグダノフが泣面をしたなどと思ったら飛んでもない間違いである。みんな根性は捨て兼ねているのだ。マルクスという人は、人間にとって最も捨て難い根性という宝を捨て切る事が出来た達人であった。根性は一切他人に捧げて恥じぬ愛情に溢れた達人であったのだ。と、言うと今度は、世の芸術家というわけのわからぬ人物が、言うのだ、私は愛情に溢れている、だが私は芸術家であって、科学者じゃないのだから、根性を捨てるわけには参らぬ、と。そうして原稿用紙臭い心境小説が出来上れば元は取ったというものだ。

天才というものも、この世に生れている限り、凡人と同じ構造の頭脳を持つ外はない。この自然の恩恵により凡人は天才の口真似が造作なく出来る、つけ上った挙句天才なんぞいないなどという寝言を言う。馬鹿をみるのは天才で、天才は寛大だから腹を立てないのではない、奇体な真理を探り当てるのは愚かであり、真理とはもともと凡人に造作もなく口真似が出来る態のものしかない、という事を悟る事が天才なる所以であるからこそ、虫をこらえているのである。

扨て以上のレニンの短文を約言すればこの世はあるがままにあり、他にあり様はない、この世があるがままであるという事に驚かぬ精神は貧困した精神であるという事である。弁証法的唯物論なるものの最も率直な表現である。事実この書物を通じてこの一文程明らかな文章は他に一つもない。平凡にしか言えないのだ。平凡な真実が目立って見える時は、嘘に対して叛逆的に現れる時に限る。平凡は逆説的に雄弁になるのみだ。処が叛逆的に現れる箇所では人々は叛逆と叛逆させた嘘とを見てその所以を思わぬ。弁証法的唯物論は思想の一種の否定である。思想を否定して思想を編む事はおろかである。思想を否定する思想をまともに語って見たまえ、例えばエンゲルスが*「反デュウリング論」で、「世界の現実的統一性はその物質に存する」と命題を語るとする、忽ちレニンの所謂千一番目の*半畳が這入るのだ。「一体世界の統一性などというものを何故決める」と。まことにこの世で平凡位いじめつけられるものはない。黙っていれば軽蔑される、軽蔑されて怒れば、怒る事が既に己れを全一に語らぬ事だ。マルクス、エンゲルス、レニン、と三人の天才の手から手にわたった、弁証法的唯物論という真理はこの世で平凡が蒙る悲惨な宿命をあますところなく身に受けて来た様に見える。だから彼等はこの美しい真理に対しては口をつぐんだ。喧嘩は売られた時だけ買ったのだ。そして平凡は当然喧嘩にいつも勝ったのだ。勝ったが相手は澄ましていたのだ。マルクスが「*資本論」を書く時に経済学の方法などというものは自明な事に属した。二千頁をこえる書物を書くにあたって、「お前の道を進め、人には勝手な事を言わしておけ」という*ダンテの格言に終る四頁の序文で事は足りた。方法論の正しさはただ内容のみが明かしたのだ。人は余りに自明な事は一番語り難いものであり、又語るを好まぬものである。彼等の抱いた認識の根本的基底については暇人のみがその認識論的基礎づけの為に騒いだ、そしてさわぐ事だけしかしなかった。暇人には自明という事が一番わかりにくいものである。

「*問題は懺悔であり、ただそれだけだ。人類は其罪の宥を得んが為にはその罪をただあるがままに告白しなければならぬ」と彼は*ルウゲに書いた。ありのままの*告白がとりも直さず客観的理論であった。まことに根性をすて切った達人の業である。根性は根性、理論は理論なる迷信が、理論と実践とを切り離そうとする、否(いな)、切り離して便利がる。今日の風潮に乗じて実践をスポオツと心得ているくせに、又そう心得ている者に限って理論と実践は一つだ一つだ、と喧(やか)ましく叫ぶ。黙々として争闘している人々が何故眼に這入らぬか。又この驕慢(きょうまん)な叫びに耳をかたむける弱虫どもが文学の道をあやまるのである。「哲学上に新しい観点を見附けようとする痙攣的な骨折は精神の貧困をあらわす」と。精神は精神に糧(かて)を求めては飢えるであろう。*ペプシンが己れを消化するのは愚かであろう。「私は考える、だが考える事は考えない」と。ゲエテは鼻唄(はなうた)でわれわれをどやしつける。こういう言葉は全く正しい。併しわれわれは果してこれを覚えて誤らぬか。ここに理論と実践との問題の核心があるのである。弁証法的唯物論なる理論を血肉とするには困難な思案はいらぬ、ただ努力が要る。理論と実践とは弁証法的統一のもとにある、とは学者の寝言で、もともと理論と実践とは同じものだ。マルクスは理論と実践とが弁証法的統一のもとにあるなどと説きはしない、その統一を生きたのだ。マルクスのもった理論は真実な大人のもった理論である。世の大人達が、先日学生騒動に鑑(かんが)みて文部省に相寄り、マルクス主義思想に対抗する思想体系の樹立を議決した。さぞよくマルクスを理解した事だろう。世の風俗習慣を学ぶ事によって論理的になったと信ずる世の大人達の頭には、例外なく狂気の影がさしているものだが、この狂気は他人を見たら狂気と思えという念の入った鬱々たる狂気であるが為に狂気とはみえぬ。青年はお先きっ走りで穢れ、老人は脂下って穢れる。だから穢れをすべて甘受して一点の穢れもない理論は、常に青年には老人過ぎ、老人には青年すぎる非運を辿るのである。

3

「作品の社会的等価を発見した自らに忠実な唯物論的批評家の第二段の行動は――それが観念論的批評家の所に於いてそうであった如く審査しつつある作品の美的価値の評価でなければならぬ云々」という*プレハノフの言葉は今日まで多くの批評家等に色目を使われた言葉だ。この言葉は誤ってはいないが、こういう言葉からいい気な学者面が読みとれなければ何にもならない。作品の社会的等価の発見、これだけで既に*ラプラスの鬼を要する。何が第二段の行動か。問題は、ただただこの事業の困難を深く悟るか軽薄に眺めるかの一点にかかるのみだ。*階級対立の準尺の弱短を嘆じて逃走する美神の袂を捕えようとして一体何になるのか。美は階級対立と等しく苦がい現実である。

社会学の粗製*範疇（はんちゅう）を使用して作品の社会的等価を発見したと安心するのは、鈍刀をメスとして精神の生理的等価を発見して脂下る（やにさが）と聊か（いささ）も異る処はない。脂下る男だけが美神に*秋波（しゅうは）を送る。*並列五度音程は階級を超えて人間には不快であり、或は*左右双称は愉快である、等々。その辺の芸当しか出来はせぬ。何故に美意識なるものがこれを分析すれば人間の単なる感覚的錯乱に過ぎぬとまで言う勇気を持たぬのか。今は昔わが国でも*ダダイストと称する文学的末輩（まっぱい）が既にわめいた真実ではないか。美的範疇の可動性などを口にしてみた処で致し方はない。美神は暴力にも甘言にも乗りはしない。嫌いな人間共に顔をそむけるのは、美神の驕慢ではない、そのたしなみである。

マルクスが*ヘエゲルは逆立ちしているというのは、ヘエゲルの理論は一種のイデオロギイである、一つの思想の色合いであると言うのであって、それ以外の事ではない。ヘエゲルという人間を否定した事ではない。ヘエゲルだって、己れの根性をすて切った処から始めた達人であった事に間違いはない。この事実をマルクス程の人物が見損ったと思うのは笑止である。ただマルクスにはこの事実を彼が「資本論」を書く前提としてとり入れる必要がなかっただけの話だ。彼にはヘエゲルの体系が種々な観念型態中の一つの色合いであり、一つの色合いとみる事で充分であったのだ。約言すれば人間にはそうたんとの仕事は一緒に出来なかっただけの話である。マルクスはヘエゲルを、フォイエルバッハ*を否定したが、否定し切りはしないのだ。

理論の為の理論、思弁の為の思弁を、弁証法的唯物論は全くの素朴をもって否定する。言葉の厳密な意味に於いて理論の為の理論などというものはない。ないからこそ否定するのである。人は理論を持つ時、同時にこれを表現する、記号をもつものだ、言葉を持つものだ。この事実の率直な承認から出発して哲学体系を論じようとしたらどういう事になるか。それは或る社会が、個人が生産したイデオロギイである他はあるまい。そこには言葉という記号が、合理的理論を辿っていると共に無限の非合理的な陰翳（いんえい）を孕（はら）んで現存するのみだ。ここに、「絶対精神」*という言葉も、「物自体」*という言葉も、天才の身をもって為した表現として躍動し始めるのである。「哲学の貧困」*を語ったマルクスの生ま生ましい眼に、この現実が映らなかったとは考えられぬ。ただ彼の天才は、その道を歩む為に、この一つの現実を率直に捨てたのだ。この世の経済機構を生ま生ましい眼で捕える為に、文字の生ま生ましさは率直に捨てたのだ。文字は彼にとって清潔な論理的記号としてだけで充分であったのだ。この清潔な論理的記号の運動の正しさを、ただ現実の経済機構の生ま生ましさを辿ることによってのみ実証しようとした処に、又、そうする事によって普遍的な理論の空論たるを避けた処に、彼の天才は存するのである。そこで、同じ様に論理的記号としての文字の一性格を率直に捨てた人もいたわけで、芸術的天才はそういう道を歩いた。この曖昧な文字の動きの正しさを、ただ生ま生ましい肉体を辿ることによってのみ実証した処に、又、そうする事によって、己れの孤独な文字の独断を避けた処に彼の天才は存するのである。彼にも亦現実だけが試金石であった事に変りはない。マルクスは社会の自己理解から始めて、己れの自己理解を貫いた。例えばドストエフスキイはその逆を行ったと言える。私の眼にはいつもこういう二人の達人の典型が交錯してみえる。

若しマルクスが「資本論」の代りに「芸術論」を書いたとすれば、彼はプレハノフの様にトルストイの「芸術とは何ぞや」の解析からは始めなかったろう。率直に「アンナ・カレニナ」から、いや言葉の解析から始めたであろう。こんな仮定は勿論愚かである。問題はただ、芸術の社会的等価発見の困難を深刻に悟るか、軽薄に眺めるかの一点にかかると言ったのである。困難は現実の同義語であり、現実は努力の同義語である。だがこの可能を否定するのはもっと愚かだ。併し又、かかる理論的天国を夢想し説教するのは更に愚かな事である。私はエンゲルスにならって言うのみだ。「文芸の科学は可能であると同時に不可能である。そしてこれが必要のすべてである」と。

扨て、私はもう止めねばならぬ。混乱した文章をお詫びする。私には今動揺する心を秩序づけて語る術がないのである。私はマルクスの美しい文章に私の重荷を負ってもらう。人々がこれを真に理解してくれるなら、私の以上の駄文なんぞは捨て去って一向差支えないのである。

「*範疇としてなら、交換価値は、*ノアの洪水前からの存在となる。だから、意識にとっては――そして哲学的意識は、それにとっては理解する思考が現実の人間で、理解されたる世界自体が現実の世界であるように出来ている――、だから意識にとっては、諸範疇の運動が、現実の生産行為――それはあいにく（？）外部からのみ刺戟を得る――、実に世界がその成果である所の、現実の生産行為として現われる。そしてそれは――茲でもまた異語同義になるが――思考総体としての具体的総体は、この思考具体物として、事実上、思考の理解の所産である、という限りでは正しい。が、かかる総体は、決して、直観と観念との外または上にあって思考する自己*分娩的な概念の所産ではなく、却って、直観及び観念の、諸概念への作りあげである。頭の中に思考全体として現われるが如き全体は、自己にとって唯一可能なる仕方で世界を我物化するところの、思考する頭の所産であり、その仕方は、芸術的宗教的実際的精神的に此の世界を我物化する仕方とは違う。真実の主体は、依然として頭の外にその独立性において存在する――即ち頭が単に思弁的に、理論的にのみ働いているあいだは。で、〔経済学の〕理論的方法の場合でも、その主体が、社会が、前提として絶えず想像に

浮んでおらねばならぬ」（「マルクス・エンゲルス全集」第七巻、四〇一頁、猪俣津南雄氏訳）（傍点小林）

何んと容易な、又困難な言であるか。

文芸時評

今月は出まかせに雑談をする事にする。先日殆ど半年ぶりで*立花で*小勝を聞いた。寒い晩で席もやけに白々しく空いていたせいか、めっきり衰えて見えた。「*うなぎや」をやった。この噺しは以前に何遍も聞いた事がある。名人が、頭数卅に足らぬ客の前で、近頃はほんとうにものが握りにくそうになった手附で、鰻を握ってみせているのを眺めていると、どうも暗澹とした気持ちになる。近頃流行の言葉でいうと反動精神とかいうのでしょうね。まあ、何んと言っても一向に構わぬ。流行の言葉というものを軽蔑するのではないが、そういう言葉が身にしみないのだから仕様がない。私は先月号で*弁証法的唯物論に就いて書いたら、ある人が、君は*転換したのかときいた。これも流行の言葉である。どこをどう読んで呉れたのか知らないが、私は仕方なく「ハア、ハア」、と答えた。私は、あの感想文で狭く言えば私が文章をつくる覚悟、広く言えば知識人としてのあじけなさ加減を述べたに過ぎない。私はひどく元気のない一文を恥じているのである。大概悧巧(りこう)なら、世の中は広大無辺であると観念する覚悟位は自然出来上るものだから、世間には実に色々な言葉を喋(しゃべ)る人々で一杯だという事には驚かぬが、計り知れない程間抜けな言葉というものは、言われて決して気持ちのいいものではない。言葉というものはこわいものだ。人間精神が言葉というものの為(ため)にどれ位深刻な陥穽(かんせい)にあがいているかという事は、殆ど信ずる事が出来ぬ程のものである。方々の雑誌から往復端書(はがき)で色々の問題に就いて回答を求められるが、殆ど返事を書いた事がない。どんな質問でもまず大抵の場合こっちが水平に構えている処(ところ)に直角に飛び込んで来るものだ。立ち直ってお互に同じ平面をつくる事は大変な骨折(ほねおり)がいる。この骨折を禁止される。くどくど書いても間違えられるのに、端書なんぞで間違えられたらかなわぬと思う。大きな問題を数行の裡(うち)に尽そうとするのは勿論馬鹿(もちろんばか)気切った事だが、然(しか)りか否(いな)かの回答を求められるようなものになると事は絶望的である。無限の然りと否とから、無限の曲解と迷妄とが生ずる。*ナップから「将来ソヴェト・*ロシヤと資本主義諸国家との間に戦争が起ったら貴下はいずれの側に立つか」という往復端書質問を受けた。仰々しい愚問とほって置いたら重ねて又質問が来たので黙っていても失敬だろうと思って「小生来年の事は知り不申候(もうさずそうろう)」と書いたが、いまいましくなってやぶいちまった。誰がどんな事を答えているか雑誌をみないから知らないが、質問が一体来年地震があったら君はどんな顔をするかというのと同列なのだから、誰もほんとうの事は答えていまい筈のものだ。仮説と臆測とは混同されて使われる言葉だが、本来仮説とはその真理が例えば三角形が自明の様に自明な理智の形式を指すのであって、科学が仮説の上に立つだけだなどと言って科学を軽蔑するのははや古人の夢である。尤もこういう意味での古人の夢はいつの世にも絶えまいが。処が臆測というものは唯、少々許りは筋の立ったとみえる事物に即する幻想に過ぎないものだ。ソヴェト・ロシャと資本主義諸国家との戦争などと典型的臆測だ。清潔な科学的仮定は煽動の武器とはならぬ。人心を挑発するには臆測に限る。私は大衆挑発の為に利用される事も好かぬ、已れの利益の為に他人に虚言を強いる事も好まぬ。敢えてこういう失敬な言葉を弄さぬとしても、ナップがこんな事でから騒ぎをしている事は解せぬ事だ。例えば「産業別小説叢書」の刊行とか、組織的生産による小説の*ブルジョア雑誌上の発表とかいう地道な仕事がたんと控えているではないかと私なんか思う。こうして当てもなく書いて行く話がどういう風に進んで行くか自分でもわからぬ。取り上げて論ずる問題も思いつかぬので仕方なく雑談を書こうと思ったが、やっぱり雑談というものが私なんかには一番難かしい。正宗白鳥氏の文芸時評がもうみられなくなったが、あれなんかずい分うまい雑談だった。ああいう風に極く普通な顔をして楽々とものが言えるという事は難かしい。誰でも普通にしていれば普通の顔をしている筈だが、その普通の顔が世間ではなかなかものを言わない。誰でも雑談はするが、公には通じない。つまり主観的に表現して客観性を失わない事は余程大した事なのである。雑談というものは落語でいえばまくらみたようなものだろう。前座には振れぬが通例である。小説になるとみんな本題だけ勝手にのうのうと話してるし、みんな並んで御辞儀をしているから、どれが真打ちなんだか、取りなんだか素人目にはわからなくて困る。などというのは少しおかしいが、あんまりふざけた申し分だとも私は思わない、今日の批評家は込みで価をつけ勘定をする。総じて素人の批評というものは込みでものをいう。今日ははや玄人批評の時代じゃないなどというがそんな間抜けな話があるものか。いつだって素人より玄人の方がいいに決っている。ただ今日の様な時代では玄人になるのは恐ろしく困難だという事を率直に認めればいいのである。尤も、批評なんかでは、素人であろうが、玄人であろうが、一向面白くもない事だが。時勢はどうにもなるものではない。併し、時勢に流されている癖に、自分は時勢に忠実だなどと喚くのはよした方がいいのである。誰々がこんな作をかいた、時勢である、あんな調子な雑誌が現れた、時勢だ、人間なら大概腹を立てる処だ。時勢病が昂じて来ると、馬鹿な事を言っても少しも驚かぬ。「馬鹿な事を言うからこそ後で清算という事が出来るんだ、僕が馬鹿な事を言ったからと言ってぐずぐず言うなんてブルジョアだぞ。お前は弁証法的唯物論てものを知らないのか、馬鹿」なぞという。こういう時勢病患者に、大いに反対した気でいる、又一派の時勢病があるので、そういうのは「マルクシズムというものは変ってゆくのが定法だ。同じ意見許り吐いてる様なマルクシストはもぐりだぞ。*ダグラスをみろ、役者と間違えるな、何んだと、僕の文学が*人絹文学だというのか。古典的でないだけだ」。これでは何んの事やら解らないが、別に深刻な意味があるわけではないので、詮ずる処両方とも時代というものが、外側にあるだけでは足りなくて、頭の中にも時勢をもちこんで固形化し、何事につけ、そいつに罪をなすろうという図々しい心なのである。一言にして言えば感傷的なのである。普通は感傷という言葉と図々しいという言葉とをどうしても一緒にしたがらない。それどころか真反対なものだと思っている。尤も言葉はどうにでも使えるから、私が勝手に変えてみるだけだといえばそれまでだが、感傷というものは感情の豊富を言うのではなく感情の衰弱をいうのである。感情の豊富は野性的であって感傷的ではない。感情が生理的に弱る事を人は見逃さないが、感情が固型化によって衰弱する事は屢々見逃す。心が傷つくという事はなかなか大した事であって、傷つき易い心を最後まで失わぬ人は決してざらにいるものではない。ほんと言えば作家としてほんものであるか、いかものであるかという事は、こういう心の一種の誠実のみにかかると言っても過言ではないと私は思う。大概の心は傷つくまでにふて腐れちまうか、泣き出すかどちらかである。この場合、ふて腐れるのも泣き出すのも心に殻を作って、相手に対して自己を防衛する点で異る現象ではない。人々は、ここで泣き出す方を感傷家で可愛らしい処があるなどという。そしてふて腐れる方は図々しいが現実家だというのだ。人は涙を流す時は安心している時だけである。うまくふて腐れる事が出来ない時、人は泣くのが都合がいいだけなのである。私には、図々しい、感傷的、概念的、という様な言葉が一つの心掛けの性質的規定として離す事が出来ぬ様に思われる。尤もこういう調子の話はわかる人には一と口でわかるし、いくら言ってものみこめぬ人は永遠にのみこまない種類のものだから、くどくど喋ると馬鹿をみる。

少し話を変えよう。前にまくらの事を言ったが、新年号の「中央公論」に載っている谷崎潤一郎氏の「吉野葛」、これは次号完結としてあるが、あれなんか今月の処ではたしかに前座にはふれぬまくらである。用談も、風物も、歌も、史実も、地理も、性格も、感慨も、と言った風に、脈々と一筋の糸につながって流れる。ああいう文体は余程豊富な心からでないと出て来ない。製造しようとしても出来上るものではない。

こういう人間認識の領域には何んの教養も何んの理論も用をなさない、ただ直観の修練だけがものをいう。ただ直観の修練だけだなどというとすぐ出鱈目だと人は言うが、直観の運動には秩序がないのではない、複雑なだけだ。*ハウゼンスタインと*フリチエをならべて読むと、私にはやっぱりハウゼンスタインの方が面白い。別に大した意味があるわけではない。ただ彼の方が正直にものを言っていると思うのである。彼の観念的な情緒的な要素は清算しなくてはならないなどという議論があるが当節文学青年の寝言で、彼の著作の観念的、情緒的な要素というものは、芸術というものを形態として先ず強く観ずる彼の眼力を証明しているものであって、彼の書物からそういう細かいが重要な処を見逃しては駄目である。まあこの二人の偉い人に就いては議論は大ごとになるから止めにするが、作品の享受と批評という事をいう。享受という事は批評より易しい事だと考えられ勝ちだが、そんな事はない。享受というものには、芸術的*稟質によって定まる宿命的なものがあるし、享受の能力は沈黙の裡に働くものであるから、この能力を生れつき持っていないものが、それと気附かず、平気で批評をしているという事もある。*ジャン・コクトオが*「職業の秘密」という感想文の中で文体というものに就いて、こんな事を書いていた。「文体というものは、まず大概の人々にとっては非常に簡単なものを複雑に言う術だが、われわれ作家には複雑なものを非常に簡単にいう術なのだ」と。こういう一見奇妙な事になるのは文体が出来上る前に、人間や事物の見方に関する覚悟が普通人と作家ではまるで違うからであって、人々が文体を作る時に色々な装飾が必要だと考えるのは、人々は現実を普段考えているままに、見ているままに書いてはあんまり簡単すぎる、と思っているからで、それというのも彼等にとっては現実はいつも行動上の様々な規定として或は知識上の様々な要約としてのみ姿を現しているからなのだ。作家の認識はその反対を行く。作家の文章制作の苦心は、単純化の苦心であり、どう粉飾しようかではなく、どう着物をぬごうかという苦心であるのは、ものが見えて法のつかない様な眼を先ず作家は持っているからである。現実の豊富さを先ず心を開いて受け入れるという態度があるからだ。つまり、現実の享受である。享受とは、芸術的稟質そのものだと言えよう。

批評家失格 Ⅱ

＊ロッシュフウコオの「マクシム＊」を、何気なくひろげていたら、「世には、馬鹿者(ばかもの)がそばにいてくれないと手持無沙汰(ぶさた)で困る悧巧者(りこうもの)がいる」と書いてあった。横に乱暴にばってんがつけてある処(ところ)をみると、忘れていたが、以前にも読んで、余程癪(しゃく)に触った文句らしい。

衆に優れて悧巧だなぞと夢にも思ってはいないが、こういう言葉が痛い程度には、私はまだ間抜けである。

＊＊＊

一般に人々は、悧巧という言葉の使い方は奇妙に心得ている。

子供に向っては「お悧巧だね」という、大人には、「どうして、悧巧なものさ」という。この言葉を正確に使う為(ため)には、人間はただ成熟しさえすればいい。人々はわれ知らず大した事を知っている、鼠(ねずみ)が自分の穴を知ってる様に。

＊＊＊

悧巧に立ちまわろうとしている人を傍でみている位冷々(ひやひや)するものはない、何んて間抜けだろうと思う。

他人を化かそうなどと、無理な話だ。犬だって化かせるものではない。他人を化かしちゃならぬなどと思っていたって落ち著(つ)けるものじゃない、化かせぬものと観念しなくては得心のいくものじゃない。

＊＊＊

人は馬鹿という言葉をどういう具合に使っているかという見本を示す。これは隣りの家の親子の会話を聞いたのだ。

「一枚*一銭のおせんべを五枚買って十銭出したら、いくらお釣りが来る？」

「五銭だ」

「じゃ、それを式にして書いてごらん、どうすればいい」

「十銭で……」

「十銭から……さあ、どうすればいいんですよ」

「二で割ればいいじゃないか」

「馬鹿！　どうしてこの子は斯う馬鹿なんだか」

＊＊＊

「身体が悪いんだかなんだか知らないけれど、ほんと言えば馬鹿なんでしょうね。ぼんやりしていて、時々、気が利いたりなんかして」。やれ、やれ。

＊＊＊

人は胃の腑の食物をこなす為にも溜息をつき、誰かをいじめる為にも咳をするものだ。人々の鼻が、みんな一様な高さではない事を了解する為には、一つ一つ撮んでみなければならぬ、とは。

＊＊＊

人は、夢を織ろうと思えば、限りなく小さなものにでも、限りなく豊富な風景を眺める事が出来る。想えば悲惨なことである。

人間は、自然よりも遥(はる)かに見窄(みすぼ)らしい、芸術作品は人間より遥かに見窄らしい。

芸術作品の最大弱点は、人々が苦しい時には、楽しい時には、いや少し許(ばか)りぼんやりしていさえすれば、全くその意味を紛失して了(しま)うという処にある。

どんな傑作でも、ある眸(ひとみ)が発(あ)げる光に如(し)かぬ。もう少し遠慮して言えば、どんな傑作もそれを拵(こしら)えた人物に如かぬ。

こういうことは、批評家にとって、まことに危険な信条である。だが、若(も)し私が、この危険な信条を捨てたなら、私の眼にはただ、言語の政治が映るだけだ。

論理的記号としての言語だけで事が足りる社会というものを想像してみよ。それは全くの錯乱だ。人は自分の喋(しゃべ)る言葉を完全に知る時、錯乱するより能はない。だからこそ、悉(ことごと)くの人の頭の中には、安定した言語を嫌悪(けんお)する一領域が必ず存するのである。

私には親友の作品を読む必要はない。自然の手によって作られた作品に就いて、何もかも心得ている時、その作品が作った作品などというものは、退屈極まる代物である。

現代の作家がみんな親友だったら、凡そ作品を読む興味はあるまい。幸か不幸か、そんな暇がない。作品を読むのは、ただ時間節約の為である。

「じゃ、作品のもつ独立美というものはどうしてくれる」

「私には無意味だ」

「たとえ無意味にしてもだ、この世には人物の蛻の殻か、時代の蛻の殻か知らないが、兎も角、殻の堆積だけがあるんじゃないか」

「わかった、わかった、だから、みんなが寄ってたかって考えてるのさ」

「それを軽蔑するのか」

「うるさいな、手助け位ならするったら」

＊＊＊

私は、言葉を掻き集めようとも、ばら撒こうとも希わない、ただ発音したいと思っているだけだ。

＊＊＊

遠近法*の戯れによって一片の雲は月をかくす事が出来る。だが、この戯れが存在しなかったならば、人々には月と太陽とどっちが遠いのか未だに解らなかったろう。この有難い自然の戯れは、人間精神にも当然反映して、一片の思想は、全感情をかくす事も出来るのだ。だが、拙い事には、この時、人は大いに理智的になった気になってしまう。理窟屋とは、最も頭の悪い人種である。

＊＊＊

「あいつは、ああいう奴さ」という。甚だ厭な言葉である。だが、人を理解しようとして、その人の行動や心理を、どんなに分析してみた処が、最後につき当る壁は、「あいつは、ああいう奴さ」という同じ言葉であるから妙である。

「子を見る親に如かず」*という。わかる親もあれば、わからぬ親もあるという風に考えれば一向につまらないが、親が子をどういう風に見るかと思えば面白い。私という人間を一番理解しているのは、母親だと私は信じている。母親が一番私を愛しているからだ。愛しているから私の性格を分析してみる事が無用なのだ。私の行動が辿れない事を少しも悲しまない。悲しまないから決してあやまたない。私という子供は「ああいう奴だ」と思っているのである。世にこれ程見事な理解というものは考えられない。

***

*上野の美術館の前に、自動車がいっぱい並んでいる。鞣皮(なめしがわ)の兵隊帽子をかぶって、赤靴を履いた運転手が、羽のはたきで、床の置物でも撫(な)でる様に、自動車のお尻(しり)を叩(たた)いている。中で狆(ちん)ころがキョロキョロしている自動車もある。

私は、この大きな美術館に、愚にもつかない絵が、一杯つまっているなんて思いはしない。車で乗り附けた女共がブルジョア女だとも、狆ころみたいに馬鹿だとも思やしない。絵は天下の傑作で、お客は天下の鑑賞家だとしてみた処が、凡そ愚劣さ加減に何んの変りがあるものか。

私は忿懣(ふんまん)も感じない、悄気(しょげ)もしない。ただ、こういう時に、*ランボオの物凄(ものすご)さが身を切られる様に甘く腹にこたえるのだ。

***

女に惚れて、自分でしっかりする事が面倒臭いもんだから、しっかりする方は女に圧しつけ度がる。そして女の態度に就いて、ひどく贅沢な要求をする。どうして俺はこんなに女に対して気難かしいんだろうと人に会うとこぼす。惚れ方が足りないんだろう、とからかってみると、いや惚れてるからこそ気難かしいんだと真顔になって答える。

こういう男が万事につけて一番度し難い。

＊＊＊

神経質で、敏感で、いつも自分がいい子になりたいと思っている奴は、時とすると実によく相手の心持ちを見抜くものだ。然し、自分に関係のない事柄、つまり、どっちにしたって自分はいい子になってられるという場合には、恐ろしく鈍感になるものだ。

こういう奴をケチ臭い奴という。

＊＊＊

私が、思索の混乱の後に常にぶつかる、一番奇っ怪な、一番動かし難い障壁は、私の不安が、誰の不安に較べても、少しもましな代物じゃないという事であった。別言すれば、凡そ不安というものは人間のというより寧ろ自然の一種の特権であると信ぜざるを得ない事であった。

＊＊＊

先日銭湯に行った時の話である。

私は、爺さんのうしろから直ぐついて中に這入った。客は一人もいなかった。番台にも人がいなかった。爺さんは五銭玉*を番台の上に置いた。私はならべて十銭玉を置き、爺さんの五銭玉をひろって袂に入れた途端、爺さんの顔をまじまじ眺め乍ら、

「や、失礼しました。流し*をお取んなさるんですか」と言った。爺さんは驚いた様な顔をしたが、

「いえ、よろしいんです」と答えた。

私は帯を解き乍ら、飛んでもない事になっちまったと思った。尤も、私は考え事をしてる時には、しょっ中とんちんかんな事は仕出来しているのだが。

二人は湯槽につかった。爺さんも、裸体になって湯槽につかる間に、実に奇妙な事を聞かれたと思ったが、何故に奇妙なんだか辿れないらしい。たとえ辿れたにしても、

あんな間違いをする男は気が確かだとはどうしても思えないらしい。そんな顔をしている。私が話し掛けようとすると気味悪そうに、横を向く。私が前を向くと気味悪そうに、ちろちろ私を盗み見る。私は仕方がないからニヤニヤした。爺さんは、いよいよこいつほん物だという顔をした。

思い出すと何んとなく恐縮な気がする、爺さんに何も恐縮なんぞする気はないが、誰かしらんに恐縮している様な気がして、どうも情けない様な気持ちになる。

＊＊＊

この世の真実を、陥穽を構えて、捕えようとする習慣が、私の身について此方、この世は*壊血症の歌しか歌わなかった筈だったが、その歌は、いつも私には、美しい、見知らぬ欲情も持っているものと聞えたのだ。

で、私は、後悔するのが、いつも人より遅かった。

谷川徹三「生活・哲学・芸術」

＊谷川徹三（たにかわてつぞう）氏の最近の著書、「生活・哲学・芸術」＊に集められた諸文章は、大部分以前に読んだ事があるものだが、今時間を与えられていないので丹念に読み返す事が出来ず、おまけにはずかしい事だが目下の私の苛立（いらだ）たしい頭は、この質実な穏健な文章をつらつら眺めるには甚だ不適当な状態にあるので、どうも駄言を述べるに終るであろうと。心苦しい次第であるが。

誰でもまあそうかも知れないが、私が高等学校＊にいた時分は、本を読むのに大抵五冊か六冊位は同時にスタートを切って読んでたものだ。それで、どれもお互に邪魔にはならず、きれいに解（わか）った気でいたから大した心掛けである。作者の持つ気質だとか、人間的真実だとかいうものがまるで気に掛からなかったからきれいに解った筈（はず）である。近頃は、どんな論理的な表現にでも、こいつが気に掛かるんで、きれいに解ったためしがない。その代り、洵に身勝手な話だが、どんなに精密に書かれた書物でも、陰で作者の気質が光って居るのが覗けないものは平気で愚書だと断ずる覚悟が出来た。勿論これだけでは意を尽したとは思わぬが、ともかく、何んとも板につかない論文集が横行する今日の文学界に、谷川氏の様な人間気質が静かにだが明瞭に流れている書物は、それだけでも良書たるを失わぬと心得る。

谷川氏の著書には、この他に以前に出た*「感傷と反省」と最近の*「享受と批評」とを読んだが、論ずる対象が多岐に亙っているにかかわらず、その文体が全巻を通じて如何にも均質である。これは恐らく氏の均質な頭の構造に由来するものであろうが、私の様なしょっ中思案にあまった様な顔をしている男は洵にうらやましい。

この書中に「浪漫派」という長論文があるが、やっぱり一番苦心されたものだとも思うし、こういう曖昧模糊とした概念を周到な用意をもって、着実穏健に説き来り説き去っている処には充分敬意を表するが、私には「庭苑」という文章が一番見事に思われた。そして「月と日本人」という文章が、一番甘ったれていてつまらなかった。

私は「月と日本人」の様な乙に感情を絡んだ論理的感想は氏の為にとらない。又、「われ」と「われら」という、柔軟な、*ディアレクティクな理智を*馳駆した認識論的小論があるが、氏の言語影像には、一種の冒険的な直截がないので、くどくどしく思われて読みづらかった。やはり私には、まともに、地道に、書かれたものが面白かった。「庭苑」「偽作」「漂泊」「若冲」みな愉快に読めた。これらの小論が一番氏の肉体に近いものじゃないかと愚考する。氏の素朴な心を綿密に縫う理智も、又、氏のあぶな気ない理智に孕まれた素朴な心も、両方ともあきらかに読みとる事が出来る様に思われて私には大変気持がよいのである。不備。

井伏鱒二の作品について

＊井伏鱒二（いぶせますじ）が、「改造」二月号に、「＊丹下氏邸（たんげしてい）」という小説を書いています。なかなかの傑作だと思います。

私は、彼の作品に就いて、未（ま）だ一度もまともな意見を述べた事がないので、これを機会に書いてみようと思います。

いつか、「＊詩・現実」という本で、＊淀野隆三（よどのりゅうぞう）氏が、井伏の創作集「＊夜ふけと梅の花」を評し、彼の小市民的根性を嘲笑（ちょうしょう）している文章を読んだ事があります。たまたま井伏が訪ねて来たから読んで御覧、というと、彼はちょいちょいと飛び読みをして、本を投げ出し、浮かぬ顔をして黙って煙草（たばこ）をのんでいました。私は彼の表情と淀野氏の表情（駄論文の作者の表情を思い浮べるのは一般に苦もない業（わざ）です）とを較（くら）べて、大変いやな気持ちになりました。虚栄による饒舌（じょうぜつ）が、どの位、饒舌を知らぬ作家の羞恥心（しゅうちしん）を苦しめるか、これは腹の立つ事です。こんなあまり愉快でもない事を何故思い出してみるかというと、井伏の作品は、小市民的根性の表現に過ぎぬという定説があるからです。

彼の作品に対して、これと劣らぬ位下らない定説がもう一つあります。それは彼の文学はナンセンス文学だという説です。彼は、少々許り風変りな、甘ったれているが間が抜けてて面白い語法を発明した男だというのです。

私は、所謂定説というものを軽蔑しております。だが、ぶち破ろうとは思いません、ぶち毀そうたって毀れるものじゃない。無益な事です。別な事を書きましょう。

作品を読む人々は、各自の力に応じて作者が作品に盛った夢を辿ります。作品の鑑賞とは作者の夢がどれだけの深さに辿れるかという問題に外なりません。だから、人々は、作品から各自の持っている処だけをもらうのだ、と言ってもいいので、大小説も駄小説も等しく面白がる事が出来る。つまり同じものを読んでいるのだ、一般読者には傑作愚作の区別はないと言っても過言ではない。尤もこんなものの言い方は大変危険ですが、人々が、覚えこんだ色々な概念の尺度で単純に傑作愚作を弁別しているという事と、自分の力である作品をどの程度まで辿ったかと考えてみる事との間には、大きな溝がある事は確かな事ですし、又この溝が一般にはなかなか気附かれない事も確かだと思います。

井伏鱒二の作品は、みな洵に平明素朴な外観を呈しております、こういう外観を呈している作品は、深く辿る余地がない様に思われ勝ちなもので、事実、彼の作品に対する世評はみなこの平明素朴とみえる世界に展開されているのです。

彼の文章は決して平明でも素朴でもありません。大変複雑で、意識的に隅々まで構成されているものです。若い作家のうちでは、彼は文字の布置に就いて最も心を労しているものの一人です。彼は文章には通達しております。瑣細な言葉を光らせる術も、どぎつい色を暈す術も、見事に体得しています。

人々は、彼の文章の複雑を見ないのでしょうか。そりゃ見ない事はありません、少し注意すれば、否応なく眼に映るのですから。併し、つまり見ないのと同じ事になるのです、と言うのは、彼が文字をあやつっている手元を少しも見ようとしないからです。手元をみないから、彼の文章の独特な機構をナンセンスと断じて了うのです。もっと簡明な言葉で言うなら、彼の独特な文字を彼の心の機構として辿らずに、単なる装飾とみて了うのです。一般に作品の技巧を、作者の意識の機能としてみる時に、作品は非常に難解なものとなるのが定めでして、彼の作品をナンセンス文学だなどと言っているうちは、彼の作品はいかにも平明素朴なのです。

佐藤春夫氏が、井伏の作品には白痴美があると評されたそうです。成る程、白痴美という言葉はナンセンス味という言葉に較べればずい分ましな言葉とは思いますが、性質の異った言葉だとは私には思えません。恐らく、こういう評言は作者が一番了解しにくい言葉ではないかと考えます。と言うのは、こういう言葉はどんな意味にせよ、作者の心構えに関して言われた言葉ではないのは確かだと思えるからです。

「夜ふけと梅の花」の中に「鯉」という小品があります。これは彼の傑作の一つだと私は思っております。この数頁の小品に、どんな挿話が、どんな事件が語られているかを、ここに書こうとすると、その全文を掲げなければ全く不可能な程、この小品は聊かの無駄もなく、緊密な文字で一とはけで書かれている。

この小品を読んだ人々は、これは感傷的な挿話に過ぎぬというでありましょう。併し、読んでいる時には感傷的だなどと誰も感じやしません。これはどういう事になりますか。作者の心は感傷的なのだ、これをそうは読んでいる間だけでも感じさせないのが作者の術だ、というのですか。恐らく大変な間違いだと私は思います、そういうのんきなものの考え方が、引いては彼の全作品に対する定説をでっち上げるのです。

彼は「鯉」で自分の夢を語るに際して、決して術なんぞ使用しておりません。彼は率直に心を表現しております。彼の心は感傷的ではない。人々が「鯉」を読んでいるとき、そうは感じない、まさしくそういう心です。感傷的という形容詞は、あてはまりません、彼はもっと深い味いのある、もっと肉体的な生ま生ましい心を持っています、そして、見事にその色を語っております。

若し、彼の心が感傷的であるならば「鯉」の主人公がプウルに放った鯉も感傷的な心を持っているでしょう。彼の感傷は、鯉が感傷という文字を知らない様に感傷という文字が何を意味するかを思案してはおりません。「鯉」で語られた一種の生理的哀愁は、彼の全作に流れております。「すでに十幾年前から私は一ぴきの鯉になやまされて来た」と彼はこの小品を書き出します。彼はまだ一ぴきの鯉になやまされているのでしょうか。それは兎も角、この「鯉」という小品が彼の制作の基底となっている様に思えます。

彼の作品で、人間の性格を明瞭に描出した箇所とか、或は人間心理の分析的な影像とかいうものは一つも見当りません。自然の描写を見ても決して精細に叙事的には描かれておりません。自然は歪められ、或は整調されて、いつも抒情的な気氛をみなぎらせて現れております。どこにでもその例はみつかりますが、例えば「*シグレ島叙景」などの美しい叙景をみればわかります。

彼の眼は小説家の眼というよりも、寧ろ詩人の眼です。眼はいつも内側に向けられているのですが、そこには心理の何んの軋轢も眺められていない、恐らく一ぴきの白い鯉だけが泳いでいます。彼はこの生物が自分の心の哀愁の象徴である事を、率直に確信していると私は考えます。確信している時、現実は一ぴきの白い鯉に外なりません。併し、この確信は揺ぐのです。白い鯉を静かに泳がせて置くのには随分強い意力がいります。井伏にはそういう種類の強さはありません。そんな強さがあったら、彼はまた別の人になっていた、ここに、この作家の不安があるのだと思います。鯉はやっぱり十幾年前から彼をなやましているのです。彼は、世情をよく知って来たというより、世情によくいじめられて来た人です。だからこそ彼の哀愁は殉教的に又反抗的に現れているのです。つまり彼の哀愁はふた重になっている。この二重性のために彼の書くものは詩とならず、小説になっているのだと考えます。

彼は、その哀愁を完全に支えきれない事を苦しんでいます。苦しんで心が反抗的になる事を又屡々恥じています。彼の文字の齎す笑いは彼の羞恥の仮面であります。この点、その意味で彼の作をナンセンス文学と呼ぶなら正当です、恐らく罪は作者にもあるのです。仮面の使用はいつも失敗作をつくっている。例えば「ジョセフと女子大学生」*などは彼の代表的悪作だと思います。尤も彼の様に自意識の冒険に就いては、全く興味をもっていない作家では、佳作と悪作とのへだたりはそう大きなものではありません。

併し彼がその哀愁を殉教的に表現して聊かも恥じない時、彼の作品は大変見事にみえます。「谷間」*「朽助(くちすけ)のいる谷間」*「シグレ島叙景」などの系列がそうであって、「丹下氏邸」は、外見は多彩ではないが、構造は最も完璧(かんぺき)で、この系列の頂にある様に思われます。そこでは、彼は文字を完全にわがものとしています。一字も彼の心から逸脱しておりません。そこには、率直に人の純潔に訴える声があります。この声はあらゆる小説の形式を破るだけ強くはありますまいが、あらゆる嘘言(きょげん)を殺すには充分に強いものだ、という事を私は信じます。

心理小説

1

「新文学研究」創刊号で伊藤整氏の「新しき小説に於ける心理的方法」という論文を読んだ。氏の論旨は大変簡単で、今日までの話術を基礎とした小説の手法は十九世紀の大小説家等に於いてその極点に達した、だから将来同じ手法では小説は衰滅に向うより外にどうにも仕方がない。ここにジェイムズ・ジョイス等によって創始された意識の流れに重点を置く、或は人間の内部現実を主体とする、心理的記録方法が将来小説の発展の鍵を与えてくれる、というのである。これは一見尤もな説である。又、甚だ誘惑的な言葉である。私はジョイスに就いては「ユリシイズ」の仏訳を通じて僅かに知るのみだが、私にはこの小説が将来の小説手法の準度となるとはどうしても思われなかった。勿論私はジョイスを完全に了解したなどとは言えない、頭脳の強度に於いて、教養の深刻に於いて、到底追い附いては行かれない作家だと思っている。こういう作家のものを読むといつも私はがっかりする。どうしようかと思う。将来小説手法のお手本がみつかったといって喜ぶ暇があるという事が、第一解らない。伊藤氏等の困難なジョイスの飜訳紹介の努力を私は多とするものである。ことに今日、装飾的に彩色を増して、本質的な何等の技巧の革命にも苦しまない吾が国の文学へは勿体ない程の賜物だとは信ずるのだが、私はただこういう傑作が多くの新しい模倣者達の餌食となる点に疑問を持つ。一体伊藤氏の言われる、話術に基礎を置いた、つまり極く普通なものの言い方で書かれた在来の小説が、本当に行き詰っているのであるか。小説の極点は十九世紀で終ったと映画に色目を使うのと、新しいお手本がひろげられた気で、浮き腰になるのとどっちが悧巧なのであろうか。

いつか、吾が文学界にも、「意識の流れ派」という一団が、賑々しく登場する様な時が来るかも知れない。いや、どうしてこの秋位からお祭りは始るかも知れない。凡そ気まぐれなんだから見当がつかぬ。批評家諸君用意はよいか。尤も誰も用意なんかするものはあるまい。どうせ誰にも見物する用意がない処で踊るのだ。嘗ての*ダダイスムがそうであった様に、今日のシュルレアリスムがそうである様に。*誹謗の雨をくぐって故国をのがれ、僅かに語学の天才*ラルボオの手によって捕えられたジョイスが、今日、作家知性の悪闘については宿命的に冷淡な吾が文学界を正当に動かすなどと、誰が信じよう。重ねて言うが、私は決してジョイスの新手法の到来を軽んじてはいないのだ。ただ人々が、こういう独自な形式に飛びつく程せっぱつまった心持ちでいるのかどうかを、甚だ疑問に思うのである。

2

「一世紀以来一つの疑問が起きた、一つの質問が小説家に提出された。一人の人間、成熟せる意識を持つ、クラシック文学上の人間とは、果して真に人間を表現するものであろうか。クラシック文学上に現われた人間というのは、現実からある種の要素のみをとり、それを智性によって勝手に構成した人間の図形的な単純化に過ぎないのではあるまいか」と。これは伊藤氏の手で引用されたルネ・ラルウ*の言葉である。彼の言葉は、近代作家達が、クラシック作家等の描いた輪郭の鮮明な、行為の単純な人間に対して戦う為(ため)にあらゆる努力を払って来た、その表現は単純より益々(ますます)複雑へと移行して、今日では人物の固形化した明らかな典型というものを描く事は不可能、或は嘘(うそ)となった、という意味の事が言いたい言葉なのである。これは例えばギリシアのアトム説*より今日の量子説*の方が遥(はる)かに自然を忠実に記録すると文芸上で叫ぶ事に他ならない。成る程これは根本的な疑問だ。併しこれは人間能力にとっては、ちと根本的すぎる疑問ではないのか。

若しこういう説明で文芸の問題が片附けられるならば、恐らくジョイスにせよプルウスト*にせよ、彼等の新手法は、私達にとって自然探究に関して直ちに利用すべき新装置であろう。だが作家の制作の装置は生き物だから一世一代でその最重要部は死んで了う。科学は前人の誤りを修正して後人に己れの誤りを残すが、文芸の歴史ではそういう事は起らない。持続する伝統の糸というものも曖昧なものだし、作品はそれぞれで完成し完結している。完璧な形の連鎖である。そしてこの完結性の原因は、この世で別々な生き方をしている無数の個別人の奥深く隠れている。芸術の時代性とか階級性とかいう要約は、文芸の最も容易な一面を語るに過ぎない。

ジョイスのブルウム*はラシイヌのネロン*より遥かに生きた絵であるか。遥かに現実に肉迫した記録であるから遥かに生きているのであるか。そんな理窟は成り立つまい。作家が現実をどの位細密に描写するかという事は容易な問題である、或は容易でないかも知れぬが、作家がその現実追求を、何処の点で制約するかという事情に較べたら遥かに容易な問題だ。ネロンは図形的に単純化された絵であるかも知れないが、この絵に動かされる読者はそこに図形化も単純化も見やしない。又、作者にしてみれば、図形化や単純化によってどんなに複雑な事が語りたかったか、例えば手元の名作をとってみる。「ボヴァリイ夫人」*でフロオベルはどんな具合に女を死なせたか。

"Huit jours après, comme elle étendait du linge dans sa cour, elle fut prise d'un crachement de sang, et le lendemain, tandis que Charles avait le dos tourné pour fermer le rideau de la fenêtre, elle dit; 'Ah! mon Dieu!' poussa un soupir et s'évanouit. Elle était morte."

「八日経って、中庭で、布など拡げていると、突然血を吐いた。翌日、シャルルが窓のカアテンを引こうと、くるりと背中をみせた時、女は、ああ、苦しい、と溜め息をはき、気が遠くなった。女は死んでいた」。訳文拙劣で恐れ入るが、何んと簡潔で正確な文章だろう。彼の眼に映じたものは、摑み難かったのは、生の現実であったのか、それともその図形であったのか。彼は内部現実を描いたのか、外部現実を描いたのか、心理を表現したのか、行動を表現したのか。死は恐ろしく複雑であると同時に又恐ろしく単純なものだ。そういう両極端の間を、彼の文章は振子の様にふれている。

3

「純粋な想像というものは、美からにせよ、醜からにせよ、まだ化合しない物の裡から一番し易い物を選ぶものだ。化合物は原則として、その性質上化合する様々な物が各自もっている美と崇高との或る比率で美と崇高との幾分を享けている。而も、この化合する様々な物は、やはりそれ自身原子組成的に考えられねばならぬ、即ち以前の様々な結合の結果として考えられねばならぬのだが、自然界の化学で同じ様な事が起る様に、この知性の化学に於いても、次の様なことが屢々起る、二要素の混合の結果、この二要素の一方にはない様な、いや、どちらにもない様なものが現れる。……斯ういう具合で想像の範囲に限界がない、想像の材料は、世界を通じて拡っている。不具廃疾の裡からでも、想像は、その唯一の対象であり同時にその唯一の実験である処の美を製造する。然し一般に於ける結合した諸物件の富とか力とか、結合して損はない態の結合され易い新奇発見の安易とか、又特に完成された群塊の絶対的化学的結合とかいうものは、すべて、想像力の見積りでは個々物と考えられなくてはならぬ」(Poe; Marginalia.)。これは今から百年前、*ポオが述べた言葉である。これは認識論でも心理学でもない。創作とか表現とかいう作家の行為の極端な意識化なのである。百年前という事を忘れまい。こういう創作上の極端な知性主義は以来近代作家等の精神の裡に生き、いよいよ複雑な、いよいよ精妙なものに発展したという事を忘れまい。然し誰がこの燃え上る審美的確信をのがれて、何をしたか、何にもしておりはせぬ。

近時最も絶望的な表現上の錯乱にあがいている人々は、所謂シュルレアリスム文学運動の渦中にある。先日も*ルイ・アラゴンの*「文体論」(Aragon; Traité du style.)を読んでいて、ベルグソンと*アインシュタインとヴァレリイとを一紮げにして*豚児呼ばわりをしている辺りに至って失笑した。読み終ってふと扉に書いてある処を見たら、「色々と誤植があるが、正誤表は作者の不同意によってつけぬ。作者が申すには、そんな事をしては、そもそもこの書物がこの書物である所以である処の、愉快なる怒号を、読者諸君に、わかたんが為に、ことさらに間違えて置いた、綴りの誤りとか文章の誤りとかが諸君にわからなくなって了う事が、残念である」と書いてあった。文学上の知性主義は、行くところまで行って、こういう創作上の一症例さえ生むに至った事をよく考えて見るべきであろう。

幸か不幸か、こういう作家の知性上の悪闘は、吾が国の文学界には、少くとも主流には一度も輸入されなかった。一と昔前、*自然派の諸小説の手法に対してあげられた様々な反抗は、すべて心理的手法を以ってなされた。併し、この心理的手法は、ポオの様な痛烈な創作上の知性主義から生れたものではない。彼等はただ心理的な反抗を試みたのである。前のポオの言葉の様な覚悟からみれば、あらゆる存在は作家の想像力の機能として召集されるのだが、この時、この想像力の複雑が、心理的手法を自然発生的に生み出す。そういう心理的手法に比べると、彼等の心理的手法なるものは、極言すれば文章技巧の上の新しい要素に過ぎない。例えば、心理的手法は、里見弴氏にあっては、修辞学的にあらわれた。菊池寛氏では簡明に逆説的に、芥川龍之介氏では比喩的に、佐藤春夫氏では感傷的に、という風に。やがて心理的手法を全く見失ったプロレタリヤ小説が登場して、心理的技法を、ブルジョアリアリズムと軽蔑するに至ったのは、正に人々の見る通りである。そして、プロレタリヤ作家達は、自然主義小説家達のエピゾディスムへ退却して、題材だけが新しいと威張っている。

こういう今日の状態に、心理小説、特にその極端な形式が輸入される時、これが受け入れられようが受け入れられまいが、多くの危険を伴う事は火を睹るよりも明らかではないのか。

4

「心理学は頭にくる酒みたようなものだ。安かったと思ってもあとで屹度後悔する。私は両方とも性懲りもなく経験して来た」と私は嘗て書いた事がある。冗談を言ったのではないのである。形而上学と修辞学との奇妙に混淆したこの一種の科学は、いつも人を不安にする魅力を持っている。ジャネはブウルジェに教えたのだろうか。プルウストはフロイトに学んだのだろうか。事実は恐らくその逆ではなかっただろうか。人間意識の様々なからくりが明かされ、無意識の暗黒な領域にも複雑な網が拡げられた。併し、その昔*ヒュウムが、「自我とは意識の諸状態の集合にすぎぬ」と言った言葉を忘れる事は、心理学者には難かしい事なのである。心理学も科学である以上、物理学と同じ方法をとらねばならぬ。心の世界を物の世界の様に構成し仮定しなければならぬ。人間の心を知るのに、思惟(しい)や言葉による哲学的認識論を不満とし、心理学者は心を実験しようとするのだが、実験する為には、先ず(ま)心を物質とみなす必要があった。これは、生活人の常識を不安にするパラドックスである。

先日、*ケエレルの「*ゲシタルト心理学」(佐久間鼎(かなえ)氏訳)を読んで大変興味を覚えたが、今日の心理学界は、この心理学に対して何んとか態度を決定しなければならぬ事態に到ったと言われる、この最新式の心理学は、私には全く*人間常識が在来心理学の不具にあげた反抗に他ならぬと見えた。この新しい学派が征服すべき幾多の困難複雑が、どうであろうと、人の心を状態と見做(みな)さず、活動と率直に容認する根本的の心構えは平明自明とみえた。内省の複雑から逃げ出した*行動論者は、生ま生ましい直接経験の事実にひきずり戻され、*聯合(れんごう)とか*再生とかいう便利な武器を弄(ろう)している内省論者は、その武器をもぎ取られ、生活体は外界に対して、機能的全体として全事態への反応である全体過程をもって応じるという平凡な事実を強いられている。不具な科学を常識化する事によって完璧な科学にしようとするこの試みが、将来、素朴な心理像の背後に、これと同じ様に自明な心理学的実在を構成するに至るかどうか私は知らぬ。だが若しそんな目出度い事になったら、恐らく心理学は今日の様には文芸の邪魔をしまい。

扨て、最後に、この世の物理学的実在と、これに全体的に応じる人間という一種の電磁的体系中に起る生理学的全過程と、否応なく仮定された科学者の眼光と、これら三つの条件による力学的場の裡に、あらゆる人間心理を構成しようとするケエレルの世界を、「マルジナリヤ」*中で一端を洩された想像力に統制されたポオの世界に比較してみ給え。人々はその深刻な酷似に驚く筈である。

かかる時、心理小説とは一体何物であろうか。

室生犀星

先年、*室生氏が、「熊*」という作品を発表した時、私は雑誌の時評で、この作家に、*パテベビイの撮影機でも持たしてやりたい、と憎まれ口をたたいたことがあったが、翌月だったかの「文学時代」で作品を一言二言で片付けられてはまことに迷惑の旨、氏の抗言を読んで甚だ恐縮した。以来釈明を書こうと思って、その機を失していた。たとえ片言にせよ、私は口から出まかせの事は一度も書いた事はないのであって、この乱暴な言葉も、冗談口の積りでは決してなかった。それは次の様な次第であった。

私は当時たまたま*ジャン・コクトオの「レ・ザンファン・テリブル」と「グラン・テカアル」を読んだ。彼の小説が現代一流の作であるかどうかは疑問だが、手品師とも言われるこの現代稀れにみる才人が、いかにも当り前に小説らしい小説を書いているという事が大変私の興味を惹いた、成る程、彼は従来の小説の常套を見事にかなぐり捨ててはいる。併し彼の近代的に多彩な影像を連結する極めて簡明直截な文体の背後に、人々は容易にバルザック以来の小説伝統の流れを見る事が出来る。伝統は殆ど音をたてて流れている。例えばバルザックの「ペエル・ゴリオ」の有名な冒頭を、彼の長篇に冠せても少しもおかしくは感じまいとさえ私は思った。彼は人も知る通り、傍若無人に古風をたたきこわしている男であるが、ある時代、ある社会に生活している人間を、明瞭な、恐らく現代人より遥かに明瞭な人間の典型として描こうとする、昔乍らの小説家の覚悟を少しも忘れてはいない。

先日も大宅壮一氏の訳本でゴオリキイの「四十年」を読んで今更の様に感じ入った事であるが、作中に特に絵画的な或は音楽的な効果をねらっていると思われる処が一つもない、という事は、消極的性格ではあろうが、すべての立派な小説に共通した一性格ではないかと思われる。すべての力は人間典型の創造に向って集められ、あらゆる装飾は、この力の集中を助ける以外に意味をもたぬ。描き出された人間等は、音楽的にも絵画的にも描かれていない、作家の夢みた性格として而もそれが必要なすべてだという調子で描かれている。言葉をかえれば、人間がある歴史過程の生ま生ましい具現として、ある社会的意味として強烈に刻印されているのである。

例えばポオル・モオランにしても、わが国で有名な、「夜ひらく」「夜とざす」などを読むと、一個の風景画家的才人をみるだけだが、「タンドル・ストック」などで戦後のやけっぱらなブルジョア女が三人、実に明瞭に書き分けられているのを見ると、やっぱり非凡な小説家だと思う。成る程言葉という複雑至便な記号は、あらゆる魔術を振い得るが、小説では言葉というものは所詮、人間性格の創造の為に、人間関係の実験の為に招集されるべきものだと私は信じている。これが、小説になるならないは偏にこの一点にかかる底の、小説始って以来の鉄則だと心得る。コクトオという人は、詩もかけば、芝居もかく、音楽も論じれば、画論もやる、小説もかけば、批評もかく男だが、そういうすべての種類の制作に詩という言葉を冠せている。恐らく小説が詩になるのはまさしく人間性格の実験記録としてであるという事を明らかにみてとっている人だ。

一体彼の様に種々な表現形式に手を出している作家は、又、そういう一種*好事家的才能を豊かに恵まれている作家は、小説でいつも道草を食い度がるものだ。人間描写のレアリスムから遊離した姿態や幻想の衣を纏い勝ちなものである。コクトオの小説がこういう危険から完全にのがれているのは、彼の精錬された趣味が、尋常の意味を遥かに超えているが為だろう。彼の*ディレッタンティスムがその強度の故に、所謂ディレッタンティスムを無意味なものにして了っている事に依るのであろう。詩や絵画や音楽が、小説創作の際に、彼を誘惑しようにも彼に対しては何んの力も持っていない。誘惑を感ずるには、彼はそれらの諸形式の独自の魅力のからくりを隅々までも知りすぎていた、と云う風に私は考えたのであった。もちろん、コクトオに対する私の考えが当っているかどうかわからぬが、兎も角、私はそういう考え方からたまたま室生氏の「熊」を読んで甚だロマネスク*な散文であると思った、そして作中の闘犬の場面の意識的に絵画的効果を狙った苦心の描写が、どうも小説の正当な機能を演じているとは思われなかった。私は、凡そ以上の様な考えを、当時の時評中で殆ど二三行で喋って了った。而も、室生氏の作品を手近かにあるという理由で大変無造作に、不用意に利用したかたちであった。

いま、「改造」三月号で氏の「自殺」*という作品を読んだ機会に、自分の軽率をお詫びすると共に、氏の最近の悪闘について、まともに愚見を述べたいと思う。

惟うに室生氏は、巧みな散文家である程、巧みな詩人ではない。あやまたずものを見ている程、あやまたず歌っている作家ではない。少々極端な申し様だが、氏の作品中から散文の完璧を捜すのは易いが、詩的造型の完璧は僅かにその最も初期の制作の裡にしかない。氏の心の歴史を語る様々な契機としての意味を仮りに除き去って、全く傍人の冷眼で氏の詩作を眺めわたす時、最も鋭い、執拗な、強力な美が独立して定著されていると思われる詩は、氏の最も初期の作中にある様にみえる。例えば「抒*

情小曲集」のうちで氏は歌う。

しら雲

かのしら雲を呼ばむとするもの
まことにかぞふるべからず
飛べるものは石となりしか
さびしさに啼き立つる
ゆうぐれの鳥となりしか

或は、

樹をのぼる蛇

われは見たり
木をよぢのぼりゆく蛇を見たり
世にさびしき姿を見たり

空にかもいたらんとする蛇なるか
木は微かにうごき
風もなき白昼すぎ

成る程、これらの詩形は古風であり、歌われたものは極めて単純な感傷風景にすぎぬ。だが、私の言いたいのはもっと詩の性格的な問題である。これらの小詩の感傷は一っぱいの心を傾けて、一呼吸の裡に歌われている。その緊張度が、抒情を見事な客観物と化している。試みに*改造社版の氏の詩集を次々と読んで行くと、こういう詩的造型の一種の硬度は次第に失われて行くのが明らかにみてとれる。言う迄もなく詩は次第に年をとって来る、その影像は益々複雑に、益々苦がくなって行く。苦がい味いは昔日の朗然たる強さではもう支えられていない。つらい構えがみえ、摑みあぐんだ形がある。嘗てしら雲は、蛇は、歌い出る自意識の全面を限なくみたしていたが、*明の壺も*庭石もはや氏の世界を隙間なく充塡するに足りない。壺と共にそれを抱いた世帯染みた手がある。扁平な庭石は、ながめ暮す一人物の浮世の位置を怺えている様だ。詩と詩を眺める眼とがある。詩作の動機はいよいよ客観的となり、結果する色合いはいよいよ主観的なものとなる。詩は生活原因的に歌われる事を止め、生活結果的に記述される。氏はもう狙いをつけてはいない、日々を暮した心が引きちぎられて其処(そこ)にある、「鶴(つる)」*や「故郷図絵集」*中の逸品の美は、さりげなく寂しいが、又兇暴(きょうぼう)に詩形からはみ出している。「鉄集(くろがね)」*に至っては、歌というよりも寧(むし)ろ手記というに相応(ふさわ)しい、全くの苛立(いらだた)しい心理記録である。殆どそこには文字さえ疑う声がきこえる。

氏の近作小説の手法の大きな変化を了解する為には、今日までの氏の遅々としてはいるが、執拗な内部変化を辿(たど)ってみなければ不可能である。斯様(かよう)な氏の内心の凹凸を、直接な感懐を辿り、一転して氏の散文に至ると、道は余程坦々(たんたん)としてみえる。恐らく、この世界では、独立した結構を支えようとする意識が、遥かに強く働いているが為であろう。言葉を代えれば、氏の散文は詩に比べてすべて逆説的な意味で仮面的だ。「幼年時代」*から「美しき氷河」*に至る醇一(じゅんいつ)な官能的抒情の世界から延びて、川魚を描き、芭蕉(ばしょう)を談じ、庭を語る氏の散文は、詩が氏の詩情を壊す様に働くに反して、これを守るようすがとなっているとも考えられる。

「庭を造る人」*を目指して、次第に世の騒擾(そうじょう)をはなれて、世界をせばめて行った、氏の散文的造型は、思想的な自意識の発展というよりも氏の鋭敏な感受性が強いられた審美的範疇(はんちゅう)*の移動である。寧ろ内心疼痛(とうつう)*の決裂を守ろうとする一種の審美的希願であった。武器であった。成る程、庭は破壊されて、氏の小説手法は激変したとみえるであろう。併し氏の詩がいつも将来の傷を作るのには最も敏感で、氏の制作で一種予言的役割をつとめて来たに反し、小説はいつも氏の心に対して衛生学的に制作されて来た事を知っている人々には、何等驚く可き変化ではあるまい。

佐藤春夫氏も亦最近長篇の諸作で、重要な手法の変更を示している作家である。この同じ様に抒情の世界を歌う事から始めた同時代の二作家に、又殆ど時を同じくしてこの詩情の世界の弱短に到達して、これを超えようとする企図が現れた事は興味ある事である、当然ここにこの二作家の資質の相違が明瞭に現れている。佐藤氏にあっては、詩は、少しも作家理論の中心に参加してはいない。氏の自意識の戦からは殆ど独立した装飾的世界を守っている。いや、根本に於いて全く理智的な、心理的なこの作家は故意に詩の世界を小説から切り放して愛翫して来た。つまり室生氏に比べて佐藤氏の詩に臨む態度は余程古風である。だから氏の詩は、若さに於いては勿論の事、抒情の強度に於いても遥かに室生氏のものに及ばないのは当然の事だ。一体佐藤氏を唯美的、詩的な作家とみる事は、ずい分根強い世人の偏見だと私は思っている。それは、ほんのこの作家の一面乃至は外面だ。それらの世界をこの作家から奪ったとしても、この作家は何の痛痒も感じはしまい。だが、氏の神経的理智の速度を止めたら氏は何物も産めないに違いない。氏の描いたエキゾティスムの世界は理智の極端な速度の産んだ過剰物であり、氏の眺めた殉情の風景は、或は牧歌の国は、理智の疲労の生んだ無償の戯れだ。

佐藤氏の感傷は最初から少しも酔ってはいなかった。病んだ薔薇は傷ついた理智以外のものを指してはおらぬ。*「田園の憂鬱」或は*「都会の憂鬱」で、氏は早くも持て余した繊細すぎる理智の解剖図絵を完了していた。以来、氏の小説でこの二作の完璧を凌ぐものがあるとは私は思わない。氏はただ恵まれた多才を駆って誠実に知的倦怠を苛立しく反芻していただけである。長篇*「警笛」で転向がとうとうやって来た。はや、氏は倦怠を噛んではいない、すべての装飾は未練気もなく捨てられて以前の手法の巧緻に比べたら、凡そ粗暴とも見える様なレアリスムである。「警笛」*「神々の戯れ」*「更生記」*「心驕れる女」の近作で、審美の重荷から逃れた氏の文字は、自在に人間の間を縫っている。書く様に書かず、話す様に書く、という、恐らく氏の倦怠反芻の時期に築き上げられた確信の実践である。氏を駆って、現実主義の、長篇作家の冷眼の獲得に赴かせたものは、底に*モラリストの情熱をひそませた知的倦怠であった。いつも同じ自分をしゃぶり尽した時、退引きならぬ転身が来たのだ。氏は、最初から自己分析、自己告白には疲れていた作家である。心は最初から限なく点検されていた、少くとも自意識の限界は明らかにみてとられていた。*「病める薔薇」以来この限界が前進もしなければ後退もしなかった所以であある。氏はただ傷の癒えるのを待っていたのだ。

室生氏にあっては事情は一変する。氏は、心理的な、観念的な彷徨に、言い換えれば、自意識の過剰に全く縁のない作家である。氏の感傷は、佐藤氏のものに比べれば、遥かに肉体に根を下したものである。「性に眼覚める頃」＊時代の諸作の感傷が、当時の人々を動かした所以は、一見冷く、弱々し気にみえて、実は執拗な肉感の味いにあった。氏の制作史の基底には、いつも個体生活的な肉感が強く流れているのであって、倦怠とか懐疑とかいう世界は、氏のあずかり知らぬ処である。一体、知的倦怠或は懐疑とは、冷酷に言うならば、自意識の過剰と、その限界の過信とから来る現象に過ぎないものだが、そういう世界の悲劇を演ずるには、室生氏の意識は生活欲情に膠著＊し過ぎている。氏も亦憂鬱を噛んで来た作家だが、氏の憂鬱は、佐藤氏の様に、諸風景に著色する観念的な力として現れない、眼にみえる外界の形あり、実質ある物として氏の心を捕える。氏の憂鬱は、認識の機能的色合いとしてあるのではなく、生ま生ましい審美的実在として、言わば、明らかにこれに対して戦を挑む事が出来る底の、もっと正確に言うならば、むこうから戦を挑んで来る底の対象として意味を持っているのだ。

皮肉と苦笑とを馳駆(ちく)するには、生活力の執拗を持ち過ぎ、強靱(きょうじん)健康な理智を獲得するには、詩的心情に溢(あふ)れ過ぎている。氏の様な作家資質にとって、自意識が欲情的であるという意味は、そして又、この欲情的意識が、誠実に、刻々の欲情に最も親近な世界を糺問(きゅうもん)し、建築して行くという意味は、審美的殉教を信ずるという事と全く同じ意味を持つのである。佐藤氏にとって風流は飽くまでも趣味として規定されていたが、室生氏の観念的には何ものも学ぶ事を嫌う、何ものも確信する事の出来ない欲情は、一ったん風流を命としてみなければ、これを捨てる理由をみつける事が出来なかったのだ。そして、庭を破壊して立ちのぼった、氏の所謂濛々(もうもう)たる砂塵(さじん)が、一層深い美的実在である事を予見しなければ、また庭を破壊する事は出来なかったのだ、少くとも、濛々たる砂塵を、新しい美的準尺*としなければ、氏にとって現実に下る手段は他になかったのだ。これは明らかに強靱な浪漫派精神である。

室生氏の現実主義への転向が、審美的範疇の移動である、と私が言ったのは、凡そ以上の様な次第を意味したかったのである。

「何から何まで明るく、人をそらすことの出来ない性分で、魅惑的である上に勿論不良で、情痴的には欲張りで、嘘(うそ)も時々自然な形式で言うてしまうが、自分では嘘なんか此世(このよ)に存在しない程度の正直な真実さで、寧(むし)ろ、何時(いつ)も玲瓏(れいろう)としている気持で、眼の下は暗い眉ずみの隈取りで巣鴨の池内ダンスホールまで通い、自分の家でも一週間に一度は夜会めいたものを催し、目白の目を持つお嬢さん、鸚鵡の腰をもつ奥さん達、ペングィンや庭鶏の脚をあつめた上、茄子やキャベツの裳にあおられた、畳の埃と呼吸ぎれで、頬が熱く、肩が凝る感傷主義で、――」と、饒舌な装飾的な、だが、粘りの強い、どこかユイスマン*の後期のある文章の味を想わせる様な技巧で「浮気な文明」*は始るのだが、これは又、氏の近作を一丸とする書き出しでもある。嘗て、官能と抒情と風流とを点検した、小きざみに神経的だが、また貪婪な、執拗な、同じ指が、砂塵の上に築造しようとする。まさしく砂塵の美しさの上にだ、世間の上にではない。砂塵は、飽く迄も庭の破壊によって立ちのぼったものであって、それが象徴する苦が苦がしい憂鬱は氏の詩情の型であり、世間に下る武器であり、世間の憂鬱ではない、世間の憂鬱は苦がくもなければ甘くもない、いや憂鬱でさえあるまい。憂鬱とよんでいいならば、それは存在そのものの異名に過ぎまい。存在するという事は悲劇的な事だという事だ、と。併し、私はこんなわかり切った理窟を氏に申す積りはない。私の言いたいのは、氏にとって砂塵は、人生の要約的姿としてよりも、審美的範疇として遥かに生ま生ましい現実性をもっている、少くとも、氏は庭園破壊の劇を忘れる事が出来ない、という点である。「浮気な文明」では感傷に対する叛逆、「態」「私の*

白い牙」では野性への憧憬、「*巴丹杏と市民」では純潔への愛憐、という具合に、氏の近作はすべて著しく主観的な、浪漫的な色彩を帯びている所以である。私は、ここに、言葉の不完全から馬鹿々々しい誤解を受ける事を出来るだけ避ける為に、重ねて言うのだが、氏は決して所謂浪漫派ではないのだ。小児の率直な心が現実派である意味での現実派精神を聊かも失っていない、氏の心は常に極めて素朴に即物的である。氏にとっては、刻々に現前する世界だけが絶対であった。かかる資質は、当然、本質的に知的な近代小説的レアリスムの世界で、宿命的に最も危難に満ちた道を辿る。氏の近作の浪漫的色彩は、氏の誠実を語るものだ。この危難のために、余人の追従を許さない、心理風景の端的な鮮明な定著が現れると共に、小説的レアリスムを遊離した風景の*実体鏡的戯れも現れるのだ。

「自殺」は氏の近作中最もいい作だと私には思える。最も正確であり、純粋であり、均質である。或は材料の性格に依るのかも知れぬが、私には、氏の転回期以後最も時間を経た作という様な美しさを、明らかに感じる様に思われる。とまれ、砂塵を人生に織り込んで行く氏の道は、*嶮岨である。織り込み尽した時、この武器の大きさは、人生の大きさと全く同じである筈だ。これは一体何を意味するのか。だが、それは暴言だ、少くとも氏の資質に対しては空言であろう。恐らく氏はよく知っている。

敵手

おれが彼を敵手に廻してから二十年になる、
二十年の年輪は鋸（のこぎり）で伐（ひ）かれた後、
彼の頭髪にはキラキラした白髪を交え
彼がものを読む時には
眼鏡をかけねばならなかった。
眼鏡の中で彼の詩は益々巌丈（がんじょう）な骨格を持った。
彼の住む家は蔦（つた）が絡（から）んで窓は暗くなった。
その窓で彼は明るい鉄を鋳（い）っていた。

おれは敵手の絶え間もない手綱を感じた、
あるいは天下無敵かとも思われた、
柔らかい正眼は何時も動かずに用意され、
打込みは素直で急所を逸（そ）らさなかった。
おれは此の男を敵手に廻す、

生涯又と会えない敵手に廻す、
*蕭殺(しょうさつ)たる二十年の背後から此男一人、
何時も眼の先に立ち上り、
じりじりとおれに刃(やいば)の匂(にお)いを齅(か)がす。

又しても審美的覚悟である。砂塵を如何様(いかよう)に規定しようとも無意味であろう。氏の肉眼が明るい鉄の鋳られるのを見ているならば充分である。私は氏の二十年来の好敵手を尊敬しよう。恐らく、氏の詩はいつも、その予言的役割を止めぬであろう。私は、氏の明るい鉄に、小説的レアリスムの正確と純粋と均質とがつづく事を信ずるものだ。以上粗雑な一文、嘗ての私の不用意な言葉を聊(いささ)かでも釈明し得たら幸いである。

谷崎潤一郎

1

谷崎潤一郎氏を論じた文章で、私の記憶する限りでは、佐藤春夫氏が数年前に発表した「潤一郎。人及び芸術」(後、評論集「文芸一夕話」に採録された)という論文が一番立派なものだと思っている。これは楽々と語られた口述文で、氏も亦批評ではない漫談であると断っているが、なかなか漫談どころではないので、氏の纖鋭な批評眼が自在にのびのびと働いている点で、又氏の谷崎氏との永年の友愛によって、友愛のみが正確につかむ事の出来る余人には近づき難い真理が、各処に織り込まれていると思わざるを得ない点で、この論文は氏の文芸評論中の白眉であると私は思う。処で、私が谷崎氏に就いて書こうとして、佐藤氏の名潤一郎論がある事を初めに断って置きたい理由だが、これには二つある。第一の理由は大変身勝手なもので、人々がみんな佐藤氏の論文を思い出していてくれたら、私が今駄文を草するにあたって、どんなに話がしやすかろう、と思うのだ。佐藤氏の論文はいかにもすきのない理解に貫かれたもので、勿論書かれて初めて人々の合点する処だが、いわば潤一郎論の定石という観を呈している。又一方、それ程、潤一郎という豊富な作家に関する世人の偏見は根強くもつれたものであると私は思わざるを得なかったのだ。第二の理由は、私の書く処は、佐藤氏の摑んだ範囲から恐らく逃れる事が出来るかどうかは疑わしいという事だ、他人の手になれば違ったものが出来上るのは理の当然だが、それにしても私は、書いて了って扨て以上佐藤氏のかくかくの論文に負う処が多い、などというまじまじ面は出来ないのである。

谷崎潤一郎、人々はこの作家の名を耳にして既に久しい、今日ではもう大の字がついている、大谷崎。大の字がついた事は、既に一流の表現が完了されている事を示すもので、これは批評する者にとって甚だ好都合な事である筈だが、又この事は同時に、この*奔放不羈な個性の冒した数々の失策と、その豊富性にまつわる数々の社会的偏見の総和も示しているとあれば、結局あんまり都合のいい事にはならぬ様だ。世人が暗黙の合意の裡に冠せた大の字が、正当であると同時に不埒な所以であるが、ともかく、何事にせよ、表看板には私は興味がない。少くとも作家に対しては作家の核心に近づこうと、これを逆用しない限りでは無意味なものであろう。

2

*中学にはいったか、はいらない頃だったろう。今迄大人の読む本と決めていた「中央公論」に「*人魚の嘆き」を見つけて逆上した。「むかしむかし、まだ*愛新覚羅氏の王朝が、六月の牡丹のように栄え耀いて居た時分、支那の大都の南京に孟世燾と云う、うら若い――」云々の書き出しを、ふと気が附けば今まだ暗誦出来るに至っては聊かテレ臭いのであるが、私位の年頃で文学を愛好する人達はみな身に覚えはある筈だ。氏が所謂自然主義文学の蒼白な肌に、芳烈絢爛な*刺青をほどこし、忽ち吾が文学界を席捲したと見えた華々しさは、人々周知の事である。芸術はいつの世でも強烈な個性を必要とする。社会は芸術を生産する大きな工場だが、大工場が必ず精密な実験室を必要とする様に、作家は社会とは明からさまな交渉の不可能な個性的理論をはぐんでいるものだ。強烈な個性にとっては、*個人主義思想の正邪に関する、どんな精確な理論も退屈であり、逆に思想にとっては、どんな強い個性でも単なる命題に過ぎぬ。ここに、人間理智の一種の不可能性に絡んで来る理由から永久に拭い去る事の出来ない、批評家が衝きあたる難点がある。だが止めにしよう、恐らくそういう問題の詮索

はこの世で一番やくざな仕事であるらしい。それに意気地のない理論家から叱られる事も私は好まない。

扨て明治末期、作家にとって彼の夢みる世界が、社会の姿より大き過ぎも小さ過ぎもしなかった様な時、批評家にとって、たとえ拙劣な作品にせよ（拙劣な作品というものは由来その力の薄弱のために、是非なく作品が守る世界以外の世界をさらけ出すものだ）、作品の背後にこの世の展望を強いられる必要がなかった様な時に、谷崎氏の強い個性が、凡そ赴くが儘に放胆に縦横無碍の世界を築き得た事は当然であろう。世人は氏の手になった新意匠に唯美派或は悪魔派という折紙をつけた。世人の作家につける標識がすべて似つかわしい顔をしている様にこの折紙もそんな風に見える。或る人の姓名がその人物に似つかわしげに見える様なものだ。

十九世紀の後半期が始ろうとして、「吾々の小説の特徴は、現代に於いて最も歴史的なものだという事で、この世紀の精神史に最も多くの事実と生ま生ましい真理とを供給する小説なのだ」とゴンクウル兄弟がその日記に確信をもって記して以来、この覚悟は所謂自然主義小説家の信条となった。併し、当然な事であるが、文学の世界を人事百般の臨床実験室とするという勇敢な理論から正確な結果を生み得た作家は一人も出なかった。理窟通りには仕事ははこばなかった。銘々勝手な道を歩いて了ったのである。ゾラやモオパッサンや、ユイスマンに就いては今更言うに及ばぬ事であろうが、恐らく最も謙譲に忠実に自然主義文学の理論を辿ったゴンクウル兄弟にしてからが、「*ジェルミニイ・ラセルトゥ」の価値が、その有名な序文に披瀝された理論によるのか、又彼等の神経的な印象的な才筆によるのか判定出来ない。自然主義文学という有難そうな言葉は、その*発祥の本国でも個々の作品の個性に照してみれば、凡そだらしのない程はかない言葉であるとすれば、これが海を越え吾が国に輸入されて、明治末期の文学に氾濫した時、この言葉は一体何を意味するのか殆ど見当がつかないのは当り前の事である。併し、自然主義文学という言葉の朦朧性を大いに割引して、ここに確実に言えると思う事がたった一つある。それは吾が国の自然主義文学というものは、その元祖の性格とは似ても似つかぬものと私には思われるという事だ。多種多様に花咲いたとしても、とかく本国では、自然主義文学は、ゴンクウルの正確な宣言に始ってゾラの仰々しい成功（或は失敗）に至るに鑑みれば、底にまさしく野心的な社会的イデオロギイを蔵していた。作家は例外なく野心的な社会小説を書いた。というのが、上に*コントにつづいて*ベルナアルを戴き、*テエヌと*ルナンに同時に太鼓をたたかれ、剰え浪漫派と呼ばれ乍ら浪漫派文学の埒外に出て創造した数多の大作家の伝統を身近かに感じて制作しなければならなかった彼等が、作家実践の前提として、自我の完全な廃棄を確信せざるを得なかった事は当然であった。従って各作家は、その芸術的資質に応じて独自の世界を築いて了ったが、彼等の築いた世界は、絶望の世界にせよ、陶酔の世界にせよ、みな個人的実生活からは明瞭に脱した観念的世界であった。

この様な次第を思えば、わが国に輸入された自然主義文学なるものは、ほんの文学の技巧上の一形式に過ぎなかったと言って決して過言ではないのだ。外部から作家に強力に君臨する実証主義的思想がなかったので、作家達は何等社会的な野心的な制作理論も持たなかった。成る程単なる文学上の技巧の一形式としての、自然主義文学などというものはあり得ない。だがこの事実は次の事と同じ意味だ、即ち、わが国の自然主義文学は、これが文学上の単なる技巧としては本来あり得ない正しくその範囲で発明国の思潮を恐る恐る汲んだに過ぎぬ。多くの作家は最初から自我に固執した。所謂「無技巧の技巧」という日本作家の資質に最も好都合な手法の錬磨に赴く一方、実証的精神は社会の構造に向けられず、意識の検討に向けられた、と言うより寧ろこの精神は自己修養の手段となった。自然主義文学に関して、心境小説、*身辺雑事小説等の日本独特の専門語が発明された所以である。

谷崎氏が刺青をほどこした肌はかくの如き肌であった。肌は弱々しく退却したが、又、氏の叛逆にも反自然主義なる明瞭な思想はなかったのであった。氏の捲き起した革命は全く技巧上の革命であった。何を措いても先ず氏は豊麗な技巧家として登場したのである。悪魔派、唯美派の名も亦この線上に発生した。

3

人々は氏がつとに*ポオ或はボオドレエルの影響を受けた事を云々した。一体、影響という言葉を文芸批評家達から奪って了うと、大変な不都合を感ずる程、この言葉は便利至極なものであるが、この言葉の濫用は、一般に駄洒落であるのが通則で、言わば太陽の光線の影響で色が黒くなったと言った様な、見る人の眼に明らかな部分に、又、当人も明らかに自覚する部分に、影響の真意はないのだから、そういうものは、影響と呼ぶより模倣と言った方が遥かに穏当だ。この意味で、ポオやボオドレエルの模倣は、谷崎氏の作品、特にその初期の短篇に見られる。それだけの話だ。影響という言葉の完璧な意味で、ポオはボオドレエルに影響を与えた。ボオドレエルはポオの美点にも弱点にも、正しさにも、嘘にも、心底から共感して*震駭された。二人の関係には血縁的な深刻性がある。こういう意味で、二人は、谷崎氏に何んの影響も与えなかったと言ってよろしい。二人の持つ或る色彩が、谷崎氏の鋭敏な感情の表面をなでたに過ぎぬ。

ポオもボオドレエルも当時一流の詩を書くと共に、一流の評論を書いた人達であった。この双生児的天才が、浪漫派文芸にあげた大きな反抗は、数学者の冷徹を帯びた理智と神秘家の憧憬を蔵した感性との果敢な結合から発したのであって、彼等の制作は人生観上全く智的な熱烈な*ドグマの上に立っていた。彼等の栄光も、悲惨も、飽くまでも感覚的な谷崎氏の芸術と本質的な交渉を持つ事は出来ない。別段あらを捜そうと努めなくても、谷崎氏の作品から容易にみてとれるものは、批評精神の薄弱である。若し、この薄弱のもつ意味をまるでさぐろうとしなければ、殆ど奇異とさえ見える薄弱である。この事情に関して一番手近かな例は氏のエッセイであろう。「*饒舌録」という本がある。この本が人々を引きつけるのは、一般に多くのエッセイに見られる様な、自由な無私な批判力でもなければ、独断的な強い理解力でもない。ここに示された作者の理智は、あれ程の博学と深い教養とを持った人でありながらと思えば、凡そ智的共感性を欠如していると私は感ずると言っても失礼な言葉だとは思わぬ。氏のエッセイは、隅々までも滲透した、氏が獲得した情感の味いの深さによって、われわれを引きずって行くのだ。私は話を進める都合上、一面的な観察をつづけるが、青年期の意識上の葛藤が取り扱われている、恐らく氏の半自伝的な作品「*神童」「*鬼の面」

等に、又、氏の理智の性格が明瞭にうかがわれる。この二作の主人公はいずれも最も早熟な智的な頭をもって登場するが、彼等の理智は全くその内的呼吸を欠いている。描かれたものは理智の機能というよりも寧ろ知識の享楽である。ポオやボオドレエルを苦しめた否定的な分析的な力として、現実の裡に智的影像を織ろうとする理智の姿はどこにもみられない。「神童」の理智は、次々に現れる今まで見た事のなかったこの世の意匠の感性的発見の前に、殆ど信じられない程の謙譲で降伏する。彼には、この場合、理智が感性の上にのさばる必要もなければ権利もないのだ、というのが、彼の理智は最初から、未だ眼覚めない官能の一形式としてあったに過ぎぬがためだ。「神童」は所謂「神童も廿歳過ぎればただの人」という昔ながらの平凡な世の実相を巧みに美しく描き出した画であると共に、又、作者が自らの資質の発見史でもある。

扨て、もう少しポオとボオドレエルとをだしに使う事にしよう。ポオは人も知る通り、異常や*恐駭や、偏奇を愛した。谷崎氏も亦これらのものを愛した。だが、ポオはこれらを正しいと信じたからこそ愛したのだ。尋常なものよりも一層正確な真実な現実であると信じたからこそ愛したのだ。彼の背後にはいつも*「ユウレカ」の世界観が聳えていた。谷崎氏の場合は、全く違うので、異常の愛好は氏の感性上の一つの態度であり、趣味であり、その現実性は氏のこの趣味が性格的に強い根柢を持つ処から来る。美はポオにとっては、理性の絶対命令として存するが、谷崎氏にとっては感性の方向の必然性として存する。だから、この二作家が書いた美に関するアレゴリイ*の傑作「ベルフリイのデヴィル」*と「魔術師」*とならべてみると、前者は当然正確な秩序ある理智美の、社会に対する厭嫌冷嘲による絶望的な擁護を表現し、後者は孤立した官能美の世界に沈潜して、その讃歌とその誘惑による人間的悩みとを描いている。

谷崎氏の作品で女という言葉について屢々出会う言葉に美の他に悪という言葉がある。人間悪の概念はポオに於いて既に明瞭に語られたが、これを一層地上的な色彩の裡に深化したのはボオドレエルであった。併し、ボオドレエルが理解し使用した悪という言葉は、一般道徳上の意味から凡そ遠いものであって、極端な厭世家の眼が、現実のすべての場所に発見したというよりも現実の最も純粋な抽象としての、宗教的な絶対的な意味をもっていた。谷崎氏にあってはもう述べる必要もなかろうが、悪はその誇張的な面貌に拘らず、普通人の意味する悪から理論上少しも異った概念ではないので、ただ、異る処は、悪に対する執拗な洞察と誠実な意識、或は屢々生活至上家の手段としてあらわれた点である。佐藤春夫氏がその「潤一郎論」の中で、谷崎氏の悪魔主義の空疎を指摘して、これを、氏の構想上の一姿態、乃至は氏のシャルラタニスム*であると断じている。つまり谷崎氏の悪魔主義は、心情の弱さと観察の不徹底と江戸っ子の「どうせ俺あ悪だよ、勝手にしやがれ」とが寄ってたかって氏に被せた鬼の面だというのである。恐らくこの意見に誤りはないであろう。だが、又、これが卓見だとすれば、甚だ江戸っ子風な卓見である事も争われないのであって、こういう消極的なものの考え方をすれば、恐らくボオドレエルから偽悪家をさぐり出すのも容易な事になる筈だ。

谷崎氏の「悪魔」或は「異端者」は果して仮面であるか。若し仮面であるならば、何故氏は仮面を必要としたのか。ここに至って私は、あらゆる心理的説明に興味を失う。残る処は、ただ、仮面の真実のみである。人々が仮面という言葉にまどわされない様にと望んで先きへ進もう。

4

例はいくらでもあるが、例えば「*鮫人」の中で、作者は、「一人の人間の容貌を説くのも一国の地勢を述べると同じ労力が入るものであって、——」と断り書きをし乍ら、梧桐寛治という男の面貌を、何時果てるともみえぬ形容詞の流れにのって、綿々と語り描いている。この饒舌な描写によって読者が、果して梧桐という男の顔を鮮やかに眼に浮べる事が出来るか、出来ないかなどという事は全く問題にならない程、この文章は壮観で、まことに洒落や冗談で出来る仕事ではない、又、単なる才能の氾濫として説明出来難いものだとすれば、明らかに、肉眼が物のかたちを余す所なく舐め尽す不屈な執拗性の裡に陶酔しようとする、氏の本能的情熱を示す好例である。若し、氏にこの情熱がなかったならば、氏の初期にかかれた処の絢爛な飾り画は、その意匠の重みに堪えまい。氏のすべての制作の根柢に横わる、この情熱を摑まなければこの独創性の扉はひらく事は出来ぬ。

　氏の言葉の影像は可見的のかたちを決して離れない。氏が表現する感動の美しさや、生ま生ましさには必ず生理的陶酔或は苦痛の裏うちがあるので、歯痛から起る幻想を取り扱った「*病蓐の幻想」という短篇は、氏の言語影像喚起に関する見積書だと申して差支えない。氏は官能上の鮮やかなかたちを握らなければ何物も想像（創造に通ず）する事が出来ない作家だ。これは極端な申し様ではない、そういう極端な*稟性が谷崎氏にはあるのだ。例えば梧桐の細描を、*バルザックの小説で屢々出会う人物の同じ様に疲れを知らない細述に較べてみるとよくわかる。二人の類似は外観だけなのだ。人物のかたちを縫って行くバルザックの眼はいつもその人物の心理的な位相に、或はその人物の位置する小説理論的な位相に密着しているのであって、例えばある女が或る所から或る所まで行くのに、どこの通りを通って、どこの横町を曲り、何々橋を渡り、なんとか街に出て、と細々と述べたてた揚句が、扨てこんなにくどくど道順をのべたのは、前にのべたこの女が家を出た時の様な心理状態ではこういう順序で歩く筈で、他の道は通らないという事を示したかったのだ、と断り書を書く。（これは確か、「ベット」の中にあったと記憶している。）

谷崎氏にとって、外界は、精神の目的の前で精神の必要の前で、聊かもよろめいてはならないものとして在る。精神はまた、その生理的基底から聊かも逃げ出してはならぬものとして在る。「饒太郎」「富美子の足」は、所謂マゾヒスム、フェチシスムの世界を書いた傑作であるが、これらの肉体的経験の驚くべき異常性にもかかわらず、これらの作品には、病的に腐爛した臭いは少しも漂っておらぬ、死の影もない、絶望の影もない、その味いは飽く迄も健康で、強靭である。虚無とか懐疑とかいう精神は、氏の生ま生ましい実験に指を触れる事を許されない。氏が肉体的経験に置く絶対の信頼でかがやいている。氏の精神はどんなに奔放に夢みても、不安な狂的な抒情詩を作らない。いつも鮮明な輪郭をもった肉感的な叙事詩である。「刺青」から始めて、氏は好んで架空の空想の作品をものしたが、又そういう幻想的短篇が詩的散文としてもっとも世に迎えられたのだが、これらは飽くまで、「悪魔、続悪魔」或は「羹」を書いたと同一人の手になるもので、本来の意味で詩的でもなければ幻想的でもない。何等朧ろな抒情の夢も、観念的な精緻も示さず、而も架空的なこれらの絵は、精神の鮮やかな変貌的行動とでも名づけたい様な性格をもっているのだ。

心理的な或は観念的な世界では、全く無器用で無力な氏の想像力や感受性は、一度感性の世界にふみ込むと、忽ち変通自在な魔性をあらわす。魔性をあらわすなどという言い方は、あんまりいい言い方だとは思わぬのだが、自然とそういう言葉が浮ぶ程、氏が自由にその稟性を傾ける世界は何か女性的深刻を思わせるのである。

氏の全作を見渡しても、冷酷な自己分析に苦しむ人物は全くみつからないので、幾分それに近い様な人物で代表的なものと思えるのは、恐らく「神と人との間」*の中の穂積であるが、それにしても、悧巧な様な馬鹿な様な、大人の様な子供の様な、その劇的な行動にかかわらず結局凡々たる感傷家に過ぎぬと思わざるを得ない程、魅力のない人物で、その現実性は、主人公添田の小心で而も貪婪で、嘘つきで、誠実で、生活的な欲情的な、殆どあらゆる女性的な強さを具備している様なあんばいな性格とは比較にならない位影が薄く、薄弱に描かれている。谷崎氏の筆は心理的な分析には全く適さぬのであって、穂積は神経的な自意識家として描かれながら、添田を毒殺する最後のどたん場になると、天に代って悪人を誅する態の、能弁であるが頗る凡庸な理論を確信する道徳家となって了う。こういう例はいくらも挙げられるが、これは当然な事であって、氏の作品中の人物の自己解剖を仔細にみれば、すべて道徳家の、常識家の反省であるので、この反省が尋常な生活の裡に描かれている場合は、少しも目に立たず、いや逆に人間的な現実性をもっていきいきとしているが（例えば「異端者の悲しみ」を見よ）、一度、作者の奔放な構想力に乗せられて、異常な事件の裡に投げ込まれると、戸迷わざるを得ない。思想は現実性を失わずに生活にもついて行けなくなる。勢い、思想は背延びして、誇張的表現をとる。「金と銀」で友人青野を殺す大川は、「青野が死ねば己の芸術が救われる。青野を殺すのは不道徳だとしても自分の芸術を殺す方がより不道徳だ」という思想に陶酔する。「呪われた戯曲」で妻を殺す佐々木は、「善人の仲間入りがしたい虚栄心に囚われて、不徹底な生活をして却って悪業を重ねるより悪人なら悪人らしく飽くまでも徹底する事だ」と思索する。こういう平凡な理論が、潑剌とした感性の絵巻の裡で、声高に語られる処に奇妙な不器用が現出する。それは兎も角として、大川にしても、佐々木にしても、その覚悟は甚だやけっぱちであるが、悪魔的でも虚無的でもない、彼等の感慨から覗けるものは明らかに最も普通な意味での理想家の顔である。

氏は理想家である。だが、眼前にはいつも眼にみえるかたちを、心にはいつも実際的感情を必要とする理想家だ、不断に肉体的衝撃を受ける事が、どうしても必要である処の理想家だ。この一見相反する二つの型の結合は、問題を複雑にする様だが、実は簡明なのだ。問題が複雑になるのは、この両類型の力が弱い個性の場合に限るので、氏の様な強烈な自我をもった作家の場合、肉体的意識の裡に沈潜すると共に、あらゆる思想が放逐される、いや、社会的文化概念そのものが放逐される。この官能的理想家の世界観は必ずしも簡単ではないが、全く純一だ。氏にとって世界は、氏が心を傾けて消費しようと希う肉体的生活に、言わば物理的な正確さで不断に栄養を供給する、貰うものが快楽にせよ、苦痛にせよ、悉く満足な存在なのだ。若し唯美主義という言葉が必要なら、ここに谷崎氏の全然反*ワイルド的唯美主義の源がある。

氏は女を望むのと同じ情熱で美を望んだ。肉体的欲情が直接に美を喚起し、喚起された肉体的美は又氏の精神の裡で何等の邪魔物にも出会わなかった。感性、性的生活と造型美、これが、氏の翳す刀の両刃の様にみえる。そして氏は何を突き当てたのか。何故に氏は単なる審美家と或は単なる快楽児とならなかったか。

扨て最後に、私は氏の一流作家たる面目にやっと近附いた様に思う。

5

この*不撓な描写家で装飾家であり、理窟をいわない作家から、その制作の理論に関する明らかな言葉をさがし出す事は難かしい。だが、ここに人は何んと云おうと、又作者自身が何んといおうと、私には大変暗示的に考えられる言葉がある。「魔術師」の中で、男が魔術師に誘惑され、情人を捨て、進んで牧羊神*に変形されようとして、最後に次の様に言う。「私はお前の云う通り、意気地のない人間だ。あの魔術師の美貌に溺れて、お前を忘れてしまったのだ。成る程私は負けたに違いない。しかし私には、負けるか勝つかと云う事よりもっと大切な問題があるのだ」と。もっと大切な問題とは何か。それは牧羊神になる事ではない。眼前の誘惑に飽く迄も誠実であるという事なのだ。感性上の無類の柔軟と、その絶対に誠実な追求、ここに氏の反ボオドレエル的悪魔主義の源がある。

　氏ほど現世の快楽が深刻な意味をもっている作家は他にない。氏は、征服によらず享楽によってこの世をわがものとする種類の作家であり、たとえ、悉くの思想が氏にとって無力であり、或は思想とは、言わば言語影像を喚起する単なる力であり、単なる象徴的過程であると言っても差支えない様なものであろうとも、こういう狭隘な範囲におしこめられた思想の力は、自ら独特な意味をもって来る。一と口で言えば、弱さの哲学が生れて来るのである。ここに、氏の独創の本質があるのだ、と私は信ずる。成る程、感性上の柔軟は、通俗人にでもある事で、凡そ苦もない人間の覚悟であるが、その絶対的な柔軟は、選ばれた稟質にだけ許されるもので、重要な点は、氏がこれを悪魔まで、異端者まで、引張って来なければならなかった弱さにある、逆に言えば、氏が、この極端な柔軟がこの世で必ず敗北する事を確信する強さにある。

人々は私が先きに仮面の真実と書いた処を了解してくれるだろう、又この成り立ちに関して心理的説明に全く興味を失う、と書いた処を了解してくれるだろう。氏は悪魔をみつけた、だが悪魔主義などというものを一度もみつけやしないのだ。氏の悪魔も異端者も決して仮面ではない。一般に悪魔や異端者が、この世への反逆から始める処を、氏の悪魔や異端者はこの世への屈従から始めたのだ。彼等は世を冷笑する術を全く知らない、どんな命令にせよ心臓の命令には抗し得ない処に彼等の本体があるのである。

私は、今、氏の作品を読みかえして、氏の作品が、嘗て私を動かした処には、何んの興味も湧かなかった。そして、きらびやかな諸作の間に看過した「悪魔、続悪魔」、「異端者の悲しみ」の裡に氏の初期制作の傑作をみるのだ。そこには決して古くならないものがある。人間の弱少とか、悲惨とかいう空疎な概念ではなしに、もっと親しく真実な、人間の汚ならしさや、意地穢なさのまことに美しい表現がある。「異端者の悲しみ」で、まだ怖ず怖ずしていた意地穢なさの自覚は、後年「鮫人」の中の服部によって確信をもって嚙みしめられる。人間意地穢なくならなければ、意地穢なさの真実は決してわからぬ、と。氏の感性上の絶対の柔軟性が、ここまで来るのは当然な事であって、又、この深刻な意地穢なさが、己れを意識しない場合には、全くの純潔である事も当然であって、この純潔が、一方*「母を恋うる記」を書き、一方「富美子の足」を書くのだ、この二作は同質異像である。

「三十にならなければ女に人相なんて現れるものじゃない」、これは確かバルザックの言葉である。谷崎氏は、実に多くの首なし女達を書いた。われわれは、女に首がすげられるのを、バルザックの意味での人相が女に現れるのを見る為に、*「愛すればこそ」まで待たねばならなかった。と言うのは、この主観的な作家に対して少々穏当な言い方ではないが、兎も角、氏が明瞭な人間学的意識を交渉させようと、人間的同情をもって描いた最初の女は、この戯曲中の澄子である。澄子は、山田という氏の悪魔の意地穢なさの真実を、愛故に明瞭に、理解する女として描かれる。澄子は*「愛なき人々」のお杉となり、「神と人との間」の朝子となる。朝子に至っては、澄子にみられた様な率直性の多少の生硬さは全く溶けて肉体化し、潑剌と而も夢みる様だ。添田に*韜晦されて穂積の下宿を訪ねる、朝子の姿なぞは、殆ど無類の美しさだ。

恋愛が最も重要な殆ど唯一の題材であり、その分析を全く抛棄して、その陶酔と苦痛との裡に自意識の確立を企図したこの作家は、*「痴人の愛」に至って、その*愛経（あいきょう）を完成した。痴人の愛は、痴人の哲学の確立である。世を嘲笑（ちょうしょう）する術を全く知らず、進んで敗北を実践して来た氏の悪魔が辿りついた当然の頂である。生ま生ましい感動が、これ程静かに語られた事はない。何等人を強いるものをもたぬ、一見凡々たるこの物語は、「此（こ）れを読んで、馬鹿々々しいと思う人は笑って下さい。教訓になると思う人は、いい見せしめにして下さい」という又平凡な結語で終る。だが、何と沢山な戦が戦われたか。氏は確信をもって語っているのだ、痴人こそ人間である、と。氏の*「此の人を見よ」である。

扨て、約束の紙数を超過しているので、もう止めなければならぬ。「痴人の愛」以後、最も見事な作だと信ずる*「蓼喰（たでく）う虫」と*「卍（まんじ）」とを語る暇がない。ここではもう氏の人間的自覚は、全く血肉化して、装飾を脱した氏の文体は抑えてもモクモクと動き出す様な力を蔵している、などと、書けたとしても徒（いたず）らな讃辞をつらねるに止（とど）まる様にも思うのだ。では、一と先ずここで愚論を終る事にする。一と先ずだ、氏はまだ潑剌と制作している作家である。

「安城家の兄弟」

里見弴氏の最近の長篇小説「安城家の兄弟」を読んだから、その感想を書く。この小説は、氏の*「芸道陰陽論」が説く処によれば、氏の所謂陰芸で、而も氏の陰芸の最たるものである。恐らく*「善心悪心」以後、氏が己れをこれ程執拗に語ったものはあるまい。若年にして既に一家の風をなしたこの作家が、今日に至って披瀝した独白に、私は氏の往年の自己解剖、自己教育の情熱が、聊かも年をとる事なく、その瑞々しさ、鮮やかさを失っていないのを眺めて驚く。私は氏の作家的誠実を充分に尊敬することを知っている。「一事よりほかのことを思うのは、総てお前の自惚だ。ただ一事だけ」と念じて書かれたこの作品を無感動に読むことは出来ない。事実、私は、この小説で各処に出会う人間的非凡に素直に頭が下った。併し一方、この小説の強いる自意識上の悪闘は、今日もう全的な魅力をもっていない。氏の心と今日の心との間には満たす事の出来ない間隙がある。そして、氏はこの間隙を満たそうと希ってはい

ない、いや、希う暇もない程自分の事で多忙である、という事も私はよく知っている。尤もこんな事は、いくらよく知っていたってちっとも自慢にはならぬ。こんな事位は、この小説の広告文にでもちゃんと書いてある。だがこれがまともな批評には、必須な二契点となる事も争われないのだが、「安城家の兄弟」の様な作品の読後、私は批評という言葉が遠い処に逃げて行くのをはっきりと感じる。「安城家の兄弟」の様な小説という意味は、こういう或る作家の作家的覚悟に依って書かれた作品というよりも、寧ろ作品を手段として語られた作家の処世的覚悟に面接する思いのする作という意味なので、芸術表現に対していると感ずるよりも先きに、一個の生活人の面貌が眼前にチラつくことから逃れる事が甚だ難儀なのである。志賀直哉氏の作品を読むと屢々同じ思いがする。いや、この感はもっと深い。けれども、志賀氏の資質は、里見氏のものに較べれば、余程強烈で単一なものであり、同時に、里見氏の所謂陰芸に徹する事が、余程狭く且深い処から来るのだろうと思われるが、志賀氏の場合には、以上の様な思いに率直に屈従する事によって、この思いから逃れる事が容易である、志賀氏の資質は大変はげしいものだから、その現実的な味いを、かえって苦もなく、原始性だとか自然性だとかいう抽象に転化させる事が容易なのだが、里見氏の場合にはそうはゆかない。私はこの長篇の読後感を持て余す。私は明らかにこの小説に不満を感じたのだが、それをどういう具合に言い現したものかと、迷う。惟(おも)うに既に批評というものではない。私はただ解きほぐそうとしてうまく行かない読後感を、礼を失するのは覚悟の上で、*狷介(けんかい)づらをしたちょこ才の譏(そし)りは覚悟の上で、そのまま吐き出して了(しま)えば満足なのだ。

千頁(ページ)に余る長篇中には、種々の人物が登場するが、その全貌(ぜんぼう)が描かれている人物は、作者で又主人公である加島昌造一人だ。他の人物は、最も重要な人物すら、昌造の手のとどく範囲からはみだすまいとして呼吸している昌造の配下達に過ぎない。成る程これは作家的力量を示す立派な統制である。先きにこの小説が氏の所謂陰芸中の最たるものだといった所以(ゆえん)だ。この小説の統制は、例えば志賀氏の「和解」*などと全く同じ種類の統制だが、「和解」の様に徹底した、統制に不用なものは惜し気もなくうっちゃっている様な果敢なものではない。もっと読者に親切に書いてある。読者が昌造の糞真面目(くそまじめ)にやりきれなくなると、温泉につれて行ってくれたり、酒をのましてくれたりする。勿論(もちろん)、この*不羈(ふき)な作家が読者の興味を慮(おもんぱか)る筈(はず)はない。恐らく、氏の言葉をかりれば、雅俗に通じようとする、或(あるい)は陰に籠(こも)って陽に発しようとする信念から来ているものだと考える。併し、私の率直な読後感は、これを作者の見事な信念のあらわれとは感じなかった。寧ろ無用な装飾が多すぎるのに面喰った位だ。というのは、又、この無用な装飾によって、大分息ぬきが出来たという愛読者根性の有難さだけを感じた、という事と同じなのだ。

*徳富蘇峰氏が「日日だより」*で、この小説の批評を書いていた。氏は、この作が、余りにひどい身辺の暴露であり、せめてその半分を人に向って語らず、神に向って語ったら更に妙ではなかったか、聞く可からざるものを聞いた気がして不愉快である、という意味の事を書いていた。

この「日日だより」を読んで後この小説を読み、あんまり暴露のバの字もないのに驚いた。というのは、言葉を代えれば、私は、又、いかにも昔ながらの里見氏らしい修養小説だと思ったので、私の漠然とした読後の不満は、実に氏らしい小説であると思った正しくその事と同じ事なのではないかと自分で思う。どうにもならない氏の世界である、どうかなるなら、私の不満は何も漠然としている筈がないのだと、自分で思う。この底には、考えてみれば、やっぱり或る人の宿命とその人の作物という陰惨極まる問題がのぞいているに違いない。どうしてこんな創作はおろか批評にも何んのたし前にもならない様な事情が、いつも私を嫌がらせているのか、自分でもよく解らない。という風に考えて来れば、蘇峰氏の言葉が、いかに作家理論を無視していようが、厳とした実感的意味が生じて来るとも言えるので、いずれ、作品に共感するか共感しないかという事だけで、重要な事実は終って了うものらしい。

扨て、私はくり返す。「安城家の兄弟」は主観小説である。極端に言えば、主人公昌造の心構えに共感しなければ、作中のあらゆる人物は亡霊の様に蒼ざめて了う。これが、あらゆる一流主観小説に共通した性格だとしてみれば、主観運動の切迫を救うために設けられている数々の息ぬき場面なぞ、私にはちっとも有難くない。勿論、作者にしてみれば、そんなものはない、何一つ昌造の心のからくりを支持しない場面はない、というであろう。だが、私が有難くないというのはそんな簡単な乱暴な想いではないのだ。この息ぬきという言葉が悪いのなら、この小説に現れるあらゆる状景、あらゆる人物が、昌造という人物の自意識の機能として取扱われているとしてみてもいい。私が、言おうとしてうまく言えないものは、依然として一つである。

この小説中に散在する人間的非凡にも拘らず、確固とした哲学を抱いて生きている昌造という人物について、何かしら一つの力が欠けている事を感じた。又、この人物の生活圏内に這入ってくる諸人物も、言うまでもなく驚く可き巧みさで描かれてはいるが、各々独立した息吹きをもった個性が相剋する絵としての感銘は得られなかった、という読後感を私はどうしようもない。

一体、非常にすぐれた小説では、作中の人物が、作者の生活理論から一歩も出られない世界に描き出されている場合でも、各自の独立性をもって生きているものだ。この二つの事はちっとも矛盾しない。作中に、作者の生活理論をそのまま体得している人物が現れて来る場合だって同じ事だ。志賀氏の「和解」が、規模の大小などという事を措けば、文句なく一流作品だと私には思われる所以である。「和解」を貫くものは、鋭く剛毅な生活感情の流れだが、この流れの上で、作者の眼はいつも冷酷だ。作家的冷酷と生活的情熱との間に聊かの矛盾も示してはいない。成る程、里見氏の場合にだって矛盾はない、少くとも原因的には矛盾はあるまい、併し矛盾があると同じ結果に達して了っているのだ。そして作品という結果こそ私の知っている唯一のものである。

志賀氏にとって、生活感情の流れというものは、全く無意識の力である。言い換えれば、全く自明な絶対物で、これを解釈し註釈する事は愚かである、そういうものだ。だから、この流れの裡にあって、氏の心理がどんなに惑乱している場合でも、これを描く言わば氏の文章の密度は変らないというあんばいだ。従って、氏の心景に這入って来る諸人物は、いつも同じ正確さで、もっと詳しく言えば心理的にはそれぞれ違った関心をもって眺められた癖に、結果として作家理論的には全く同じ正確さで描き出される。そこで、諸人物はその破片しか観察されていない癖に、全人的に独立して私に映ずる。

　里見氏にとって生活感情とは、いつもこれを解釈し、これによって己れを修錬すべき対象なので、組みついている事を瞬時も忘れてはならない相手なのである。これは結局どういう事を意味するか。

　この小説で昌造の観察眼は各処で各様に変っている。ある時は温く、ある時は冷く、甘くなり、意地悪になり、それにつれて他の諸人物と背景とが展開する。一例をあげるなら、兄文吉の自殺事件が起ると、昌造の眼は文吉に対する嫌悪で一杯になる、この嫌悪を通さずに、如何な人物もこの部分では行動出来ない。この部分でほんとうに生きた個性は一人も描かれていない、と言っても過言ではない。みんな昌造の御機嫌をうかがっている。架空の味いしかもっておらぬ。文吉という人物の甘ったれた現実性を、まともに描こうとすれば又大仕事となり、この小説の企図からはずれて行く事は、私にもよく解るのだ。では何故作者は、文吉という甘ったれた成熟人の破片でもいいから、生まのままで読者に投げつけてくれないのか、ただ、文吉は甘ったれた、鼻もちのならぬ人物だと、くりかえし註解するに止めるのか。昌造が、兄文吉に対して、あの様に冷然と嘲笑を浮べている時、私は読者として、文吉の生まの顔が一と目でもいいからみせてほしくなるのだ。この作者の豊富な技巧をもってして、それが出来ないとは私には思えない。だが、これには氏の性格に根ざした、もっと根柢的なものがある様である。もう一つの例をあげる。文吉のお葬式の時、落合夫人という女が登場する。彼女は文吉と生前関係のあった女で、突然文吉が彼女の知合いのある女と情死した事を明かされ、嫉妬の情で錯乱して、文吉との生前の身体の関係に就いて、きわどい、意味もなさぬ告白をする処がある。文吉の文学作品を愛読しているこの取澄ました夫人が、文学少女的感傷と、社交夫人的虚栄と、図々しさと、嫉妬と、又、恐らくは真実な恋情とをこんがらかせて、人前構わず取り乱す光景は、この小説中無類の壮観であるべき筈だ。この小説で、他にこの夫人くらい生き生きとした人間は子供の外に一人だって出て来はしないではないか。みんな加島昌造のおけらで、びくびく生きてる人間許りが書いてあるではないか。惜しい事には作者は落合夫人の生ま生ましさをちっとも書いてはくれない。彼女は作者に楯つく唯一の存在だ、だから作者から御免を蒙られているのである。昌造は彼女の醜態を一と目みただけでげんなりしてしまう。昌造には彼女の嘘の一生懸命さよりも、彼女の嘘の方が大切なのだ。彼女の突拍子もない言葉を聞き乍ら、昌造は「解らないと云えば、解らないし、解ると云えば、馬鹿馬鹿しすぎて、聞いている我が身が気の毒な位だ」と心の裡で空嘯き乍ら、そっぽを向いている。私には、どっちが嘘つきなんだか解らぬ。確実な事は、「女を玄関に送りだした一瞬間、悪魔的な興味で、じッとその頸を見詰めた」*などという昌造よりも、女の方が、遥かに甘ったれてはいないという事だ。氏の好きなまごころは女の方にあるのである。昌造はただまごころの観念学で苦り切ってるだけだ。一体まごころというものが爆発する時に、美しく破裂するか、汚ならしく破裂するか、誰が知ろう。これは既に氏の所謂まごころの範疇からはみ出したものかも知れない。では、どたん場に破裂しても猶人には美しいと思われるまごころなるものの獲得の為の、例えば女のやけっぱちな不誠実や虚偽を眼前にして、その現実性に感動するよりも、良心に照して白々しい顔を拵えなければならぬ様なむずかしい修業は、私には真っ平なのだ。

昌造の妻のおしげに情人が出来、昌造はおしげに迫って一切を白状させ、彼女がかくしていた情人の手紙を出させて見る処がある。恐らく眉間に深い縦皺を作っていた昌造が、突然手紙の封じ目にべた一面に捺した三文判をみせられて、おしげの子供らしさに思わず感嘆の声を放つ事が書いてある。氏の言葉をかりれば、それは、溌剌たる光彩を放って、昌造の深奥に触れたという。私は信用したものかどうかと惑うのである。手を放したら大変だと覚悟しているまごころが、昌造の深奥にはいつも坐っているのではないのか。落合夫人の醜態は、おしげの美しさと同様に潑剌たる光彩を放っているではないか。私は理窟を言ってはいない。又、大家に向って、嘘の現実性などという中学生の問題みたような事を説く滑稽を企てているのでもない。

落合夫人は、全くの軽蔑の下に描かれている。いや描くというよりも、断言的に苦り切って報告されている。氏の彼女に対する侮蔑は彼女を描くに堪えないのだ。成程氏の巧みな報告を基として、この女を想像してみる事は容易だ。だが、肝腎かなめの息吹を与える事を作者が厭だと言っている以上、依然としてそこには何物もない。昌造が彼女にほどこした註釈があるだけだ。こんな女を、どんな巧みな言葉で軽蔑してみせてくれたって、私にはちっとも面白かない。

私の求めるものは、この小説にみなぎっている意識的な、又慧敏な眼のかがやきではない。その底に光るもう一つの眼だ。例えば志賀氏も亦好悪の感が大変烈しい作家であり、醜を極端に嫌悪する作家である。併し氏の感性は里見氏のものに較べれば遥かに生理的な神経的な清澄をもったもので、何等生活理論の支配を受けていない。氏が憎悪をもって描く時描かれる対象が少しも歪まないのは、氏にとって憎悪とは一種の直覚であり解剖とか解釈とかの干渉を全く受けず、憎悪する事と見る事とは同じ事を意味するからだ。こういう眼を私はもう一つの眼というのである。併し、生活理論とか処世理論とかをいつも意識していなければならない里見氏では、憎悪は、志賀氏の様に審美的にやってこないで、寧ろ生活理論の結果として発生する。だから里見氏は憎悪した場合なんにも生き生きと描く能力がないのだ。何故なら氏にとって憎悪して而も冷静に見ることは矛盾であり、矛盾でないとしても生活理論には忠実な事にはならないからだ。従って対象を突き放して正確に描く事によって読者に作者の憎悪を刻印する代りに、自分の憎悪の解剖だけをみせてくれる、それにしても、私が、このもう一つの眼などというものを氏に求めるのは乱暴な事であろうか。だが氏自身この眼の存在をちゃんと知っているのだ。理窟を言わずに例を挙げる。文吉の死後、文吉の子供達に初て父の死を明かし、父の子供達への遺書を読んで聞かせる処がある。大人達は皆泣いた。だが「子供達は泣かなかった。眼のなかに潤みさえ見せなかった。子供に独特の恐ろしい程の真面目さで、じっと一点を見据えたまま耳を傾けていた。――一時に昌造の涙は乾いて、身の引き締るような凄さが感じられた」と。この眼こそ*瑛龍を揉み、おしげに感動し、落合夫人を嘲笑する昌造の*慧眼に較べたら、遥かにもの凄い眼ではないのか。何故この眼が氏の小説を一貫して底に光ってはいけないのか。何故この眼を曇らせてまでまごころの哲学が語りたいのか。

「この冗談の蔭にも、まだ癒え切らない自分自身の心の傷手に注ぐ涙はあった云々」と、この長篇は結末を告げる。だが、一体この小説のどこで昌造は心の傷手を受けたのか。私は、氏は実に不幸というものを知らない種類の作家だと思っている。ここで私のいう不幸とは物質的な不幸もささぬ、又、自己解剖癖とか自己修養癖とか思索癖とかいう様な、洒落た高級な精神的不幸もささぬ。私の言いたい不幸とは、世俗で実にあの人は不幸な人であったという平凡な不幸をさすのである。この不幸が、形を変えずに、その儘大きくなると、*ジャン・ジャック・ルッソオの不幸となる。そういう不幸をさすのだ。「*懺悔録」が、人々を感動させる所以は、それが懺悔である為ではない。そこに不幸を見るからだ。世に如何してもいじめ抜かれねばならなかった宿命的に弱い資質をみるからだ。失策も、嘘も、無礼も、弱さの為に行わねばならなかった、そしていじめられねばならなかった不幸な男をみせられるからだ。例えば死んだ*葛西善蔵氏などは、この不幸を体現した作家だった。今日では、*近松秋江氏なぞは、そういう部に這入る作家であろう。里見氏は、こういう人達の世界からは、凡そ遠い、全く意志的な、意識的な作家だ。夢みる眼差しは何処にもない。

昌造は、人から意識的な男だと言われる事を嫌う、自分でやりきれない程知っているからだ。おしげと情人との事件を、最も意識的に、良心的に解決した後で、昌造は不快になって、瑛龍に、「理窟いうなら真面目で抜かせ、あとで拳固（げんこ）の雨が降る」という歌をきかせる。意識家の極限である。だから、昌造は拳固の雨なんかほんとに食ったことはないのである。昌造は、自分は案外な弱虫で、環境に支配されるだらしのない男だと言う。だが、昌造は環境に支配されるのではない、素早く環境の限界をみてとって、都合よく、これに順応する様な心を拵えて了うだけだ。環境に支配されたのか、自ら環境を製造したのか判じ難い程の、自分の意識の素早さを、昌造は持て余して了うのだ。昌造の弱さは飽くまでも智的な弱さである、不幸を強いられる程全的な弱さを昌造は持ってはいない。だから、昌造が、ほんと言えば俺はだらしがない奴（やつ）だと語るのは、ほんと言えば意識家が意識から逃走しようとする希願を語るに過ぎない。まごころの哲学がこの希願の上に築かれる。逃走しようとすれば反（かえ）って益々（ますます）意識的になるのは当然の事であって、この希願の上に築かれる昌造のまごころ哲学が、率直を眼ざして率直から遠ざかるのは又当然の事の様に私には思える。事実、率直は反って昌造が最も意識的に構えている時にあるので、私がこの小説で、昌造の人間的非凡に頭を下げるところは、正（まさ）しくこの世界にある。例はいくらでもあるが、例えば大地震の時、昌造と瑛龍とが外に出られずに揺られている最中、瑛龍が突然今何時だと聞く、昌造はすぐ、この女は死ぬ時が何時何分だという事が知っておきたいのだと察する。そういう、非凡な速力で隅々までも行きとどく昌造の意識は、全くの率直でかがやいてみえる。

こういう昌造にとって心が傷つくとはどういう事か。そういう矛盾した希願の世界でより他傷つく場所はない、希願の世界にだけ、冒険があると意識家昌造は思い込んでいる。で、彼は、率直に、大きな感動によって傷つきたいと希う。無理である。この小説中に、昌造が大声で泣き喚く場面が三つある。どれをとってみても、率直もへったくれもないものだ。あるものは、言わば理想的率直だ、昌造は、ただ自分のまごころ哲学に甘えているだけだ。昌造のまごころ追求の異常な執拗に感銘を受けながら、又、この感銘を頑固にはばむものを私が感ずる所以なのだ。

まごころ哲学は既にこの小説中で敗北している。完全に敗れている。ただ、昌造は、その敗北を半分しか知っていないだけだ。昌造の哲学が敗北しないのは瑛龍の場合だけだ。何故かというと彼女は最も女らしくない女だからだ、観念的な意識的な点で、昌造の鏡の用をつとめているからだ。だが、人間臭を真向から振りかざして生きている女の前では完全に負けて了っている。落合夫人の場合は昌造にそっぽを向いて負けてもらったが、おしげの場合はもっと悲惨だ。おしげは昌造の処世理論の完全な犠牲者となる。昌造の理論が、正しかろうが間違っていようが、その動機が、愛情に満ちていようがいまいがおしげの与り知らぬ処である。彼女の知っている事は唯やりきれない思いだけだ。遂々こらえ切れなくなって、おしげはふて腐れて了う。昌造は、おしげのふて腐れた眼のもの凄さに圧倒される余裕もなく、自分の理論の敗北の悲壮に酔い痴れて泣いて了う。こんな人間覚悟は私には何んのことやらわけがわからぬ。泣いた後に静けさが来た、おしげの眼を、泣いていたお蔭で見なかったものの甘い静けさが来た。最後の二章がこれである。

昌造は決して傷ついてはおらぬ。傷ついたのはおしげである。

もぎとられたあだ花

「文芸に於ける哲学的要素の欠乏」という題で何か書く様にという事ですが、哲学的要素と言う事が私には全く曖昧漠々と思われるので、どういう風にお答えしたらよいか甚だ難儀します。

哲学とは何か、それはこの言葉の意味のとり様です。一般に私達は哲学という言葉を実に種々様々な意味で使っている、俺の哲学は、ああだとか、こうだとか、人生哲学だとか、恋愛哲学だとか。こういう世界で、変通自在な哲学という言葉を追いまわすのはじたい無理だ。ましてや哲学的要素が欠乏しているか、いないか、などに至っては話にならぬ。私に与えられた課題での哲学という言葉の意味は、そういう通俗な意味での哲学を指しているのではありますまい、と、わざわざ書くにも及ばぬと思いますけれど、併し、又、こういう通俗な意味での哲学というものが、ほんとうの哲学からみて、馬鹿々々しいものだとしたら、ほんとうの哲学などというものは、また一層馬鹿気たものである筈だ、とも考えられます。言葉を代えれば、一番通俗な意味での哲学というものにこそ、凡その哲学というものの一番重要な部分があるとも考えられます。いや、私などにはそういう風に考えた方が、生活上便利ですし有益ですし、思い切って言えば、そうでも考えなければ、哲学上の古典を読む興味など起らない。扨て、私は結論を真っ先に書いて了った様な次第になったが、言葉の不足は追い追い補って行くとして、話を初めに戻します。

「文芸に於ける哲学的要素の欠乏」――ここでいう哲学とは最も厳格な意味での哲学でありましょう、純粋な独立した*イデオロギイとしての哲学を一般に*形而上学と名づけるのなら、ここでいう哲学とは形而上学を指すのでありましょう。こういう具合に考えればこの問題は大変楽です。又大変楽な代りにはいかにも空疎な問題ともなりますが。

近頃、哲学の貧困という事が色々と言われております。そういう哲学者達の言い争いに就いては私は深い事を何も知りません。併し、今日の文芸の非常な変動期に作家や批評家が、こぞって文芸作品の様々な意味での革命を目がけて摑みかかっている時、哲学の貧困という問題は、文芸家の間でももっと探索されてもよろしかろうと思います。成る程、こんな問題はわかり切っている問題かも知れぬ、たまたま個性的な感慨でも洩せば、直ぐとブルジョア的だの、観念的だのというより他に能のない様な人には、わかり過ぎて話にもならぬ問題でしょう。だが、わかり切った問題であるからこそ、本質的な根本的な困難も亦そのうちにあるのだ。私は逆説を弄する積りではない。事実をみれば解ることなので、今日、文芸批評の活動は、外観は大変潑剌として、文芸の社会性とか、政治的価値だとか科学性だとか、さては意識の流れだとか、モンタアジュだとか、絶えず新奇な而も重大な事が論じられているのですが、言わばこれらの饒舌は、「哲学の貧困」の結果に就いての云々で、「哲学の貧困」そのものとまともに取組んだものではありません。これは、つまる処、まともに取組むという処に、明瞭な概念的な言葉では到底語り切れない事情があるが為ではないのか、という風に私には考えられるのです。

　私の哲学的教養は貧しく、現代喧ましい*現象学とか*存在学とかいうものに就いて一向無智でありますが、*フッサアルとか*ハイデッガアとかいう人々の著書の飜訳やら紹介やらを覗いただけでも、これらの哲学が、非常に科学的な純粋な、非人間的な色彩の濃厚なものだという事は得心がゆきます。こういう哲学を全く非実践的な、非革命的な人間事業と見做す事は容易でありましょう。

併し、これを又違った立場から、違った見方でみる事も出来ると思います。即ち、彼等の哲学をひたすら言語表現と観ずる見方も可能だと思うのです。彼等の哲学は現実から遊離して、貧困しているかも知れないが、貧困そのものの表現として非常に高度に到達した言語表現として、それ自身驚く可きものである筈です。

今日の哲学は、過去の一流哲学者の表現に較べれば、遥かに念が入って方法論的なものであるとしてみても、表現の抽象性というものは凡ての哲学につきものである。これを辿って行けば、哲学の貧困性とは、*思弁的理智そのものにあるとも言えるわけです。従って、この貧困性を軽蔑するものは、われわれの言わば生活的行動的な理智だと言えます。

若し、われわれの素朴な認識にとって、哲学的表現の貧困性というものが自明なものであるならば、哲学的表現は、これに対して議論をもって応ずるより前に、その抽象的表現そのものが独特の性格の、一種の美しさを持った影像として映ずる筈であると思います。哲学的表現に対して、その貧困性しか気に掛からない人は、哲学的表現の貧困性が自明でない人です、よく腹に這入っていない人です、思弁的理智の本来の性格を見極めてない人です。又、そういう人には文芸というものの性格もわかりますまい。

*ヒュウムが、すべてのものにはその原因というものがある、という事を証明するの

に次の様に表現した。なにも原因を持たぬものが存在すると仮定する、それなら、このものは、何ものでもない何ものも生まぬ無から来たものに相違ない、だが、原因をもたぬものが無から生じたとするのは、即ち、すべてあるものは、他のものから生じたとする事で、つまり、すべてのものには原因があるという事になる、と。*ライプニッツは、*アトムの不分割性を証明するのに、次の様な方法で表現した。合成物は、合成するものが存在しなければ、存在しやしない、若し合成するものが、各々それ自身合成物なら、それを合成するもの、又それを合成するものと果しがない、併し、若し、合成物が存在するなら、直ちに合成するものは、存在する、故に合成するものは単一でなければならぬ、絶対的に単一でなければならぬ、と。

こういう哲学的表現の例は、いくらも挙げる事が出来るでしょうが、私達は、この恐ろしく空虚な言葉の遊戯に、又、実に興味ある人間表現をみる事も出来るのです。理智の貧困性をまざまざと見せつけられると同時に、その貧困性によって、言葉というものが強いられる奇妙な奇術を感ずる事も出来るのです。又、各々の天才の独創によって、言葉がそれぞれ独特に馳駆されている事も、まあ以上の様な例では仕様もあるまいが、看取出来る筈と考えます。

哲学的観念論というものは、*レニンの言葉をかりれば「あだ花だ、併し絶対的な人間の認識の生きた木に咲き出たあだ花」なのだ。

今日、哲学の貧困の問題は、文芸にたずさわる人々によって、もぎとられて了ったあだ花なみにあつかわれています。生きた木に咲いているあだ花がみえなければ何んの得にもなりますまい。形而上学の不可能を証する事は出来ようが、形而上学的憧（しょう）憬（けい）とその表現を人間から奪いさる事は出来ますまい。

やさしい様で難かしい課題に、お答えした様で、お答えしない様な具合になってしまいました。以上。

正岡子規

＊正岡子規については、私は多くの事を知らない。それに、私は元来、歌とか俳句とかいうものをたんと読まぬので、子規の歌や俳句が、当時、どんなにめざましく革命的なものであったか、等々の事に就いては、何も申す資格はありません。歌や俳句の事を語らずに子規の事を書くのは、考えてみれば、滑稽（こっけい）な事です。うかうかと何か書く約束をして了（しま）って後悔致しております。

併（しか）しまた、近頃の歌人、俳人の作品で、私が一番沢山読んでいるのは子規のものです。子規のまともな作品には、私は漠然と感心するより能がないのですが、子規の日記、感想、随筆、批評などで子規の人柄があからさまに見える様なものには、心から敬愛を感じます。そこには何かしら独特なものがあります。

例えば、有名な「＊病牀六尺（びょうしょうろくしゃく）」とか「＊仰臥漫録（ぎょうがまんろく）」などを読みますと、子規という人の生活感情の強烈と率直とに文句なく感動します。強烈と率直と書きましたが、私はこの二つの言葉を大変ちがった意味に使いたいと思うのです。子規の様に、あり余る豊富な才能をめぐまれ乍ら、病弱の為に、心一杯な自在な表現を全うする事が出来なかった人の、生活記録が、痛ましい激動に満ちている事は当然でありましょう。併しこういう詩人の心の激動が、あの様に率直に記録されたためしは、誠に稀有なことかと思われます。死に直面した子規が、観念的な疑惑、或は感懐を一言も述べていないという事は、私には驚く可き性格を思わせます。そこには何の甘さもありません、最も平凡な残酷な苦痛だけが、何の飾りもなく書かれています。精神の苦しみというよりも寧ろ肉体の痛みが一貫しております。読んでいて、直ぐ眼の前にみえるもの、瞬間瞬間の感覚、言わば全く即物的な世界から、聊かも逃げていない子規の心について行く事は、少々たまらぬ気になる程、強い味いを感じます。「仰臥漫録」中に、病苦に堪えかねて、小刀と錐とで胸を突こうと思い乱れる処が書いてあります。幾度読んでも胸がふさがる思いがします。そして一方、のんきな申し分だが、実に名文とつくづく感じます。というのは、ああいう切端つまった、激しい心を表現した字面が、いかにも冴返って冷たい色をしておるのです。こういう事は、余程大した事の様に私には考えられるのです。

私には、自信をもって言う事は出来ぬのですが、日本の歌人、俳人で子規の様に、強靱な、飽くまでも実証的な精神をもった人はあるまいと存じます。*その歌論などをみても、不自然、装飾、特に曖昧というものを極端に嫌っている事が解ります。又、これを論難する方法も頑固執拗に理づめです。ある処では笑止と思われる程理づめです。だが、決して理論家という感じを与えられません。*リアリストだからこそこんな頑固な理屈が強く言いきれるのだという風に私は感じます。理論家なら、もっと巧な理屈をいうだろう、感傷家ならもっと弱々しい理屈になるだろう、という風に感じます。私は、うまく説明する事が出来ないのです。

彼が、好んで軽蔑をもって語った所謂俗物の眼からみれば、あんまり想世的で、夢のない、到底詩などというものは生れてこない様な、裸の心からのみ、詩が生れると確信した子規の心が「*万葉」とか「*金槐」とかを慕った事は、当然の様に思われます。尤も、私はこういう事は、はっきりと思いませんし、あんまり興味のある事でもありません。ただ、今日、私の心を強く惹きつけるものは子規のリアリズムです。歌や俳句などに凝る人には一番持ち難いリアリズムであります。

フランス文学とわが国の新文学

「フランス文学とわが国の新文学」に就いて書くように、との事だったのですが、私にはむつかしい事です。私は、学校でフランス文学を教わって来たには来たのですが、勉強らしい勉強はちっともしなかったし、ただ我儘勝手に読んで来たので、好きな作家はへどが出る程しゃぶった代りに、虫の好かない作家は一頁も読まないという始末で、私のフランス文学に関する知識は、極めてあやしげなもので、又極めて偏したものです。この点だけでも、こういう問題に就いて述べるには甚だ不適任であります。以下お答えになるかならぬかわかりませんが書いてみます。

或る作家の或る作家に与えた影響という事をいいますが、この事に就いて、一般の文学史家が理解する処と、作家が理解する処との間には、大きなへだたりがあるのが常です。文学史家にとって影響を認めるという事は、作家間に共通なファクタアを発見するという事で、それがどんなに細かく述べられようと、一種の通約事業に過ぎませんが、作家にとっては、影響を受ける（影響を与えるという事は、彼には何んの意味も持たない）という事は、同化、再生という、分割出来ぬ過程を意味します。この明瞭だが軽薄な概念と、曖昧だが深刻な事実との間に、影響という言葉は、いつも浮動しているので、或る国の文学と或る国の文学との関係の場合にも、事情は変ってくる筈はない。

　フランス文学とわが国の文学とに就いて考える時、誰でもすぐ口にするのは、十九世紀フランス小説が、所謂*ナチュラリスム文学として、わが明治文学に与えた影響です。これはフランス文学が、わが国の文学に交渉した一番明らかな場合でしたが、これとても、影響されたわが国の自然派小説なるものは、本国の作品とは全く別様な形で現れましたし、又、肝腎の自然主義文学という言葉も、本国での意味とはかけ離れた意味で、わが国の作家達の間には使われました。尤も、こんな事を長々と書くのは、私の与えられた課題からはみ出す事になりますからよしますが、私は、文学に於ける影響の問題に就いて、明瞭な言葉の不可能を確信しているという事が一言したいまでです。

　処で、幸いな事には今日のフランス文学というものは、十九世紀末から或る意味では次第に衰弱をつづけて、独特の混乱状態にあるので、わが国に影響を与える様な暇はまずないと言ってよいと思います。で、私は影響という面倒な言葉から逃れる事が出来るわけだが、その代り何を喋ったらいいか判然しない、少くともまともに語るものはなさそうに思われます。以下お答えになるかならぬかわからぬと申す第二の理由です。

十九世紀の後半、フランス文学で、ナチュラリスムの運動に平行して、サンボリスムの運動が絶えず動いておりました。これは、誰でも知っている処ですが、この事実の裡には、わが国の一と昔前の文学が顧みなかった、又顧みる事が出来なかった、従って今日わが国の新文学が、フランスの新文学に就いて理解する事を大変困難にする重要な事実があると私には思われます。それは何かというと、一と口に言えば、次の通りになります。わが国のナチュラリスム文学は、フランスのナチュラリスム文学でさえ、甚だ曖昧に理解した位ですから、サンボリスム文学、つまり詩人達の運動でありますが、これに関しては全く無智同然であった。一方詩人達は、これを理解したかと言えば、決してそうではない。小説家がフランスの小説を理解したよりもっとぼけて理解した。と言うのは、小説家の尻に敷かれていたわが国の詩人達が、サンボリスムの運動に気がついた頃には、身辺的無技巧小説運動というわが国独特のナチュラリスム文学が出来上っていた。そこで、彼等は、本国から直接影響されたというよりも寧ろ、無技巧小説に反抗する同士打ちの武器として、サンボリスト達の外面技巧を利用した形となったのです。小説家達は、曲りなりにでも直接に影響されたが、その曲った処に又影響されたという点で、私は詩人達の方がもっととぼけていたと申すのです。私は、何も、わが国の小説家や詩人達の悪口を言っているわけではありません。月日がたってみれば誰にでもわかる事だが、新しがりやが振り返ってみないだけの、ごく普通な、どうにも致し方がなかった事情を言っているのです。

フランスで、ナチュラリスムの文学運動とサンボリスムの詩の運動とが初めから平行して存したという事は、大変重要な事柄なので、十九世紀の前半が終った丁度その時、バルザックは「人間喜劇」を残して去ったと共に、十九世紀の後半紀が始ろうとして、ボオドレエルの「悪の華」が世に出たのです。ナチュラリスム文学の核心は、バルザックが既に完全に摑んでいたのですし、サンボリスム詩歌の精神は、ボオドレエルの手で明るみに出たのであります。両者の精神が、共にどうしようもない時代の色合いを帯びながらも、その本質は、浪漫主義に抗する冷徹な潑刺とした批評精神であったので、明察と批判こそ、この両文学運動の動因であった。その後ナチュラリスム文学は、実証主義の波に乗って、繁栄の極に達しましたが、これらの小説家に対抗して、サンボリスムの詩人達が聊(いささ)かも後退しなかった、いや文学制作理論の上では、いつも尖端(せんたん)を切っていられたのは、彼等の精神が、小説家達の精神にも増して鋭敏で知的であったが為(ため)なのです。

近頃、「詩と詩論」「詩・現実」「新文学研究」等の諸雑誌が、その紙数の大半を外国の新しい文学の紹介の為に使って、フランスの新文学もたくさん訳出されております。巨大な*プルウストの小説、難解なヴァレリイの詩論、*ジイドの批評や、長篇小説の忠実な飜訳(ほんやく)が始められています。だが、こういう理解するには大変な忍耐の要る一流作品が、果して忙しいわが国の文壇で、これから持ちこたえられるかどうか大変疑問に思います。というのは、これらの人々の作品は極端に個性的な、孤立的なもので、これに近づく為の一般的な用意という様なものを考える事が出来ない、一人々々にぶつかって自分を試してみなければならないからです。だから何にも読まずに、堂々と嘲笑(ちょうしょう)している批評家も出て来る始末になる。彼等には読まぬうちから軽蔑(けいべつ)される、それ程日本という国は忙しい。それは兎(と)も角(かく)、彼等は現代の文化というものを信じていない。非常に個性的な世界を作って、現代文化に反抗している。彼等の作品と今日の社会状態との間には、大きな間隙（かんげき）がある。プルウストはもう死んで了（しま）ったし、尤も生きていても同じ事をつづけているだろうし、ヴァレリイは、近づき難い孤独を固守しているし、この間隙を、どうにかして満たそうと苦闘しているのはジイド一人であります。十九世紀が終りに近づいて、この世紀の文学上の実証主義への反動といえばまあ反動と言った運動が起った、言わば智性上の浪漫派運動とも称すべきもので、*バレス、*ペギイ、*モオラス等の人達の運動なのです。処が、この頃、いずれも同じ年頃でいずれも驚くべき早熟で、黙々と仕事をつづけていた、プルウストとヴァレリイとジイドとが、欧洲（おうしゅう）大戦後に至って、突然、大人の口から青年の様に若々しい声を揚げた。彼等の仕事の根柢（こんてい）にあったのは、サンボリスムによって養われた批評精神だった。ボオドレエルの言う*「詩人は最高の批評家である」という、繊細な批評精神だったのです。彼等は*マラルメの枯渇（こかつ）も*ランボオの逃亡もよく見て来た懐疑精神であって、詩的造形の不可能の意識から出発した新しい散文を書き出した詩人達でした。まだまだこの三人の作品は充分にわが国に到来しておるとは申されない、私としても充分に読んだとは言えません。以上。

辰野隆「さ・え・ら」

*辰野隆氏は、私の大学時代の恩師である。而も生まやさしい恩師ではない。私が不良学生として、完全且つ充分なる迷惑をお掛けした処の恩師であってみれば、私の方では甚だ相済まぬ、先生にしてみれば、まことにやりきれない意味での恩師である。まあ、知ってる奴に聞いてみればわかるんだが、仲々どうして不肖の弟子どころの段ではなかったのである。そういう知ってる奴も、この文章を読まぬとも限らぬので、今、氏の著書を云々するのは、洵に気のひけるわざであると断って置きたくもなるのだが、又、図々しい意見を吐くならば、私が不良学生であった所以の様々な機会に於いて、不良学生であった故にこそ、氏の人情人格に*感佩する事を得たのである。優等生どもざまを見ろ——かね。

その氏の人情人格が、この本の全頁を貫き、各処に顔を出している。だが、こういう見事な処は氏の練達の名文の蔭にかくされて、一般読書人の眼に這入り兼ねるであろうと思い残念である。尤も、不肖の弟子の好む処をもって、一般推薦の辞に代えるのは、当を得ないと考えるから、止めにしましょう。この本に集められた諸文章は、氏のまともな研究ではない。氏のまともな研究には、ボオドレエルに関する吾が国唯一*の名著がある。これは「*さ・え・ら」という標題の示す通り、氏の研究余談であり、読書余録である。凡そ文学に関する閑談で、この本ぐらい一貫して調子の備わったものは余り類がないであろう。どこから読み出しても、調子にのせられてみんな読んでしまう。こういう本はあんまりない。こういう閑談は生まやさしい教養や才気では到底かけない。而も、読者が著者の教養や才気にけつまずかないで読み進む事が出来るのは有難い事である。仔細にみれば誰にでも気がつく、文章に払われた並々ならぬ苦心、例えば一頁の短文でも必ず一とひねりひねられている、ちょっとした訳語も適確な神経で射止められている、笑いは爆発しない様に、皮肉は苦くならない様に、洒落は二度言わぬ様に、視る角度は変り、談ずる態度はあんばいされ、而も、こういう細工は凡て人目を掠めてほどこされている。

文中の言を借りれば、*ロハで芝居を見ている様な*イリュウジオンを与えるこの本は、何か得をしようなどと赤い鉛筆なぞ耳にはさんで読む人に用はない。だが、天真な仏文学愛好家は、明朗な読書時がもらえるだろう。

弁明——正宗白鳥氏へ

正宗白鳥氏が、この雑誌の先月号の文芸時評で、私が先々月の「改造」誌上に書いた里見弴氏の「安城家の兄弟」に就いての感想文を批評しておられました。その中に次の様な文章があった。「志賀直哉氏の小説の如(ごと)きは、小林氏の称讃(しょうさん)している如く、『作者の眼がいつも冷酷で、作家的冷酷と生活的情熱との間に、聊(いささ)かの矛盾も示してはいない』という境地に達していないばかりでなく、里見氏以上に、作者の好悪(こうお)の念に左右されている。『この男のこういう言葉とか行動とかにはちょっと好感が持てた』とか、『好感が持てなかった』とか云(い)った調子の、小主観に捉(とら)われた小説が多かったと、私は記憶している」と。

私はこの事に就いて弁明を書き度(た)いと思います。氏の文章は、どうも私には腑(ふ)に落ち兼ねるので、若(も)しこの通りの筋のものであったら、まるで私は馬鹿(ばか)みたようなあんばいで少々情けないし、又、最も愉快ではない事は、氏の誤解が私の文章の拙劣に由来したものであろうかと考えるので、ここに弁明を書く次第です。

私が、あの感想文で志賀直哉氏に触れたのは、里見弴氏に較べて、外観は似通った処はあるが、おお根の処は大変相違したこの作家を引き合いに出して、里見氏の作に就いて私が一番言い度いものを一層正確に言おうと努めたからです。その他の理由はありません。

従って、凡そ作家の作家的冷酷と生活的情熱という様な漠々として複雑至難な問題を、まともに語る気などは毛頭なかった。そんな事はいくら書いたって書き切れるものじゃない。又、これに就いて便利な言葉なぞあろう筈もない、況んや、事のついでに、この一般的な命題に触れるなどは思いも寄りませんでした。併し、私は、例えば、「作家的冷酷と生活的情熱との間に聊かの矛盾も示してはいない」という言葉が、私の希った範囲からはみ出して読まれない様に、普通な一般的な意味にとられない様にとは、色々と文章上の細工はした積りでありました。その細工が、どうもうまく行かなかった様子で、甚だ残念に思います。

「『和解』を貫くものは、鋭く剛毅な生活感情の流れだが、この流れの上で、作者の眼はいつも冷酷だ。作家的冷酷と生活的情熱との間に聊かの矛盾も示してはいない」と、私が書きましたのには少しも抽象的な意味はありませぬ。私はただありのままを書いたのです。この言葉は、志賀直哉という作家の資質を離れては意味をなさぬのであります。作家的冷酷といい、生活的情熱といい、私は、作家が極端に個人的な実生活の経験を描いて、一流の作品を産んだ場合を、念頭から離さずに使用した言葉であって、これを離れて理解されては空言となるのは申す迄もない。正宗氏の考えられる、作家的冷酷と生活的情熱との間に矛盾のない境地とは、どういう境地であるかは、私の与り知らぬ処であるが、それがどんな境地にせよ、例えば志賀直哉氏にあて嵌るか、あて嵌らぬか、などという問題に至っては、又、私の与り知らぬ処であります。問題は、この処、どんでん返っている始末です。

従って、私が固執しようと努めた意味では「作家的冷酷と生活的情熱との間に聊かの矛盾がない」と申す私の言葉から、この作家が、好悪の感が烈しくてはならぬとか、小主観にとらわれてはならぬとかいう結論は、断じて出て参りませぬ。

扨て、以上述べた処は、順序として申しただけで、別に大した事ではない、言わば世上誤解というものの通則だ。私はこの文章を弁明の為の弁明で終らせたくはありません。

一体、志賀直哉氏が大変好悪の念の烈しい作家であるという事は、誰でも口にする意見で、敢えて正宗氏の言に俟つまでもないことと考えます。私も、あの一文の中で、明らかにそう書きました。これは極く凡庸な意見です。志賀氏の大変個性的な好みは、氏の作品に露骨に表れている。露骨に表れているからこそ、この好みに追従する事によって、氏の作を結構鑑賞している様な顔をした人々が嘗ては多くあったのですが、今日では、そういう人々はだんだん減って、その代り、氏の好みに反撥する事で、結構氏の作を批評している様な顔をしている人々が、同じ位の頭数だけそろった様であります。私はどちらの面付きにも興味はないのです。私は沢山の事は希いません。私が批評で努めることはいつも一つであります。それは、心理的にも、論理的にも、作品を見まいとする事、一つであります。無論、そんな事はあり得ない、だが努める事は出来る。例えば、志賀氏の作品の場合でも、氏の好悪の念が氏の制作上どんな性格をもっているのか、作品の上でどんな役割りをつとめているのか、という事に一番興味をひかれます。言葉を換えれば、私は、志賀氏の好悪の念というものを、作家制作上の表現として、術として、方法として、理論としてより他眺めようとは希わなかったのです。成る程、こういう眺め方は、凡庸作家に対しては無力なものだ、だが、一流の、その資質の完璧な表現を所有している作家に対しては、これであまり誤りを冒す事はないと信じております。というのは優れた作家ではその文章の美しさを辿ることは、そのまま作家の人となりを語る事になるからです。この、今日大変痛めつけられている考え方を、私は決して古いともあまいとも思いません、それ処か、若しこういう方法で正確な言葉づかいが出来たならば、狭いが一番正確な批評が出来上る筈だと思っております。

以上の様な意味から、私にとっては志賀氏の作品に表れた個人的好悪感は、氏を尊敬する出発点であり、氏を論ずる土台です。従って、「作家的冷酷と生活的情熱との間に聊かの矛盾がない」という私の言葉は、氏の作品の深い味い、生ま生ましい現実感から*演繹した言葉に過ぎませぬが、又、この言葉から何物も割引きして考える必要を認めませぬ。私は、志賀氏を正しくそういう作家だと思っておるのです。

志賀氏の作が、好きとか嫌いとかいう小主観にとらわれている、という事が作家たる氏にとって一体何を意味しますか。何ものも意味しやしません。又、氏の人間的な価値に関しても何物も意味しやしません。問題は、ただ、好き嫌いを描いて、人を動かす表現となるかならぬかにあります。志賀氏の場合は、好き嫌いを、何等の疑心もなく生きて、それが直ちに完璧な表現をとった稀有な場合であります。こういう場合、生活的情熱の烈しさは、その烈しさの故に、作家的冷酷まで達するのです。志賀氏にあっては、憎む事が見る事を意味すると、私が書いたのはそういう意味であります。作家が小主観にとらわれるか、とらわれないかという事は、偏に小主観そのものの性格によります、だが、この事情に就いて人間が正確な言葉を持っておらぬのが甚だ不便です。好き嫌いが烈しいとか烈しくないとかいう曖昧な言葉の裡に、一番大事な問題があるという事は不便な事です。

里見氏よりも志賀氏の方が好悪の念は烈しいというが、烈しい処の段ではない、好悪の念の烈しさは、志賀氏の作品の根幹をなしております。好感が持てたとか持てなかったとかいう言葉は、志賀氏の作では、一般的な意味から全く脱した、重要な役目をつとめております。例えば正宗氏の作品に、ちょっと好感が持てたとか持てなかったとかいう言葉が、やたらに使われていたら馬鹿々々しくて読むに堪えぬでありましょう。

私は、志賀氏の眼が里見氏の眼に較べて、普通な意味で冷静であるとかないとかいう事は一と口も書いておりません。私は、志賀氏の眼の方が、遥かに生理的、神経的な清澄を持つものだと書いたのであります。こういう、観念上の障碍を受けず、感覚上の純潔を守っている眼を冷酷な眼と申したので、私のいう作家的冷酷とは思想上の或は論理的な、又、普通な意味で倫理的な冷酷ではない、全然審美的な意味であります。

ですから、私が里見氏に求めた作家的冷酷とは、小感情を捨てる事とか、視野の拡大とか、理智的になるとかいう通常な意味ではない。どうも言葉に窮して了いますが、例をあげますなら、里見氏のあの小説の中に、三平という幇間が出て来る、私は、そういう人を少しも知らないが、ああいう書生染みた、すっきりした人間が、幇間などという商売がつとまるのかしらと感じた。三平と昌造との御座敷の巧みな描写を読んでいると、その余りの巧さに、一体他の御座敷では三平はどんな事を喋っているのだろうと気にかかった。もし画家が三平を描いたら、どこの御座敷に出ても同じ三平の顔は描いた筈だ。尤もこれは商売だから。併し、志賀氏が同じ事を描いたとしたら、御座敷は遥かにはずむまいが、三平の鼻の格好はちゃんと書いて置いてくれたであろうと思うのです。うまく言えないで恐縮ですが、そういう様な意味での冷酷であります。

志賀氏の眼は、小説家の眼というよりも寧ろ画家の眼だと思います、言葉にわずらわされていない点では、画家の眼は、小説家の眼より、ずっと冷酷なのです。しかし、これは又別の問題となりましょう。長くなりますからこれで止めます。なんだか、わかりきった事ばかり書いて了った様ですが、意のある処お汲み下されば幸甚です。

困却如件——津田英一郎君へ

僕は、今、君の公開状を読み、その返事を明日までに書かなければならぬ事態となって、大変困却している。君は僕を信頼して呉れるそうだ、有難う、僕は一生懸命やりましょう、と書けば一番さっぱりしていてよろしい筈なのだが、残念な事には、僕は、今、ちっともさっぱりなんかしておらぬ。だって例えばこんな手がある、君が僕を信頼するというのは単なる君の勝手だよ、あたしの知った事じゃないのだ、こういう一種不埒な言い分だって、人情のからくりの裡にはちゃんとある。無いなどという奴は少し許り酔っぱらっているんだ。まだある。そりゃとんだお買被りだ、僕かあ何もそんな云々という手もある。どの手が間違っているという事はない、へぼ将棋と同じことだ、どの手を使うかはもののはずみである。はずみそこなって色んな手を同時に極めて高速度に思索する様な時、つまり俗にテレるという事になるのだ。だが誤解してはいけない、僕は君の公開状を読まされて、テレているのではない。テレるなど例えば、僕の心情はあんころみたいに柔かくないが、君の言うように、決してダイヤモンドみたいに固かない、又僕は、君の言う様に、等々などと並べてみた処で何になる、何と愚な事ではないか、と言うよりも、なにも僕は口に風邪をひかせてまでそんな事を、と言いたくなる筈のものではないか。僕が君に伝えたいのは今の僕の困却である。僕は今、君の公開状の文章なぞちっとも考えてはいないのだ。実は今日、「＊間諜X27」という活動写真をみて帰り、何か他の事を考えようとしても、どうしてもうまく行かない、そわそわと写真の事ばかり考えている。なぜって、僕は、惚れ惚れする様な女が銃殺されるのを見て来た、ありゃ芝居だなどと言っても始まらないのだ、実地では先ずあんな現場に行き会う事はあるまいものなら、また明日見に行こうとそわそわしてる方がましである、という様なわけである程、評判だから君も見たかも知れないが、あれは近頃見事な映画である。

あれには、何かしら大変なものがある。光と影との抜け目のない戯れだとか、音響効果の適確だとか言った処で仕様もない様な、何かしら大変なものがある。あの映画に就いて人々がどんな批評を下そうと、尤も批評でもしなければ見た様な気がしないなどという心掛けのいいシネマ・ファンもたんといる事だしするし、又批評というものは、みんな小屋を出てからするんで、当てにならぬ事夥しいものであるにしても、それにしてもどんな批評を下した処で、当人にはてんでひびかぬ底の、何かしら確定的なものがある。あの中で女優が「*ムウン・ライト」の第一楽章を、何とも彼とも甘ったれた調子で弾く処がある。一緒に行った友人のピアニストが「あのソナタも、ああ弾かれると捨てたものじゃねえ」と苦り切って言った。僕は同感の意を表し、あわせて、自分が少々悲しくなっている事に気がついた。どうやら、そこんところであるらしい。あれには、無暗と甘く、無暗と嘘の皮で、手も足も出ない様なものがある。好きな女の顔の様に不敵なものがある。まるで通俗というもののお化けみた様なものである。言わば、実にウルトラ通俗とでも言いたげな、したたかな面相をみせられて、僕はげんなりしているのだ。

これは一体なにものだろう。併し、僕の経験によれば、肝腎要のものという奴は、嘗つて判然と言えたためしがない。

僕はお茶をにごしてなぞいないのだ、ましてや*活動の広目屋でもない。僕は、ただ、そわそわして君の公開状をひろげたのだ。そしたら、そこには僕のことばかりが書いてあった、全く僕の事ばかりが。これは何と奇妙な事であろう。何と奇妙な事だと、今、僕が奇妙な音をたてて笑うとしても、君に失敬には当るまいではないか。

*困却如件、僕は君の文章を聊かも皮肉ってなんぞおらぬ。解ってくれたか、君。

純粋小説というものについて

近頃、純粋小説という事がしきりに論じられている。実に判然しない言葉で、私には、この問題をまともに抜け目なく述べる事が出来ようとは考えられぬ。惟うにこの問題は、小説鑑賞の理論でもなく、小説制作の理論でもなく、恐らくこの二つのものが合一したある作家境地を予定しなければ、なんの事やらわからなくなって了う問題ではないだろうか。なんの事はない、結局一般に立派な小説とはどういう小説かというとぼけた問題に帰着するものと考える。こんな事をまともに論じだしたら手がつけられなくなる。私は、私流の純粋小説論をする事にする。

「改造」十一月号で谷崎潤一郎氏が＊永井荷風氏の「つゆのあとさき」＊を批評しておられた。この「永井荷風氏の近業について」という文章を読み、私はいたく感服した。荷風氏の「つゆのあとさき」に関する批評はたくさん読んだ。それらのものと較べて谷崎氏の批評は、一段と正確なものでもないし、一段と公平なものでもない。又多くの批評家達が、誰にでも言える様な事ばかり言っている様に、谷崎氏の批評文から別して卓抜な理論をみつけ出す事は出来ぬ。ただ一つの点が異っている。それは何かというと、批評の観点である、批評の態度だ。

ここで暫く脇道にそれた事を言いたい。私はつまらぬ批評文をたくさん製造して来たが、批評というものは実に奇妙なもので、作れば作る程厭気がさす。この厭気の出処を点検してみるといつも単純明瞭で、批評というものは困難な業である、困難を命とするとみえる程極度に困難なわざであるという事なのだ。こういう事情は、実地に当ってみないと中々人に解りにくい。批評は困難だという嘆声すらなかなかの事では人に通じにくい。ましてや若し批評が容易なものであったら批評とは無意味ではなかろうか、などという嘆声に至っては到底通じにくいものかと思われる。先日、たまたま佐藤春夫氏の「田園の憂鬱」という小説を読みかえした。これは誰も知っている氏の初期の名作であり、誰もこれはまことに純情な憂鬱な詩趣ある作であると言っている。処が先日何気なく再読すると、そんなものには少しも心打たれなかった、最初読んだ時の感じとは似ても似つかぬ、一種生ま生ましい、きたならしい感じを受けて驚いたのである。そして初めてこの作の名作なる所以を会得したように思ったのであったが、こんな事ではこれから先き又読んだら何を感じるか知れたものじゃない。成る程どうも面白くもない話だが、こんな事すら人間にどうにもならない事なのだ。そこで批評家達はこういうぶざまを何んとかしようと、批評上人間廃業というものをしたがる。近頃やかましい科学的批評というのがこれである。然しこの批評に於ける人間廃業への努力は、何も今日急に始ったものでなく、近代文学批評と共に起った批評家等の狂熱であった。だが、この事業に成功したものは一人もない、というのはこの事業に成功したと自惚れた様な人々は、今日その名前すら残ってはおらぬという意味である。例えば批評上の人間廃業を実現しようとした最初の傑物、テエヌ*でもそうだ、彼の「芸術哲学」*を読んだ人は、到る処で彼の警抜な着想、鋭敏な感慨に出会い、テエヌという人の心が溌剌として脈打っているのを感ずるであろう。名批評とはいつもそういうものであり、又、そうでなくてはかなわぬ。

　谷崎氏の批評の態度が、他の人々の態度と全く違っていると私は書いたが、この態度とは批評家の態度ではなく、全く小説家の態度なのだ。而も氏の最近の小説制作理論がそのまま姿をかえず実に自然に氏の鑑賞乃至は批評の理論に移行しておるのを私は見て見事な事だと感じ入ったので、作家が作家の立場から批評するという事は、別に珍らしい事でもないし、当然な事であろうが、かくの如く作家の世界を一歩も踏みだした跡も見えず、いかにも安らかに語り、語る処が批評となってかがやくためしは珍らしい事であり、当然ならば甚だ困難な当然である、と私には考えられたのだ。

ここで、私は、谷崎氏のこの評論にかがやいている眼の色合いに就いて述べたい。他に色々この評論に就いて書き度い事もあるが、私に一番興味のあったのは、この眼の色合いだからだ。これが在るが為に、氏の批評は、「つゆのあとさき」という作品から、余人が全く顧みなかったものを拾い、これを抱いて遥か批評というものを越えて歩いた、そういう眼の色合いに就いて述べたい。

氏の批評を読み、先ず心を打たれたものは、氏が「つゆのあとさき」を批評しようとして、なんと「つゆのあとさき」を愛しているかという事である。氏がなんと楽し気にこの永井荷風氏の作を読んだ事だろう、と私は氏の文章を読み直ちに感じた。氏が作品の印象を叙述する筆はいかにも若々しく柔軟である。文学的教養が堆積し、数々の制作に労働した氏の心が、いよいよ瑞々しい事に思い至れば、誰でも至り難いものに面接する想いがある筈だ。私は氏の文章の若々しさをみて、今日青年批評家達の文章がなんと爺むさいものであるかを思ったのであった。

で、私が氏の批評文から明瞭に感得したと思った氏の眼の色合いというのは、何の不安もなく疑念もなく、又*山気もない、小児の眼の様に柔軟に張り切っていて、一と口に形容するならこれこそ純粋なという眼の色合いなのだ。そこで、この眼が「つゆのあとさき」から何を見附け出し、見附けだして所謂批評を乗り超えて進んだか。この批評文で氏は他の批評家達にくらべて、別してすぐれた批評をしているとは思わぬ、と私はこの文章の冒頭で述べた。ただ一つの点が全く異っている。それは氏の批評の態度が批評家の態度ではなく純然たる作家の態度であり、そしてこの作家の眼がいかにも純粋なものだというのだ。ではこの純粋な眼が何を見つけたか。永井氏の作家的態度、即ち永井氏の眼をみつけた。

くどい様だが私は繰返したい、谷崎氏の批評文中、永井氏の作品に関する枝葉に亙る批評は他の批評家等の批評とそう異ったものではない。然し肝腎の処で異っている。他の人々が捜り当てようともしなかった永井氏の眼に谷崎氏の批評文は突入している、多くの批評家の馳駆した眼はただ批評家の眼であった。或は作家の眼であったとしてもそれは谷崎氏の眼程の清澄をもってはおらなかった、批評するに際して批評する事が少しも気にかからぬ程の純潔をもってはいなかった。

多くの人達が、「つゆのあとさき」に登場する諸人物が人形の様に性格のない事を云々した、又、その通俗な戯作的興味を云々した、そしてこれらから詮じて作者の制作態度を割り出し、文学への心構えの薄弱を指摘した。これは或は正しいかも知れないが、凡庸な意見で私には面白くもなんともない。処が谷崎氏の批評文では此処のところが気持ちのいい程逆転している。氏は反対に永井氏の態度を薄弱なものとは見ず、虚無的で、投げやりで、愛憎のない処が面白いと見ている、従って描かれる人物は、人形で充分であり、見事であると観じている。これは明瞭に対立する二つの見方である。前者にも、後者にも、「つゆのあとさき」という小説が面白かった事は間違いのない事実だが、前者にとっては面白いが薄弱なのだ、後者にとっては薄弱だが面白いのだ、いや、面白いから面白いのだ。前者には面白いという事は批評ではないが後者には面白いという以外に批評はない、少くとも興味ある批評はない。故に、谷崎氏の批評文で最も見事な個所は、氏が最も面白がっておられる個所なのであって、私が先きに氏の文章が、所謂批評を乗り越えて歩むと書いたのはこの意味である。返す返すも誤解しては貰うまい、批評以上という事と批評にすらならぬという事とは、屢々ごちゃまぜにされ易い。

成る程、人々は永井氏の態度を見附けはしたが、これは批評の結論として生れたに過ぎず、作品の個々の印象から*帰納した結論に過ぎぬ。私が、谷崎氏の文章が、永井氏の眼に突入していると書いた意味はそういう事情ではない。谷崎氏の作家たる純粋な心は、永井氏の作品に対して己れの感じた面白さに飽くまでも自然に忠実である。

その結果必然に、また飽くまでも自然に、批評に際し先ず何を措いても永井氏の制作態度、永井氏の作家たる眼が仮定されたのだ。批評文章はこの仮定から水の様に流れ出ている。氏の批評文では明らかに氏の純粋な眼が永井氏の純粋な眼を創造している、と私には考えられる。真の発見はいつも創造と同じ事を意味するものであって、一般にいう発見とは何等かの分析の結論に過ぎないものである。谷崎氏の批評文から私が面白く思った文章をひいて置こう。

「たとえば*『水滸伝』などは、官僚の悪政治に憤りを抱く文人が、慷慨激越の情を筆に託して時世を諷したものだと云う様に云われているけれども、私は読んでそう感じない。それよりもむしろ、あの何十人と云う性格も境遇も似たり寄ったりの英雄豪傑を、*土偶の如く又しても又しても登場せしめ、根気よくいろいろな事件を編み出しているところに、しょざいのない人が退屈しのぎに無数の人形を作ってみたり並べてみたりしているような寂寞と空虚とを感じる。私は作者施耐庵(?)の人物については何も知らないが、作者自身は時世を憤ったつもりで書いているとしても、その実作者の性格の奥に虚無的なものがあって、それがああ云う構想を生んだのではあるまいか。仮に今、茲に一人の甚だ徒然な男があって、人間を蔑視し、人生を馬鹿にし切っているとする。そして無聊に苦しむあまりにいろいろの人形を拵え、それに彩色を施したり衣裳を着せたりして時間をつぶし、次には玩具の宮殿だの*茅屋だのを、ひどく念入りに細工をして幾つも幾つも作り上げて、それへその人形どもを置き並べてみては独りで嬉しがっているとする。その男はもちろんそんな仕事をして一文の金になるのでもなく、誰に見せようと云うのでもないが、その仕事が無目的なものであり、空虚なものであればある程、尚更それに熱中する。『水滸伝』の作者が綿々として同じような人物と事件とを後から後からと繰り出して行くあくどい迄の丹念さは、私に何かしらそう云う感じを起させる。うそを楽しむ人でなければ手の込んだうそは吐けないと同様に、虚無を楽しむ人でなければああ迄大がかりな空中楼閣は築けない。*幸田露伴氏は『*紅楼夢』を評して、『あの小説には大勢集まって飯を食うところばかり多くってね』と云っておられたが、成る程そう云えばあれなどにも同じ趣がある。此の時分の文人は現代のわれわれと違って、原稿料や印税をアテにした訳でもないし、小説を書くのを*士太夫の恥と心得て匿名を用いたりしたくらいであるから功名心に駈られたのでもないのに、それでいてあんなに無数の人物を捏造し、あんなに長たらしい筋を案出したことを思うと、私は此の人たちの倦むことを知らない空しい努力に寒気を覚える。云々」

この一見奇もない文章に、思いを凝して見給え。これこそ純粋小説理論というものである事を悟るだろう。

横光利一「書方草紙」を読む

*私は嘗て、*横光氏は現代において悲劇的という言葉を冠し得る恐らく唯一人の作家だと評した事がありますが、*こんどの本を通読して、この悲劇的作家の面貌に今更の様に間近に面接する思いがしました。

この書物には評論、感想、随筆、断片、記録等々が、層々として重なり、氏の過去十数年間の脱皮生活の紆余曲折した経路が、明らさまに語られております。

作家が、その評論に、随筆に、己の制作理論をもらすのは当然の事であるが、この書の様に、明らさまに、痛烈に語られている例しはあまり多くはないと思います。制作理論の表現というよりも、作者が楽屋を公開したといった方が適当だと思われる程の、一種荒々しい感じを私は受けました。

*「私は極力人々の思っている私から逃げようと思いたがる、すると、人々は私には分らない古くさい私を頭の中にひっさげて私を追いかけ回す。新しい私がいたる所で古

くさい私とぶつかる。私は其たびににやりとする。本屋に飛び込む。すると、たなの中に私がしょんぼりと並んでいる。私は寒気を感じて飛び出てくる。思うに私の一生は私を蹴飛ばすことばかり考えている一生にちがいない」

右のような文句が書中にあります。これが幸福な事か不幸な事か知らないが、たしかに悲劇的な事だ、もっとも近頃は、悲劇的な事はナンセンスだという説もある様であるが、それは兎も角、こういう氏の生来の心構えが、この書を一貫して明かに見えます。こういう心構えはある意味では甚だ冷酷なものだが、ある意味では理想派のものでもあるから、氏の一生が己を蹴飛ばす事で終るであろうとは信じないが、少くとも今日まで氏の制作にもっとも豊富な夢を与える口火となって来たものは、この悲劇的な心情であろうと思います。

又、他方からいうと、この心構えが、氏の制作実践上の要請となっているともいえるので、この要請の下に氏の理論は縦横自在にあやつられております。これがこの書の独特な姿で、この書から精確な論理、緻密な解析を求める事は間違いだと存じます。それ所ではなく、氏の理論はある個処では、甚だ稚拙であり、兇暴でもある。だが、例外なく苦痛にみちて、鋭敏でありどの言葉も実地制作の経験、日々の感覚から遊離してはおりません。凡そ平穏な理屈を蹂躙しておる点、即ち作家の批評、感想で人々がもっとも暗示を受ける所の果敢な表現として、私は興味深く読みました。

正宗白鳥

*正宗氏の批評に就いて色々書いているものを読んだ事はあるが、氏の作品に就いて云々したものを近頃私はとんと見ない。これは氏が文芸批評の外に、別して大作を発表されなかったせいであろうと思うが、氏の数々の近作短篇には批評人の見逃せない重要な変化が現れている事を私は感ずるのである。それは何かというと、一と口に言えば一種傍若無人のリアリズム、奇妙ななげやりである。

「生まざりしならば」或は「入江のほとり」とかいう短篇は、氏の作で最も人口に膾炙した、というより大いに人口に膾炙して欲しいと言った方が正確かもわからぬが、ともかく著名だから例にあげるのだが、氏の作品で一流品と覚しいそういう制作の持っている残酷な味いを、私は大変美しいものと感ずる。凡そ歌というものから眼をそむけた氏の憂鬱が、凝って殆ど又別の歌と化している様である。勿論こういう作品は一朝にして成ったものではない、氏の初期の作品をさぐれば、作者の悪闘の跡は歴々

である。其処には、擦り剝け出た様に、残酷さが、生まに姿をあらわしている。「泥*人形」などはその好例だ。一言に言えば氏に於いても亦、すべての作家同様に、その初期の作る処は著しく主観的なものだったのだ。処が、当時の文学的修行の重点は、主観の抑圧というものにあったが為に、氏の強烈な主観と客観的描写への努力との間に誤差が生じた。「泥人形」はこの誤差の体現である、この作は氏の初期の代表的傑作であると共に代表的悪作である。人々はこの作に現れた作者の意地の悪さには顔をそむけるかも知れないが、顔をそむけさせるものがまさしく作家の意地の悪さだと悟る人は少いのであって、寧ろ実に残酷な事実が描かれていると思い込む。つまり氏が所謂自然主義作家であり客観的描写というものがこの作の建前となっておる事にたぶらかされるが為だ。だが、実はこの作には残酷な事実など少しも生ま生ましく描かれてはいないので、ただ主人公の冷酷な夢のみが生ま生ましいのである。「入江のほとり」になると、そういう誤差が全く姿をかくしている。そこには氏の憂鬱な夢があると共に、これと寸分違わぬ憂鬱な事実がある。そういう精彩が氏の近作諸短篇になくなって来ているのである。これは、嘗て氏の制作過程に於いて、事実は次第に夢を征服して行ったが、この二つのものが平衡を得た後も、依然として事実は夢を征服するのを止めないからではあるまいか。

氏の近作に昔の様な精彩のない事を見る人は多いであろう。この精彩の欠如は、氏の強い個性が再び醸し出さねばならない様になって来た一層深い氏の誤差の表現だと見てはいけないか。言いかえれば氏の精彩のない近作短篇に氏の面目のいよいよ躍如たるを感ずるのだ。

今題名を忘れて了ったが、いつだったかの「改造」誌上で、氏の巴里滞在の事を書いた短篇を読んだ。これは短篇というよりも感想文風のもので、異郷にある氏の感慨が各所に語られているにもかかわらず、読者の感想を誘う風なものがまるでない。漂っているものは退屈だとか憂鬱だとか虚無だとか形容しても仕方がない程、寒々とした無愛想な風で、外国に行っても少しも面白くない正宗白鳥という男が、公園でぼんやりしてみたり、かと思うとせっせとフランス語の勉強に精出してみたり、ただそれだけだという様な奇態に物的な印象を明らかに私は受けた。

私は決して自分本位な読み方をしたとは思わぬ。この作は、その主観的な内容にも拘らず、強く事実感をそそる様に書かれていた。私はこの作品に氏の傍若無人のリアリズムを読んだのだ。例えば、氏は、フランス語の稽古に通う事を書いて行き、突然読者に向って諸君も巴里に行ってフランス語を習う様な時には、いい先生だからこの先生に習い給えと番地まで書いてくれている。私はあそこを読んだ時一種非凡な味いを受けたが、凡そ制作の手法なぞに無関心でそれが確実な効果を出している。
＊髑髏と酒場」という作がある。「髑髏と酒場」などと甚だ通俗陳腐な題名であるが、中味は通俗ではない。この作は、昔坊さんが束になって無慙に殺されたというお寺とか、憤死した数々の囚人の呪わしい文句が壁に書かれている牢獄が、其のまま酒場になっておる処とかを、見物し、述懐する、言わば＊赤毛布まる出しの見物記であった。この作が非凡なのは、氏が平気で、赤毛布まるだしでいる処に由来するのであろうが、今話は文学上のリアリズムなのであるから、もう少し別な道からこの作をしらべてみる。

「髑髏と酒場」という題名が、甚だ通俗陳腐であると書いたが、この作が取扱っている材料だって甚だ通俗陳腐なのである。いや、通俗作家が好んで利用したがる、甚だロマネスクな材料なのである。裏から言ってみれば、こういう古風な劇的な材料をあつかってリアルな効果を収めるのは容易なわざではない。駈け出しのリアリストなどの扱える材料ではない。彼等はそういう材料をあまいなどという、書こうにも書けぬ癖にあまいも辛いもないのであって、この世の甘い事辛い事をどう改変しよう術がない以上、作家は自己防衛上知らず識らずの間に、書き易いもの書き易いものと選択して行くだけなのである。凡そ、頭の判断がリアリスティックであるという事とそういう判断によって曇らぬリアリスティックな視力とは違う。ごちゃまぜにされてはいるが。

　こういうロマネスクな題材をあつかい、ロマネスクな結果を得まいとするに際して作家がみつける最も平凡な方法は、この題材をリアリスティックに判断する方法である。つまりこれを嘲笑（ちょうしょう）してみたり、皮肉ってみたり、さては微苦笑してみたり等々の類（たぐい）をいう。正宗氏のやり方は、まるで違う。第一、氏はこの題材を冷然と観察している処（どころ）か、この題材のうちに溺（おぼ）れてすらいるのである。溺れて率直に人生無常を詠嘆しているのだ。この作の各処に洩（も）らされている詠嘆的感慨はこの作の題材に等しく通俗陳腐なのである。

　では何がこの作品を救ったか、言うまでもなく氏の荒々しい筆致だ。氏がその詠嘆的感慨を飽くまで手放しでずばずばと書き捨てている有様が無類なのである、が、こういう私の実感はこの作を丁寧に読まなかった人々に伝える事は殆ど不可能に近い。氏の文体は一体に目の粗いものであるが、この作の如（ごと）きは目が益々（ますます）粗いというより一種荒々しい。この作中の教会堂を書いた処なぞは、最も立派だが、あそこの文章なぞは、名所案内の手もない飜訳（ほんやく）に、「＊靖献遺言（せいけんいげん）」の文句をぶち込んだ様なあんばいの悪文で、ここもやっぱり私は非凡な味いだと思いつつ読んだ。散文的な余りに散文的な表現から来る奇妙に純粋な味いなのである。

以上、言葉は拙劣だが、私の言おうと努めた正宗氏の近頃の作品の変化を人々は諒解してくれた事と思う。僭上な臆測かとも思うが、氏の近頃の批評上の健筆もここに由来するとさえ考える。

正月号の「文藝春秋」で「別荘の主人と留守番」、「中央公論」で「悦しがらせる」の二作を読む。この二作共、長年連れ添うた夫婦の因果というもの、というよりも寧ろ古女房というものが如何に無気味な生き物であるかという感じを薄気味悪く底に漂わせている佳品であるが、氏の作中では恐らく凡作に属するものと思った。だが、私は上述の様な筋合いから、この二作には自ら氏の旧作に見当らなかった新しい姿のある事を感じた。

「別荘の主人と留守番」の方は、装飾のないこの題名が語るが如く平凡そのものの様に無飾な短篇で、引っかかりを見附け出すのが難しいが、「悦しがらせる」の方には今私が利用すべき契点が明瞭にみてとれる。

成る程この芝居にした処で、氏の以前の芝居同様に、作者の温顔なぞどこにも見当らぬ冷い突っ放したものなのであるが、この作にはもう以前氏の芝居をつつんでいた様な陰惨な衣はないのだ。一段と明るくなったなどというのは嘘だが、劇中の諸人物が一層衣をぬいで裸になったという事は言えるのだ。例えば、この作中のすみ子という女の扱い方を注意してみるとよい。私はそこに非常に変って来た氏の手法を読みとる様に思う。

このすみ子という平凡な女は、この芝居の中で最重要の人物で、この扱い方に作者の非凡が読めなければ、この芝居を読まぬも同様である。彼女は悧巧で率直で又世間並みに嘘つきで、慾張りで、一と口で言えば極く極く平凡な（馬鹿という意味ではない）女であって、そういう女は可愛がっても憎んでも書けるものではない。ましてや平凡な味を出そうなどと凝った処で書けるものではない。「髑髏と酒場」で通俗陳腐な感慨を通俗だろうが陳腐だろうがどうであろうと実感だから構わん、という調子で書いている、その同じ率直さで氏はすみ子という女を無造作に描き出している。

この芝居で一番いいと思ったのは二幕目であるが、すみ子が末山という許婚の青年と二人で対坐している。結婚と一緒に叔父から莫大な遺産がもらえるという事が、どうやら本当らしいというので叔父の確言を待っている。末山という男もすみ子と負けず劣らずの平凡な男で、金の事でわくわくしているが、男である手前しっかりした顔を拵えている、女の方はもっと率直で自分の過去から割り出して、世の中は金だなどずばずば意見をのべる。男はてれて世の中には金で買えないものもあるなどという板につかぬ言葉を口にして、吾れながら嘘とも本当ともわからぬ様な態度で威張っている。女は女で男のそんな馬鹿さ加減には気が附かず、却って月並みな羞恥心で萎れたりしている。もっと驚く可き事は、雪なんか降っていて、この何んの愛情もない二人の間に意味もない嘘っぱちな愛情がちらついたりするのである。

こういう様に書くと、これを老練な手腕と形容したくなるが、この芝居の齎す味いには、老練という言葉がどうしてもあてはまらぬ若々しさがある。色気のないその台詞は熟しているというより寧ろ適確で、見事な効果を持っている。ト書にも、機械の様な精確さを感ずる。円熟の感はどこにもない、寧ろど強く鋭敏である。老成の豊かさはない、寧ろ寒く荒々しく而も繊細である。私が、氏の強烈なリアリズムの逆説的効果を云々したくなる所以なのだ。

逆説的効果なぞと失礼な言であるが、又私にしてみれば甚だ不便極まる言葉であるが、私は、氏の最近作を読み、そういう言葉も不必要になる、一層沈痛素朴な氏の傑作があらわれる日の遠からざるを思ったのであった。

梶井基次郎と嘉村礒多

*梶井基次郎氏と*嘉村礒多氏とが、正月号の雑誌に、それぞれ作品を発表しているので、これを機会に両氏の作に就いて書こうと思う。

昨年梶井氏の創作集「*檸檬」が上梓された時、著者から贈られてこれを通読し、清澄鋭敏稀れにみる作家資質と私は感服した。当時この著書に就いて何か書き度いと思っていた折から、氏の病気が大変悪いという噂を耳にした。そして何も書くのが嫌になった。たとえ私の批評が*正鵠を射たものにしろ、今の氏にとってはうるさい事であろうという、甚だ得手勝手な一種の感情が、私の筆をさまたげて了った。

併し見ず知らずの作家からそういう親近な感じをうける事は稀れなことで、少くとも私には大変稀れなことで、これは必ずしも得手勝手な私の感情ではない。感情の親近性は氏の作品にしかと表現されて存する。正月号の「中央公論」誌上で氏の「*のんきな患者」を読み、「檸檬」一巻を再読して、氏の作の憂鬱冷徹な外皮の底に私がさぐり当てたものは、やはり柔らかい感情であった、人なつこく親密な情感と云ってもいい程の柔軟な感情の流れであった。氏の作を乱暴に読んだ人々は恐らく意外とするであろうが、恐らく氏の感情の流れはいかにも孤独の人のものであるがためだ。孤独な人の心はいつも通行人には開けていない。

氏の創作集で、作品は初期のものから年代順に並べられており、氏は劈頭の短篇「檸檬」の題名をとってこの創作集に冠せているが、この短篇が氏の全制作の導調*をなしている。この短篇は鋭敏な孤独な青年期の心の錯乱が、一顆のレモンにその支えを求めると云う神経病的感傷を鮮明に描いたものである。不吉な焦燥に悩んだ肺を病む青年が、都会の塵埃の中に一顆の檸檬を買い、彼が探りあぐんでいた率直な明朗性が、この果物の伝えるいかにも単純な冷覚や嗅覚や視覚に生きている事を発見して感動する、彼は呟く、——つまりはこの重さなんだな——総ての善いもの総ての美しいものを重量に換算して来た重さを掌の上に感じて彼は幸福になる。やがて彼は丸善*に這入って、はや何んの興味もない雑書を手当り次第に積み上げて、その上に懐のレモンを据えつけて眺め入る。書物の雑色の階調はひっそりとレモンの紡錘形の身体に吸収され、レモンの周囲だけ店の埃っぽい空気は緊張して冴えかえるのをたしかめて、彼は満足する。「（出て行こうかなあ、そうだ出て行こう）そして私はすたすた出て行った」「丸善の棚に黄金色に輝く恐ろしい爆弾を仕掛けて来た悪漢は私で、――」と彼の叛逆は諧謔の裡に完成する。

これは言うまでもなく近代知識人の頽廃、或は衰弱の表現であるが（尤も今日頽廃或は衰弱の苦がい味をなめた事もない似而非知的作家の充満を、私は一層頽廃或は衰弱の現象であると考えている）、この小話の味いには少しも頽廃衰弱を思わせるものがない。切迫した心情が、童話の様な生き生きとした風味をたたえている。頽廃に通有する誇示もない、頽廃の堕り易い虚飾もない。飽くまでも自然であり平常である。読者はこの小話でレモンの発見を語られ、作者が古くからもっていたレモンを感ずる、或は作者がいつまでも失うまいと思われる古くならないレモンを感ずる。レモンは氏の観念的焦燥の追求する単純性或は自然性の象徴ではなく、寧ろ氏自身の資質である。孤立した鋭敏な心があたり憚らず夢みる時、一般に厭人家とか皮肉家とかいう観念上の土偶をでっち上げるものである。これら土偶に血をかよわせる事は別人の課題であり、梶井氏の与り知らぬ問題である。氏は観念上の空疎な過剰や、苛立しい飛躍を全く知らぬ、或は必要とせぬ作家であり、氏の焦燥は知的というよりも鋭敏な感受性が強いられた一種の胸苦しさである。人間の自然性単純性は一見氏の焦燥に対して逆説的に姿を現しはするが知的軋轢を齎さない、齎し得ぬ。「檸檬」一篇は、氏の素朴な資質のメタフォルであり、氏が心中のレモンを掌上に据えてみた逆説的幻想である。幻想というよりも小児の戯れの様に生き生きとした諧謔である。この作に病的な憂鬱と焦燥としかみないものは、氏が語るレモンの重量を積ってみない人だ、「城のある町にて」に語られた無類の清澄の由来する処を理解しない人である。「ある崖上の感情」で、生と死の感情が果敢に結びつけられて表現されている様に、梶井氏の暗鬱は明朗から直接に流れ出たものである。例えば、「冬の蠅」の暗澹たる気氛には憎悪もない冷笑もない、空しい足掻もない、寧ろ肉体の疲労、無駄のない、謙譲とでも形容したくなる様ないかにも自然な疲労がある。そしてそれが一種健康な感情を私におよびさますのである。或は逆に次の様にも言える。氏の「桜の樹の下には」の桜が、直接に屍体を吸って爛漫と花咲く様に、例えば「交尾」に於ける柔軟な絶望はただちに猫や河鹿の交尾する潑剌たる絵巻を織り出すのだ。又例えば、「筧の話」や「器楽的幻覚」は、極めて精緻な抽象的分析を語って、色彩や音響そのものの実質感に充ちているし、「愛撫」の病的な猫の観察は正常な愛撫にあふれている。

　氏はレモンを手放さない。この裡に棲まおうが、これを手にしようが、レモンの存在はいつも氏には自明である。一顆の紡錘形の果物は氏がこの世を移り行く内奥の旅情である。

「或る朝、彼は日当のいい彼の部屋で座布団を干していた。その座布団は彼の幼時からの記憶につながれていた。同じ切れ地で夜具が出来ていたのだった。——日なたの匂いを立てながら縞目の古りた座布団は膨れはじめた。彼は眼を瞠った。如何したのだ。まるで覚えがない。何という縞目だ。——そして何という旅情……」(「過古*」)

感傷家はこういう鋭敏簡勁な手つきで旅情という言葉を扱う事は出来ぬ。氏は繊細に武装した野人であり、飽く迄も肯定的な審美家である。

だが、梶井氏は語り難い作家である。私は氏の一作々々に、私の知らぬ氏の顔を見る様な思いがする。氏の生地を感ずる様な思いがする。そういう種類の作家は語り難い。昨年「檸檬」が出された時、「作品」誌上で数人の人々が批評文を書いていた。私はどの人の文章も忘れて了っている。ただ氏の友人三好達治*氏が、「お前の事では明け方小鳥がジュッ、ジュッ、と啼いた事を憶い出す」という様な事を書いていたのだけ忘れない。当然な事だと自分は思っている。「のんきな患者」、これは正月号雑誌の小説中でも佳作であるが、この作に就いては私は述べまい、ただ私は人々が氏の前作を読み、どんな思いで氏がのんきという文字を使いたくなっているのかを知って欲しいと思う。「冷静*というものは無感動じゃなくて、俺にとっては感動だ、苦痛だ」

と氏はどこかで書いていた。*「ある意力ある無常感」と、どこかで書いていた。又は氏に寝られぬ夜がどのくらい訪れたか。でももう充分だ。私は氏の健康を祈りたい。

「新潮」誌上で嘉村礒多氏の*「七月二十二日の夜」を読んだ。氏の作はいつも私の心を打つ。この作も氏の作中傑れたものである。

氏の創作集*「崖の下」を読み返し、*「弱其志強其骨」という言葉をふと心に浮べた。尤も*老子などという柄ではない、取るにたらぬ聯想かも知れぬ。だが氏は今日作家稀れにみる古典的倫理家であり、その描く世界は狭隘だが、又業苦と悔恨と信念との犇き合う無類の世界である。

世人は嘉村氏を葛西善蔵氏の嫡流と見做している様である。氏が葛西氏の作をどう見ているか知る由もないが、又、氏の作と葛西氏の作とは多くの点で異っているが、氏の作品がわれわれに提出する最も根本的な問題は、やはり葛西善蔵的問題であると思う。

葛西氏の作に就いて所謂文壇の批評というものは、氏を取り巻いた少数の知己の親密な讃辞を除いては、一般に不評であった。不評であったというのは、つまり次の二つの見方を出ていなかった。一つは彼は名人であるかも知れぬが、小説家的手腕は驚く可(べ)く貧弱であるという、もう一つは一歩を進めて、彼の様に他人に迷惑をかけつつ自堕落な生活を送り、一言にして言えば社会人たる資格を紛失して、何の芸術精進ぞ、という意見である。この二つの意見は、言うまでもなく常識的正論であり、所謂大人びた見方でもあるだろう。併(しか)し、常識的正論というものが、屢々(しばしば)文学理論上、邪魔になりこそすれ得にはならぬが如(ごと)く、所謂大人というものが、実はやれ穿(うが)った事を言うとか、酒の呑(の)み方が立派だとか、なんの事はない焼きの廻った土偶人形の異名である事も亦(また)屢々である。氏を愛する氏の知己達の讃辞と、世の所謂正論なるものと一体なんの正当な連絡もないのであろうか。

私は、葛西氏の全集第四巻に集められた、氏の感想随筆日記を読み読み、言い様のない悲しさを感ずる。他人を贋物(にせもの)よばわりし乍(なが)ら、自己欺瞞(ぎまん)に充ち充ちている。*くだや厭味(いやみ)を憎悪しながら、くだや厭味に充ち充ちている。他人を怒らせまいと冗談を言ったり、洒落(しゃれ)を言ったり、婉曲(えんきょく)に喋(しゃべ)ったり、謙遜(けんそん)してみたり、あらゆる苦心を払っているのにも拘(かかわ)らず、結局相手を怒らせる様にしか喋ってはいない。見るも痛ましい混乱であるが、葛西氏に対する私の尊敬を誤解されるのは不快だから、この混乱という事をもう少し説明したい。

葛西氏は世人のいう性格上の弱点というものを常人以上に持っていた人であろう。

そういう普通にいう弱さが氏の混乱の因をなした事は言うまでもあるまいが、一層深刻な源がある。例をあげる。これは有名な話らしいが、＊岡田三郎氏のフランスへの旅立を鎌倉にいた葛西氏が大船の停車場に見送る話を葛西氏は書いている。氏が岡田氏の汽車をまちあぐんでいると、汽車は急行でプラットフォオムの氏を手もなく黙殺して通過して了う。折角僕に旅行するとのハガキをくれて置き乍ら、大船あたりで立ってやしないかと、人情としても乗車口まででも姿を出すべきである。それだけの義理人情の解らないような人間だと思ったところなら、ハガキなど呉れぬがいい、出して置いて何うせあいつが出て来やしまいからと、忘れているとすれば馬鹿だし、知っていて乗車口にも出ないとすれば不謙遜じゃないか、と氏は憤慨している。氏の文章はもっと誇張されたものであるが、氏の真意とみて少しも差支えない。氏の、純真な心は、世間で使いこなせない。使いこなそうとして氏は馬鹿をみる、而も馬鹿をみたと思う処か、相手の不謙遜を詰るのだ。而も相手に何んの過誤もない以上、相手を詰る事は自分を大事に可愛がる事と同じ意味である。純潔過ぎる謙遜が倨傲の一形式になる。この逆説的純潔を信仰する氏には、これを楽しむが為に「人と為り友親を絶す」＊と酒を呑むか、或はこれを実現しようと芸術の世界を尋ねるか以外に術はなかった。而も氏の純潔は、観念の世界に安住することなく、飽く迄も人間的であったが為に、これに依る酒中の楽しみ或はこれによる芸術上の実現に正確に比例して、過誤のないこの世が氏の心を傷つけたのである。ここに氏の文学の悲調の源がある。

嘉村氏は「七月二十二日の夜」の中で、葛西氏の芸術観、人生観上の*秋霜烈日の如き気魄を云々しているが、氏の逝去に際し、「やれやれ、これで*埒があいた、実に骨の折れる人であったが、ああ助かった」という安堵の言葉を、誠実な悲しみのうちに又誠心から吐かざるを得なかった嘉村氏にしてみれば、秋霜烈日の気魄とは絶望の声である事を理解していたであろう。

先日*アルランのドストエフスキイ論を読んだら、その中にドストエフスキイの友人*ストラアホフがトルストイにやった書簡の一節が引用してあった。

「私が書いている間（「ドストエフスキイ伝」）というもの、こみ上げて来る嫌悪の情と悪闘しなければならなかった。どうかしてこの厭な感情を抑えよう抑えようと私は努めた。ドストエフスキイという人間は、意地の悪い、嫉妬深い、悪漢で、しょっ中苛々と昂奮している様は、可愛相でもあり、馬鹿げていると思えば思えるのだが、ああ意地が悪く、悧巧では、そう思ってもいられない。スイスにいた時、私の面前で下男にひどい事をしたが、下男は堪りかねて『私だって人間です』と怒鳴った事がある。こんな事は毎日の様にあったので、彼は自分で自分の意地の悪さをもて扱いかねていたのだ。云々」

長くなるから後は省略するが、ストラアホフは散々悪口をついた挙句、彼は全くのエゴイストであったと断じている。如何に誇張があるにせよ、誤解があるにせよ、ストラアホフがドストエフスキイ二十年の交友であった事に思い至れば、一種の膚寒さを覚えるのである。恐らくここに文学上最も人間的な苦痛に充ちて難解な問題が横わっている。すべての文学史家は申すに及ばず、文学創造の過程を驚く可き精緻をもって探索したヴァレリイすら必要上見ぬ振りをしている難問がある。勿論アルランも何等の解答も与えていやしない。況んや私にほどこすべき術があろう筈はない。

併し、世人が顰蹙する性格上の業苦を、複雑な絶望感から見事に逆用して、広大な文学表現を完成した、ドストエフスキイの様な天才はしばらく措くとしても、彼の天才の糸は遠く葛西氏につながっている、葛西氏の糸は嘉村氏につながっている、言い得べくばそんな残酷な性格上の悲劇を持たぬ私達まで、その糸は切れてはおらぬ、という事を朧気ながら思い浮べる事は可能である。

なる程、葛西氏の作品は、氏の性格上の業苦の齎す独特の倫理観につらぬかれ、この重圧の下に凝っている。然し、氏は一方まことに素朴なただ眺め入る眼をもっていた、為に、氏の作は吾が身をうち忘れた底の自然観照にみちていた。これが嘉村氏の作となると、そんな余裕すら許されていない。風物も人物も、氏の倫理観の金縛りの下に喘いでいる。氏の切迫した世界には美しい風景もない、明朗な人情もない。人々は「崖の下」「*生別離」或は今度の「七月二十二日の夜」にも現れているが、氏と氏の夫人との間に交渉する人情の美しさを言うであろう。いかにもそれは美しいが、鋭く歪んだ美しさでもある。人を強いる美しさでもある。氏の文体は観察家の文体ではない、飽くまでも倫理家の文体である。倫理的に能弁であり、極度に反省され、警戒された文体である。鍛錬された氏の重厚な一種の名文は、遂に切迫して、倫理感をのせて屢々歌の様な姿をとって来る。

私は*久保田万太郎氏からこんな言葉を聞いた。これは正確な言葉である。「嘉村氏の作にはどこかに屹度*さわりがある。あのさわりがこの後どうなって行くかが一番楽しみだ」と。*「曇り日」の終りにはこの久保田氏の所謂さわりの最も烈しいものがある。「七月二十二日の夜」にもある。――

「今日私がどうにかしてほんに見窄らしき存在にありついたのも、*先師芸術院いまさずば、このたび空しく過ぎなまし、偏に専らS氏の*矜哀、彼岸からの*鞭撻によるもの、引いては又、あれを思いこれを思い、云々」

氏のさわりはいかにも美しいが、痛ましく不幸である。これがどう変って行くか私に知る由もなし、*忖度の限りではないが、氏の今日までの悪闘は既に何等かの改変を用意しているであろう。私は氏の稀れに見る強烈な個性に期待しようと思う。

*佐佐木茂索（ささきもさく）「困った人達」

*鎌倉に来てから、毎日*三里あて人に会わない山を歩く。山といっても凡々たる岡の重なりを歩く。歩いて帰って来て、お袋と黙って飯を食い了（お）えると、もう小説など読みたくない。そういう食後に、不景気な顔をして*「困った人達」を開けたところから読み始める。面白いので初めにもどって一気に読み切る。読み切って、やれやれ、困った人達だね、と頭のなかで書いてみる。そして煙草（たばこ）がのみたくなり、佐佐木氏の他方（そっぽ）をむいた顔付きを理解する。

堀辰雄の「聖家族」

この好短篇の発表された当時、多くの批評がなされた。私はここにそれらを繰返すまいと思う。今度この短篇が作者の装幀で、少数の文学愛好者の手にわかたれるに当って、私は猶更批評めいた批評を口にしたくない。この若々しい制作は、勿論あらゆる批評をくぐり、而も静謐をみださぬ底の厳しさはもっておらぬ。併し、この作品には発表当時受けた処の幾多の好評を穏和にだが笑殺する底の切実なる味いは確と定著されておる。私は今その事を考えている。それは何んと言ったらいいだろう。私は彼の微笑など思い浮べてみたりしながら、判然と感じている様に思い乍らうまく言えずにいる。

もしかしたらそれは彼の持って生れた羞恥というものではないのかしらん。彼の穢れない羞恥が輝やいておるのではないのかしらん。「聖家族」に溢れている羞恥は美しい。と言ってもいいのではないか、彼は羞恥のうちに生きている。或は病気している。

彼は今度の本のノオトに書いていた。一年振りで恐る恐る雑誌の切抜きを読んでみた、と。私は彼の声を聞く様な気がした。人々がもっと彼を理解してくれるように。この作は容易な作ではない。

批評に就いて

毎月沢山の同人雑誌を貰う。そのうちで、他人にはかまわず澄ました顔で（当節は澄ました顔も仲々拵え難いので、勿論これはいい意味である）、自分の言い度い事だけを言っている雑誌はほんとに数える程しかない。低能な憎まれ口、うじゃじゃけた皮肉、嫌味な追従、現代作家を十把一絡、＊乙りきに揉むんだろう、などいうのはまだいいとして、なんとか総まくり、総花批評などに至っては――いっそ御愛嬌、と言いたいが、どうしてどうして、当人がどうだいっそ御愛嬌だろうと威張っているんだから始末に悪い。批評も盛んになったですよ。

だが、偶々悪口を叩かれて、私がこんな事を書くなどと思われては甚だ遺憾である。飛んでもない事だ。他人の悪口を言い言い、他人の悪口でむくれる手はない。断って置かぬと損がいく程、今日、文士になるにはおしいくらい神経鋭敏な人々がいっぱいいる。

は思う。

併し、どうも私には不思議に思われる事がある。それは文学に携わる人々が、若い身空で、なぜ全くの精神の浪費にいそしんでいるかという事だ。なんと勿体ないと私は思う。

遊戯というが、現実的な遊戯というものは、これにほんとに凝った人は、必ず何かしらでもとはとっているもので、三度の飯もうち忘れて麻雀に凝った男が、麻雀で得る処があったと言ったとしても、私は彼を必ずしも嘘つきだとは思わない。実際或る種の遊戯は深みにはまり込めば、ただ面白いでは済されない。いや切なくなる程面白いのが定法であろう。遊戯に凝るものは、又、否応なくこれに伴う狂気や絶望や陶酔を知っている筈だ。だからこそもとがとれるのである。若し文学というものも人間の一種の遊戯だとみるならば、これは又、なんと凝るにむつかしい、従ってもとのとれ難い遊戯だろう。骨折り損のくたぶれ儲けという事がある。これは骨さえ折れば、くたぶれだって現実的な内容をもっている。その内容はいつも教訓に溢れている。では、悪くしたってくたぶれ位は儲かるという意味である。現実的な骨折りをすれば、くたぶれさえも儲からないのが文学であるか。そうらしい。はっきりそうだと答える位の気組みがなければ、飛んでもない目に会うと私は思っている。

文学ぐらい、その狂気や絶望や陶酔を人々にわかつ事をおしむ遊戯はない。文学というものは人々に何等実質ある感動を与えず、而も人々を酔わせる事が出来る。偏に文字という漠然たる記号のしわざである。当人一っぱし文学に凝ったつもりでいて、何んの生ま生ましい糧もみつけることが出来ず、而も空腹を感じない。いっそ悲惨というべきではないか。

私はこういう悲惨を、今日の同人諸雑誌で眺める。なんという文学に対する気組みの薄弱さだろう、情熱の払底だろう。或はこれは今日知識人の相を、あからさまに語っておるのかも知れないが、私はそういう一般的な見方を好まない。沢山の理窟で厚くなった人々の面の皮に、抽象的言辞をなげつける愚を私はよく知っている。若い人々の批評文に就いて感じた処だけを、書こうと思う。批評という領域は文学のうちで最も陥穽に富んだ、落ちてもちっとも痛くない陥穽に富んでいるからである。従ってこの領域を彷徨する軽薄人の悲惨は、作家の悲惨を凌ぐとみえるからである。

よく古いとか新しいとか言うが、これはむつかしい事で、古い事を言い言い、潑剌としている人もあり、新しいことばかり喋りながらでんで乾枯らびている者もあるのだ。*永井荷風氏の「つゆのあとさき」*が発表された当時、谷崎潤一郎氏が、「改造」に永井荷風論を書いておられた。私はあれを読んで、その鑑賞眼の若々しさに感服した。あれは作家の批評だからなどと片附けようとしたって片附くものではない。氏の作品を読む眼の楽し気な瑞々しさを思い、一つ覚えの理窟をこねたり小器用な印象をならべたりしている己れの批評文が、いかにいい若い者の癖に爺むさいものかに思い至らねば馬鹿である。批評をかく気組みが違う。気組みと言った処で、批評文だって自分の書くものである以上自分の立派な作品でなければならぬというごく当り前の心掛けだが、こんな当り前な心掛けすら私は今日の同人諸雑誌の批評文にみつける事が出来ない。それでいて批評家がたまたま小説を書くと批評家の自殺だなどとわからぬ事をいう。

作品を書く時も、批評文を作る場合も、同じ心構えでいるという事がそんなに難かしい事なのかしらん、と訝ってもみるのだが、やっぱり容易な事ではないらしい。文芸時評、月評、作品評、同人相互評、と名前こそ色々賑やかであるが、どれをみても何んという愛情のなさであろう。ここにいう愛情とは、誤解してはいけない、他人を賞める事ではない。この文章は自分の手になったものだという確たる自覚をいうのである。いかにも愛情がない、批評も自分の作品だと可愛がってる人がない。書く当人が己れを赤の他人だと思う。私に赤の他人の考えが述べてあるからではない。読んでもその書く処に赤の他人でいるからだ。

味もそっ気もない、然しなかなか器用な若い人々の文芸時評を読み乍ら、一体これはどういう了簡(りょうけん)なのかと考える。言ってみれば、*枯れ木も山の賑わいぐらいな考えで書いているのかも知れぬ、なんて言ったって批評なんてものはつまらんからな、その位の図々しさは近頃普通なのかも知れぬ。いやいや、そう穿(うが)って考えてはいけないかしらん、ほんとの処はただもう楽しくて書いているのだろう、ただうかうかと無邪気なんだろう。それが無邪気だとすれば、無邪気とはなんという下劣な事だろう。

一体月々雑誌に現れる、お互になんの連絡もないとも見える雑多な小説群を、紮(から)げて器用にさばくという様な芸当は、一定の理論的体系によって強引に調理すれば兎(と)も角(かく)、至難のわざである。多くの作品に関する片々たる印象、感慨を語って、自ら筆者の面貌(めんぼう)を行間にのぞかせ、読む人々に何等軽薄な感じを与えないという様な芸当は至難である。そういう事は一通りや二通りの修養或は確信では出来るものではない。私などは批評文を製造し始めてから日も浅いが、そういう多くの作品を十把一紮に論じなければならない様な機会に屡々(しばしば)出会い、そういう場合に感ずる混乱を一度だってうまく調理出来た例(ため)しはない。私は努めてそういう機会を避けて来たし、今でも避けようと努めている。当り前すぎる心掛けではないかと自分は思う。そういう至難な芸当を平気でやっている若い人々の心持ちがわからない。而も楽し気に、ただもう無邪気に。何んという悲し気な楽しさであるか、無邪気さであるか。

人々は批評という言葉をきくと、すぐ判断とか理性とか冷眼とかいうことを考えるが、これと同時に、愛情だとか感動だとかいうものを、批評から大へん遠い処にあるものの様に考える、そういう風に考える人々は、批評というものに就いて何一つ知らない人々である。

この事情を悟るには、現実の愛情の問題、而もその極端な場合を考えてみるのが近道だ。少々妙な例だが、例えばここに恋は思案の外という言葉があるとする。この言葉を、そのまま馬鹿正直に、惚れれば無我夢中になると解する奴もあるまい。尤もまだした事もない人は、色恋というものは活動写真と大衆文学のなかにだけあると考えているだろうが、私はそういう人達に話しかけているのではない。批評は下手だが恋愛は上手といった様な顔をしている人々へ話し掛けているのだ。私は、諸君が各自の見事な恋愛を思案してみることを希望して止まない。

恋愛は冷徹なものじゃないだろうが、決して間の抜けたものじゃない。それ処か、人間惚れれば惚れない時より数等悧巧になるとも言えるのである。惚れた同士の認識というものには、惚れない同士の認識に比べれば比較にならぬ程、迅速な、溌剌とした、又独創的なものがある筈だろう。惚れるとは言う迄もなく酔う事だとした処で、酒に酔うのと女に酔うのとは違うであろう。人は理智の衰弱で酔う事もある、理智の迅速で酔う事もある。だがこの様な区別は、当事者だけにしか解りはしない、世間は酔っぱらいの種類を弁別する雅量ももたぬし、暇ももたない。

理智はアルコオルで衰弱するかも知れないが、愛情で眠る事はありはしない、寧ろ普段は眠っている様々な可能性が目醒めるとも言えるのだ。傍目には愚劣とも映ずる程、愛情を孕んだ理智は、覚め切って鋭いものである。こういう事を、単なる逆説的言辞と嗤い去るのが、世間の常識だが、この常識のいつもの手にかかり、各人内奥の経験がちょろりやられて了うのである。常識というもので汚れるくらいやさしい事はない、ぼんやりと年をとって行けば充分なのである。それを早く世間ずれがしたいものだと周章てている。

一般に、人を賞めるのと人を貶すのとどっちが難かしいと質問したら、誰もすぐ返事はすまい、第一愚かな質問だと言うだろう。処が批評文になると、みな賞めるのは甘くやさしい事で、貶すのはむつかしく高等な事だという調子で書いているから不思議である。そして大真面目でどれもこれも同じ様な批評文の一種軽薄な型を製造しているのは不思議な事だ。

一体大変大きな軽蔑というものは、大きな愛情と紙一重のものなのかも知れぬが、そういう高級な面倒な問題を言うのではない。私達の間での軽蔑などというものはそんな大げさなものじゃない。ある批評家が、ある作品を軽蔑する、だが、彼の心持ちに、決して烈しいものも積極的なものも豊富なものもあるわけでもない。そういう人の軽蔑は、ただ己れの貧寒を糊塗する口実に過ぎない。貧寒な精神が批評文を作る時、軽蔑的口調で述べれば豪そうに見えるだけの話だ、尤も豪そうにも見えはしないが、兎も角批評文の体裁をととのえる上に軽蔑口調は便利なだけの話なのだ。だから、心から軽蔑したいなどと思っている人はないので、みんなうっかり賞めたりするとお里を見透かされそうなものだから軽蔑なぞして澄ましている、処がまずい事にはこの心根が又見透かされる。文章というものは恐ろしいものだ。

批評で冷静になろうと努めるのはいい、だが感動しまいと努める必要がどこにある。一体冷静に構えるぐらいわけのない事はない。ただ他方を向いただけでも冷静面ぐらいは出来るのである。わけはないぐらいな問題ならまだよいが、冷静面に慣れてくれば、感動の味いなどを忘れて了う。忘れていよいよ批評家の習練を積んでいる積りになる。作品から人々がほんとに得をするのは作品に感服した場合に限るので、とやかく批評なぞしている際に、身になるものは事実なんにも貰ってやしないのである。

私は人の文章を読み、作者がそれを書いて何んの得になっているのかいないのかという事をよく考える。条理整然とよく書いてあるが、当人一体何んの得になっているのかという様な批評文に出会うと、彼の書く時の顔附きなど想像して、尤も顔附きという問題は難問題だが、兎も角他人事とは思われず侘しい心持ちになる。もっと話をおとして言ってみても、生産過剰の見本みた様な文芸月評を書く暇に、古来夥しい一流作家に関する感想文を草して実利に就く商売人があってもよかろうと思う。

批評というものが、文学に関し或は文学の棲息する社会に関し、つねに指導的理論も持たねばならぬという考えは正当なものであり、結構な意見であると私は考えている。そして批評している以上そういう楽しい気持ちでいつもいられればさぞ楽しいだろうと考えている。併し何事でも実地というものは思いも及ばぬ逆説や陥穽に充ちているらしく、極くけち臭い事も辛労の種となるものらしく、従って極く瑣細な事でも実地にやってみないと何一つ悟れない人間という生き物の不愉快なる進歩も甚だ不愉快に考えている。

文章について

一体文章について書くということが、考えてみると私には大変な重荷です。私は文章についてなんの確信も持っておりません。文章論というものは古来自分は名文家だと思っていた人々が書いたものらしく存じます。私などが書いたら飛んでもないことになる。

で、如何に小生は文章に確信がないかということを、実は書き始めたのでありますが、なんという骨折損のくたびれもうけ的原稿だろうと、三枚程書いたら厭になりました。お察し下さい。こんな厭な仕事はないですよ。

先日友達の所に行ったら、そこの四つになる息子が母親に床の間にある唐獅子を指して「なんだ、なんだ」と聞いていた。母親が唐しだと教えると、子供は「ははあ、サンドウキチの中にいれるもんだね」と言いました。作り話じゃありません。ほんとの話なんだからやり切れない。作り話だとしてもたれも笑う権利はありますまい。

こんな話でも考えてみれば言語上の無気味な問題が呈出されている。一口に言えば次の様な事になるでしょう。ものを認識する事と、そのものに関する記号を製造する事とは同一事実であり、そのものがあいまいな場合は無論ですが、判然としたものの場合だって、そのものに関する記号は、そのものの実体と必ずしも一致しない。一致しなくてもその記号の内容として或る感動があれば、記号はものから離れ、独立して自己を主張する、と。

まあ人間の発明する記号の種類は無限にあるだろうが、文学の場合上述の様な独立的記号が基本となります。

もう一つ厄介な事はこの独立的記号が、ある時、ある場合、ある条件のもとに発音されます。然しこれはこのままでは文学にはならない。文学になるには活字になる必要があります。活字になってから人々は(作者ももちろん含まれております)この活字から逆に活字が発音されたある時、ある場所、ある条件等々を捜ります。この捜りをいれる事が文学です。文学と申して悪ければ文章論です。大てい厭になりますよ。

名文か悪文かという事は、成る程ある程度までは、文学的作法によってきめられております。あるいは文学的作法を修得する事によって区別出来ます。この作法を世間では普通修辞学といっております。然し由来作法ですから、知っている人は、知らない人より上品な顔が出来るのが一得だというだけのものですし、又、世には作法を黙殺する感動はそこら中(じゅう)にあるわけです。
*佐久間(さくま)艇長の遺書は名文か悪文かという問題はあんまりやさしくない。佐久間艇長じゃなくても、近頃「毎日新聞」にこういう難かしい兵隊さんの手記が出ております。バルザックとかドストエフスキイとかいう文士らしくない文士の文章にはこういう例がふんだんにあります。

諸君も巧(うま)い文章を書こうと努力されておると存じます、私も大変努力しております。併(しか)しお互に努力しても巧くなるとは限らぬ事だけは確かです。

現代文学の不安

*最近の文芸時評で、*嘉村礒多氏の作品に就いて書いたところが、数人の人々から抗議を受けた。或は直接に、或は文章の上で。ああいう非時代的作品を讃め上げる手はないと言うのだ。うるさい事である。成る程嘉村氏の作品を非時代的だと断ずるのは正しいかも知れぬが、私は正しい事を食い過ぎて、反吐をはかない人間は、生れつき虫が好かないのである。時代的だとか非時代的だとかいう、今日可愛がられている批評家の言葉が、人手から人手に渡り歩き、どんなに一銭銅貨の様によごれている事か。思想というものは、風呂敷の様なもので、なんでも一緒ごたにつつむのに便利である。私も批評を書いている以上、この便利を知らぬわけではないのだが、私を感動させる種々様々の傑作の数が増加すればする程、この便利の果敢無さも骨身にこたえるのである。文学の抽象的大通りを疾駆する、理論で武装した贅沢極まる乗物に、石こそぶつけたが、乗った事は一っぺんもないのだ。私は好きな通りを手ぶらでうろつい

ていただけだ、処々で一杯ひっかけたりなんぞしてさ。会う人は少いかわりには、会ったら心からなる談話を交換したいと希ったただけである。

私は他人の蒙を啓こうと思って背延びした事もなければしゃがんだ事もない。いつも自分を教育する為に、他人の事を喋ったに過ぎない。私の書くものが他人の目に我儘一杯に映ろうが映るまいが大きな御世話だ、と私はただ自分の弁明を述べたくはない。己れの弁明が即ち他人への明らかな抗議とならなければ、弁明も無意味であろう。どうか弁明をもって始めた一文が、今日の文学に対するささやか乍らも一つの抗議となって終るように。

先年ウォルタア・ルットマンの「世界のメロディイ」という映画を見た事がある。東京の場末で文筆を弄している男は、一瞬にして世界を一周させてくれる今日科学の欺瞞に対して感謝の意を表して然る可きであろう。この映画は当時斬新な近代美を定著した芸術表現として、純粋映画だとかなんだとか言われたものだが、一と月たてば古物である。寸刻を争う映画技術上の革命は、続々と所謂近代美なるものの新型を製造している。何故か。大衆がこれを要求するからだという。だが、大衆の要求するものは果して近代美であるか。嘘の皮だ。人々は近代美の形式などというものに心を動かされようと思ってはいない。美が欲しいのではない、生理的快感が欲しいのだ。何物も教わりたくはない、ただすべてを忘却したいのだ。時間を、神経を消費したいのだ。見たくはないのだ。酔いたいのだ。近代美という言葉は、映画製作者やこれを取り巻く映画批評家達の発明した単なる空言である。空言という言葉がいけないならば、人々の感覚の消費を極端に要求する映画という新芸術様式を談ずる必要上、運動の美を、速力の美を、構成の美をと、極めて感覚的な概念を振り廻さねばならなくなった処まで、彼等は追いつめられて来たのである。近代美、成る程どういう言葉でも使用は出来るが、私達はもう美と醜とを区別する能力を失っているではないか、誠実と虚栄とのけじめがつかなくなっている様に。成る程言葉は無意味になっても斬新な映像は眼の前にある。だが、私達はこれを楽しむためにどれ程の疲労を提供しなければならないのか。科学の欺瞞に感謝すると共に私達は既にどれくらい精密な欺瞞を必要とする様になっているかに思い到れば愕然とするではないか。

私達は古人の夢を嗤うが、誰にもそんな権利はない。夢みる様な余裕はないというが、誰も目を覚ましてはいない。人間が今日程悪夢に悩まされている時代は嘗てなったであろう、と言えば悪夢とはこれ又古風な比喩であると嘲笑う程私達の悪夢は深い。例えば一番簡明な例をとってみたまえ、私達が無感覚になっている事実がどれ程深刻であるかがわかるだろう。

昔の人はじっとして風景を眺めて夢みていた。眼前にある*依然たる旧山河に飽き飽きして心中の風景を勝手に改変していた。今日ではその改変された風景が眼前にある。私達も昔の人々の様にじっと坐って風景を眺めている、奇妙な事には恐らく昔の人よりもじっと坐ってはいるが、坐った椅子が一秒間に百米の割合で走っている。窓外の風景は成る程現実には違いないが、人は夢みると同一な心理状態を作らないで何処にこの異常な姿に変じた現実に堪えられる術があるか。術はない、だから彼はまさしく夢をみているのだ。飛行機から降りたら自動車に乗らねばならぬ。夢から醒める暇なぞ絶対にないのだ、夢を織るに必要な数々の荒唐無稽な影像は、自ら織り出す手間をかけずとも今日の科学が日々に私達の周囲に築いてくれる。お蔭で私達は既に自分の力で夢を創造する幸福も勇気も忍耐も失って了った。

科学が実現した機械の奇蹟は、当然その本源たる理論の奇蹟を予想する。嘗て天体の軌道に就いて明された私達は、既に*エレクトロンの運動が天体の運動に酷似している事を知っている。*エントロピイの極大は吾が身の死に等しく明瞭だ。闇黒を征服するだけであった光線は、明らかな重量を持った物質と変じ、闇夜にも私達を取り巻くに至った許りではない、私達の精神にも滲透してこれを構成している事を明された。あらゆる原子の足元はふらつき、時空の純粋な概念も全くその意味を失って了った。われわれ素人が垣間見ただけでも、これら科学の高級理論は夢に酷似している。専門家達が自ら遂行した仕事を前にして唖然としなければ嘘であろう。

何一つ定かなものはない。恐らく人類史上で新事実と云う言葉が最も重要性を帯びた今日、新事実を追う私達の疲れた眼には、事物の色彩は重畳し、輪郭は交錯し、何一つ定かなものはない。わずかの暇をぬすみ、眼を閉じて静思しようとすれば、雑然たる思想の波は思索の上にどうしようもない矛盾を齎す。矛盾を感じない知識人は馬鹿か嘘つきに限られている。

私達は持て余す不安を抱いて街に出る。併しそこには確かな都市と云うものも社会というものもないのだ、而も奇怪なことには都市が必要とするもの、社会が必要とするものは何も彼も眼前にある。停車場もあれば郵便局もある、ビルディングもあれば工場もある。だが私達は背後にあやつられるからくりの糸を信じてやしない。ただ無意味に消費したい欲望にかられて酒場に飛びこめば、蟇口から取り出す金というものにはや疑念を抱いているではないか。

他人の批評文からいつも指導原理とやらいうものを漁っては安心している世のマゾ

ヒスト達、青年作家諸君よ、どうすればいいかなどと私に聞いても無駄である。聞くなら答える人には事をかかぬ筈だ。人間共を廿日鼠になぞらえて、現世紀を己れの実験室と思いなし、細密な計算にいそしんでいる世の理論家達に聞き給え。

近頃ロボット*という言葉が流行している。ロボットが煙突に登ったと私は新聞で読んだ。ロボットが蓄音機をお腹のなかに仕掛け、お臍に電灯をつけて踊子と踊っているのも見物した。だがロボットは既に蒸気機関が発明された時に生れていたのだ。そしてラジウム*の発見と共に思想まで持たされて了っていたのだ。自然と人間とはもはや対立してはいない、その間に機械がはさまってしまった。人を支配するものは自然の法則ではない、機械の法則である。身から出た錆色をしたロボットの人工的な、殆ど架空的な法則である。而も私達はこの暴虐な法則に少くとも十万年来改造する事も出来ず持ちつづけてきた生理機制をもって追いすがるのである。

古典派*はその制作の範型を分析を経ない明瞭な自然の姿に求めた、心から未だ分離しない肉体の運動に求めた。浪漫派*に至ると、彼の範型は既に感情や情熱の機制に移行してはいたが、而も世の実用主義を嘲笑して己れの夢を勝手に披瀝してはいたが、未だ自然の特権を見失ってはいなかった。因襲の上をさまよっていた実用主義が、やがて実証主義精神となって花咲くに至り、作家等は夢みてもおれず、昔の敵と手を握った。敵の決定論と妥協して、自然派は沈痛な顔をした。既にペエタアは言っていた。近代文学の悲劇は宿命というものはもはや外部にはなく、脳髄の裡に隈なく網目をはっているという事を、各自が悟った処にあると。作家等は此網目を逃れて再び夢を織ろうとした、が時は既に遅かった。敵は、その網目は光線の約三分の一位の速力で動いていると精緻な夢を織っていた。作家は仕方なく再び敵と握手したが、敵は平気な顔をしていた。作家は頭の中で現実と架空とが固く握手した事を悟った、悲劇は沈痛どころではなくなったのである。不安が来た。不安は現代精神最大の劇である。

不幸を感じている人より不幸に慣れて了った人の方が不幸である。人間の心は奇態な自然の弁証法で支配されている。不安が極限に達すれば、人はもう不安なくしては生きられぬと感ずる。不安は彼の神ではないとしても、少くとも彼の支柱となる。昔は不安とは精神の或る疾病であったが、今日では不安こそ健康な状態となった。こういう時、人は自分を忘れて最も饒舌になる。不安だ不安だと喋りちらすが、彼の声は少しも慄えてはいないのである。自己宣伝の一番栄えるのは、人が己れを失った時に限る。口に弁証法を唱え乍ら、こんな単純な弁証法がどうしても呑みこめない、それ程奇怪な錯乱が今日の文学界を支配しているのだ。

私の様な若輩に苦し気な文芸時評を書かせて、そっぽをむいている凡そ理論というものを見境なく毛嫌いしている今日の老作家、中老作家に、私は今話し掛けようとしているのではない。私と同じ環境に育ち、私と同じ教育をうけ、私と同じ年齢に達した知識人達（たとえ諸君がどんな思想を装っていようと）に、話しかけたいのである。

私は近頃になってやっと、次の事が朧気ながら腹に這入った様に思う。それは青年にとってはあらゆる思想が、単に己れの行動の口実に過ぎず、思想というものは、いかに青年にとって、真に人間的な形態をとり難いものであるか、という事だ。成る程言葉は簡単だが、事実は非常に複雑である。この欺瞞は、情熱の世界にも感情の隅々にも、愛情にも憎悪にも、さては感受性の端くれにまで、その網の目を張っている。

いくら社会を眺めても、本を読んでも、政治行動の真似事をしても、自分の身を省みなければこの謎はとけぬ。私の貧しい体験によれば私の過誤は決して感情の過剰にはなかった、自他を黙殺して省みぬ思想の或は概念の過剰にあった。ものの真形を見極めるのを阻むものは感情ではなかった、概念の支配を受けた感情であった。今日の新文学ほど青年のあらゆる意地の悪さ、虚栄心を誇示した文学はない。社会的焦躁にかられ己れを忘れた理論が横行している時はない。

例えば*個人主義という思想がある、個人主義否定の思想がある。溺れんとして藁を摑んだに過ぎないではないか。それとも藁さえ摑めば泳がせてくれる世間を有難がっているのか。成る程世間は君達の喋る程残酷ではないらしい。他人を個人主義だとののしる、だが、当人は否定するに足る様な個性をどこにも持っていない。これが今日論戦の楽屋なのである。真面目に読む奴こそいい面の皮だ。

私の推定では今日の新作家の九十パアセントは自国の文学に通じてはいない、老人等は舶来謳歌を非難するが、最も近い世紀の外国人の最大傑作の系列も知りはしない。では自分の事は知っているのか、というとこれは又一番興味のない事柄なのだ。誰も自分を点検しようとはしない。自分の過去が一切無意味となって、過去の人々にどんな意味が発見出来ようか、いや現在に就いてどんな認識を持ち得ようか。彼等の前にはただ白い原稿用紙とペンと数冊の而も今月の雑誌があるだけだ。そしてただ他人の理論が、方法が聞きたいという無意味な欲望があるだけだ。何故に自分を疑う事から始めないのか。若年にして而も自ら労せず人生一般に関する明瞭な確信が欲しいのか。人間というものが解りかけもしない年頃で、既に新手法に通達しているとは奇怪な現象ではないか。或は最も予言的な思想が、最も拙劣な表現に盛られる。

インテリという言葉が流行している。敢えて流行しているという。インテリという新語は出来たが、このインテリを一つの型として強力に作品の上に実現した作家はまだ一人もないからである。私はインテリである、願わくば不幸なるインテリたる天寿を全うしたいと思っている。

インテリという言葉を弱志魯鈍の同義語に使用する文壇は、すべてインテリが形成している。大学生の某君が評論を書いて、誰々のプロレタリヤ小説はインテリ臭味があっていかんなどと威張っている。編輯後記を見ると某君の評論、その渋味のある処を買って戴きたいと書いてある。実に現代でなくては見られぬ喜劇である。

一と昔前、*性格破産者という事が作家の間で言われた。当時の私には彼等の描く処は充分に悲劇に映ったが、今はもう別様に映る。今日の知的作家が、己れを告白しようとして思い止まり、新手法の捜索に憂身を窶し、作家たる血肉を度外視して、自ら方法論の土偶と化している処に、己れを告白してみてもいずれは流行遅れな性格破産者を表現するに過ぎぬ、と感ずる漠然たる不安、無意味な逡巡を、私は見る様に思う。作家とは果してそういうものであろうか。君等自身こそ真の作家の好個の材料ではないのか。

一と昔前の知的作家達がどの様な手つきで性格破産者を扱ったか。彼等は性格破産者を描いたのではない、寧ろ歌ったのである。それは自己嫌悪者の当然な歌だったのである。自己嫌悪とは自分への一種の甘え方だ、最も逆説的な自己陶酔の形式だ。この形式の生んだ歌だったのだ。彼等を取巻いている社会環境は、今日の様に惑乱したものではなかった。彼等は充分に文士気質を振廻す余裕を持っていた。では彼等は何に追いつめられたか、彼等の繊細な感覚を苛立てる彼等の所謂俗人達に、彼等の嫌悪する俗人達の実用主義に。この嫌悪が自然派伝来の自己修養癖に結びついて内攻したものが性格破産の歌だったのだ。彼等の絶望は詩的精神の所産である、散文的精神はこれに関与してはおらぬ。この絶望した詩人等の最も傷ましい典型は*芥川龍之介氏であった。多くの批評家が、芥川氏を近代知識人の宿命を体現した人物として論じている。私は誤りであると思う。この稀有の才人、精緻な感想文のみを残して、人間一人描き得なかったエッセイストが、果して彼の高名に遠く及ばなかった多くの自然派作家より、勝れた人間洞察を持っていたかどうかさえ甚だ疑問に思っている。

*ドストエフスキイが初めて我が国に輸入された時、作家達がどんな眼でこれを迎えたかを思えば、一と昔前の小説家達がどの位詩人であったかが明瞭になる。若年にして性格破産の劇をつぶさになめた彼は、小説家として実現した時にはもう確乎不抜なリアリストになっていた。そこには性格破産者のあらゆる典型が大きな想像力（幻想

力ではない）によって構成され、活き活きと闊歩していた。性格破産の想念は持っていたが、これが人間となって行動する光景は一度も見た事のない小説家と称する詩人等は、この光景を眺めてぼんやりした。仕方がないから不自然だと断じた、怪奇趣味と断じた、以来二度と彼の大小説を読まぬのだ。私達は当時まだ学生で無我夢中で彼を読み、以来二度とこれを取り上げようとはしないのである。

だが今、こんど度こそは本当に彼を理解しなければならぬ時が来たらしい。「[*]憑かれた人々」は私達を取り巻いている。少くとも群小性格破産者の行列は、作家の頭から出て往来を歩いている。ここに小説典型を発見するのが今日新作家の一つの義務である。現実を眺めて、その遠近法ばかり研究していても仕方ない。遠近法の研究はぷっつり諦めて、重役はいつも眼鏡をかけて肥っていると書いていても仕方がない。

芥川龍之介の晩年は、詩的精神と散文的精神との抗争に費された、彼は同時代のどの作家よりもこの問題を明瞭に考えた人であったが、彼の抗争は極めて神経的なものであった、その苦痛も亦神経的なものであった。処がプロレタリヤ文学（というよりプロレタリヤ文学への希望と言った方が目下当っている）の出現と共に、この問題は突然強引な解決をみて了った。詩的精神に一顧も与えない純粋な散文精神が突然散文精神の欠如に苦しんでいた日本小説の伝統に姿を現したのである。これが今日までプロレタリヤ文学運動が、日本文学に実際上齎し得た最大の寄与である。ただこの事情が極めて日本的であるが為に、プロレタリヤ作家もその批評家も忘却しているだけだ。混乱の源も亦ここにある。出来るだけ感傷に捕われず、飽くまでも自然の弁証法に忠実に、素朴に、直截に、歌を逃れ、美を逃れ、小説というものを構成しようとするこの精神は、彼等が己れの苦痛によって獲得したものでは決してなかった。ただ社会事情の逼迫に強いられた行動の口実たる思想に過ぎなかったのだ。この思想は正しいかもしれないが、単なる正しい思想ではなんの自慢にもならない。彼等には思想さえ正しいとわかれば、これに人間的形式を与えるのはもう無用なのである。彼等はこの精神を肉化するあらゆる方法を放棄している。彼等は作家を廃業して理論家として政治家として言う、私にはもっとちがった文学がある、と。いつまで文学に恋々としているのだろう。

ここに文学と政治の問題が起った。*文学的価値と政治的価値、この数年来喧騒を極めた論戦は、遂に文学と政治との弁証法的統一という処に落ち着いたらしい。弁証法的という字は実に便利で深刻な字であるらしい。

文学と政治との弁証法的統一とは、作家が一日に七回も委員会に出席しなければならぬ事なのか。己れの育った環境を忘れ（清算*という字を使っているが、わざわざ別な言い方をする必要は何処にもない）、教養を忘れ、才能すらも忘れて、最も不得意な題材を摑んで制作する事なのか。二年間も世間との交渉を断たれて苦しんでいた同志に、彼が孤独の裡に思案した小説を書く機会を与え得ない事か。今は仕方がないというのか。二重の口実に過ぎぬ。

私は如何なる政治形態にも政治家にもあまり信を置かぬ男である。だがそういう男なみの倫理学はもっている。私は諸君の情熱を少しも嗤っていはしないが、諸君を動かす概念による欺瞞を、概念による虚栄を知っている。その欺瞞は諸君が同志との訣別に、同志の死に流す涙にも交っているだろう。私は既に作品上で、如何に諸君が人間を故意に歪めて書いたか知っている、愛情の問題を如何に不埒な手つきで扱ったかも知っている。又実際に諸君がどんな恋愛をしているかも、どんな奇態な夫婦喧嘩をしているかも知っている。社会正義を唱えつつ人間軽蔑を説く、これを私は錯乱と呼ぶのである。

何よりも先ず理論を、態度を、姿態を強請する今日の文学は、徒らに党派の意匠*を競って論争し、現実の実質乃至は形式に対する鋭敏遅鈍に関しては一切口を噤んでいる。こういう時にこそ作家はその独立とその孤独を最も必要とするのだ。己れを棚に上げた空論が、己れの姿をかくしている時、そういう時にこそ、作家は各自が手をつくして、その宿命、その可能性、その欲望を発見しようと努める可きである。「私達には、自分の考えを他人の表現に従って理解する事が無暗(むやみ)に多すぎる」とヴァレリイは言った。

ヴァレリイの事

本一冊ない旅先きで、慌しいなかで書かねばならず、ほんの彼に就いて思い浮ぶ処を順序なくならべるだけ。

初めてポオル・ヴァレリイ*を知ったのは大学の学生の時で、「レオナルド・ダ・ヴィンチの方法序説」*という論文を読みました。ひどく感心して、彼の作品と彼に関する評論とを皆んな読んで了おうと決心した。その当時彼の本で容易に手に這入ったものは、上のダ・ヴィンチの論文ののっている「ヴァリエテ」*という論文集位のもので他はみな絶版本とか贅沢本で、手がつけられない。持っている奴は大事にしていて、殊に私の様な自他の見境の甚だ薄弱な男には、なかなか貸してくれない。学校の図書館は震災*で趾かたもないし、文学部の研究室には、アンベル*先生などというこわい先生がいて、私がヴァレリイのわからない処を聞きに行くと、ラシイヌを読みなさいと叱られる始末だから、勿論研究室にはヴァレリイのものは、例の「ヴァリエテ」一冊しかないのである。（若しかしたらこの本すらなかったとも記憶する。）

丁度そんな時、大学の*辰野隆先生が、先生の手元にあるヴァレリイに関する本を全部貸して下さった。これは実に嬉しかった。今でもそうだが、私には本を読む時に、無暗と煙草をすって頭の毛を挘る奇妙に執拗な悪癖がある。従って読む本には、一頁毎に髪の毛と煙草の灰がはさまって行くわけになる。貸す奴はいい災難だが、私の方でもこういう明瞭な証拠があるから、読まぬ本を読んだと言って返せない不便がある。辰野先生は私から本を受け取ると、窓の処でパラパラとやって掃除する。偶々汚れていないと、読まなかったな、と言う、それは家でよく払って来た奴ですなどと弁解しても、一向信用してもらえない、そうなるとこっちも馬鹿々々しいから、勇敢に汚してお返しする事にしていた。今でも先生のとこのヴァレリイには全部、先生の払いのこした私の頭の毛がはさまっている筈である。想えば感謝の念に堪えない。

ヴァレリイの文章は、今読んでもずい分骨が折れるものだが、当時我武者羅に読みとばして、隈なくわかった積りでいたのだからいい気なものだ。自分でわかった積りでいるだけでは気が済まず、フランス語の家庭教師を四五軒やって稼いでいたのをさいわい、天才教育と称して、文法を一と通りやると、ヴァレリイを教科書に使用した。盲目蛇におじず、と辰野先生苦笑いしていた。

ボオドレエルとランボオに心酔していた私には、ヴァレリイの詩は一向面白く思われなかった。その頃読み始めたマラルメの詩の方がまだしも切々たるものがある様に感じた。その代り彼の評論には無条件でのめり込んだ、彼の論文は私が当時まで論文というものに就いて抱いていた考えを全く粉砕して了った。私は理論の齎す眩暈というものをはじめて知った。

ヴァレリイ自身後年テレ臭そうに述懐している様に、彼は正確という病気を患っていた。正確の極限をめがけるという事が、どれくらい惑乱的なものであるか、凡そ容易な事は何ものでもないと確信した人間の、使用に堪える言語というものが、どのくらい苦汁にあふれたものであるか、あらゆる甘さを嫌悪した抽象的言語影像が、どれくらい瑞々しい生彩を放ち得るか、という事を彼は先ず身をもって私達に明してくれる。

先ず明してくれると書いたが、彼が提出するほんとうの問題は決してそんな軽薄な処にはないからである。彼が見せてくれた一番大事な問題は、やはり人間知性の宿命乃至は悪の問題、或は一般に悲劇をそのまま光栄としなければならなかった一種の天才の問題、そういう処にあると私は考えている。だが、私はこういう事に就いてはっきり簡素な言葉で書く自信も勇気もない。私は幾度もヴァレリイ論を書こうと努めてみた、がいつも手に余った。いつか自分のものらしいヴァレリイ論が書ければと思っている。

フランスでもそうらしいが、日本でもヴァレリイという人をちょいと覗(のぞ)いて毛嫌いしている人がなかなかある様だが、下らない話である。

私の読んだ限りでは*アルベル・チボオデのヴァレリイ論が一番見事な出来である。多くの人に読まれているらしい*フレデリック・ルフェエブルだとか*ポオル・スウデとかのヴァレリイに関する批評文は、どれも愚劣極まるものだ。短いものではアンドレ・ジイドのもの、*シャルル・デュ・ボスのものなどが傑(すぐ)れていると思う。

一体何を言われても、そんな事は言われなくっても知ってるよという人間を批評する事は甚だ難儀である。ヴァレリイはこの難儀な人間の典型です。自己解析を生命として、彼の言葉で言えば、自らシステムと化した人である。この精密なシステムをなぞって精密な評論を作り上げる事は必ずしも困難ではない。ベルグソン或は*ライプニッツを巧みに利用して、チボオデが見事にやってのけた処だ。併(しか)しジイドが彼の小論で暗示している様に、ヴァレリイという極めて非人間的な存在を、飽迄(あくまで)も人間として見る立場、もっと具体的にいうと、例えば「ヴァリエテ」と「*続ヴァリエテ」とを比べてみると、その思索の流れは同じ様に清澄(せいちょう)で鋭敏だが、何かしら大変ちがった感じがある。「続ヴァリエテ」の方がずっと調子がさびしい。さびしいと言っては変だが、彼の笑いは、ずっと意地が悪く、寒々として、悪魔的になって来ている。最近の「*モラリテ」がそうである。*「現代風景」がそうである。彼が極端に嫌悪する嘆声というものが聞えて来る様に思われる。こういう処から彼を分析してみたら、と私は大それた事を考えている、到底書けようとも思えないが。

ヴァレリイの日本文壇への影響という事に就いても書く様にとの註文であるが、それは先ず今の処全然ないと言ってよろしいと思う。ヴァレリイを耽読している、或はした事のある日本の作家がいるとも思えない。彼の飜訳とか紹介とかも私は甚だ迂闊でよく知らない。*中島健蔵、*佐藤正彰両君が、近日「ヴァリエテ」の全訳を出版するそうだが、これが出たら、わが国に於ける恐らく最初の信頼するに足りる、纏ったヴァレリイの紹介となるだろう。

逆説というものについて

「何等かの結論に到達しようと思索するな、これが思索というものの極意である」——そういう事をルナン*が何処かで書いているのを読んだ事がある。懐疑家の一とひねりひねった言葉に過ぎぬと看過して了えば何んの事はないが、まともに受け入れて考えてみると興味ある逆説だ。

一般に逆説的言辞というものに世間はつねに冷淡である。逆説を弄するという言葉もあるくらいだから勿論発言者側にも罪はある。真っすぐにわけなく言える処を故意に歪めて表現する、月並みな言い方をするのがただなんとなく無意味に不愉快で、不必要に臍が曲げたくなる、私などはまだ大いにこういう悪癖に自分から腹を立てている方だが、まあ棚に上げて言ってみれば、そういう類は世の中にはざらにある。いや世の所謂逆説家というものはすべてこの類であると言って差支えないと思う。そういう所謂逆説家の逆説というものは、逆説というより寧ろ洒落と言った方が当っている。

凡そ物には表がある程度には裏がある筈の処へもって来て、裏ばかりただ何んという事なく無意味に眼が向くという、一種のヒステリイ症の愛好する駄洒落だと言った方が当っている。

或る時、芥川龍之介氏を崇拝している人に、芥川氏をどう思うかと聞かれて、三十面下げて道徳とは左側通行という事である、などと平気で書ける様なロマンチストは大嫌いだよ、と答えてその人に大変厭な顔をされた事がある。

尤も、その時は、芥川氏に就いてというより、相手の男に対して言った格ではあったが、芥川氏が逆説で武装したロマンチストであり、氏の高名はその実質によるよりも、寧ろその花々しい形式乃至は劇的な最期によるという事は真面目に考えている。

氏は逆説を愛した人であった。今でも氏の溌剌たる審美眼には敬意を表する事が出来るが、現実とか人間性とかに対する逆説的な数多い感想などには、以前の様な興味が全然湧いて来ない。道徳とは左側通行という事だなどと言われたって、道徳というものが事実とてもそんな洒落た言葉で形容出来るものではなく、見れば見る程臭気芬々たる箸にも棒にもかからない代物である事がわかってくれば来る程、いよいよそんな駄洒落は面白くない。例えば氏の「将軍」という小説で、乃木将軍が大変巧みに戯化されて描かれている。人はこういう作家の眼光を辛辣と評する。だがあれを乃木将軍が読んだら恐らく鼻の先きで笑うだろう。乃木将軍が芸術を解しないからではない、彼の方が、人世を渡る辛労に於いても、確信に於いても、描いてくれる当の作家より遥かにうわ手だからだ。

人間を戯化しようとする所謂辛辣な眼光というものは、必ず人間の或る真実を見逃す、而も恐らく一番大事な部分を見逃す。

小説家が人間の思想や行動を皮肉ったり、戯化したり、嘲笑したりするが、人間はみんなもっとわり切れないものをめいめい抱いて生きている。そこで思想とか概念とかの支持によって人間を再現する事は容易で、小説ではいつも人間はわり切れない儘に再現されているという理窟は誰にも納得がゆく。ところが、日本の小説の伝統に一番欠けていたものがこの思想性或は概念性であった。思想でも概念でも厳としたこの世の事実であり力であるとしてみれば、これを盛るに最も都合のいい小説という文学形式に、これらを盛り得なかったという事は、当然小説というものの貧寒を齎した。多くの小説家は思想或は概念を軽視して、人間をわりきれないままに描くという事を楽しみにした。思想や概念を征服した後の楽しみではなく、はじめからこれを無視してかかったものの文章制作上の修錬の楽しみであった。

外国の客観的な社会的な自然派小説を輸入して、これを個人的な心境的な散文詩と化した、わが国の自然派小説家という抒情詩人等に対してあげられた新しい小説の反抗が、思想或は概念の表現を目指したのは当然の事であったが、この反抗を徹底させた小説家はいなかった。芥川氏の逸才をもってしても、氏の知的表現は氏の生涯の様に息が短かかった。

そこで、こういう特殊な事情のお蔭で、何か鋭敏な気の利いた言葉で人間をわり切ってみようとした芥川氏の様な半知的作家が、規模は小さいとは言え、兎も角人間を在りの儘の姿に描いたリアリスト、知性軽蔑作家達より一段リアリストに見えたと云う奇態な現象が生じたのである。一と昔前の知的作家は二昔前の自然派作家よりリアリストでもなんでもない。同様な感傷詩人である。前者をリアリストと思わせたものは、ただ彼が纏った逆説の衣であった。話が脇道にそれた様であるが、私はただ逆説というものの奇妙な性格を語り度いため、芥川氏を借りて話を少し複雑にしてみただけなのだ。

私の言いたいのは、逆説というものは、これを表現する人の態度によって、その性格が大変相違して来るという点である。例えば以前ゲエテの感想というものはどれもこれも退屈だと決めていたが、芥川氏の感想に一向興味を失った今では、ゲエテの言葉は実に面白い。以前ゲエテの言葉を読んで一向ひねりの利かない平凡な言葉だと思ったものが、よく見ると利き過ぎる位利いている。低級な逆説は文章面の上でひねりが利いているだけで、これを現実に照し合わせてみればなんのことはない駄洒落である。例えばゲエテが「人間は他人から好意を持たれる場合一番生き生きとする」と書いているとする。こういう文の字面はお目出度いかも知れないが、これを世間の生活に当てはめて考えてみると、忽ち(たちま)この言葉は苦味走って聞えて来る。成る程ゲエテは、ものを決して歪めて(ゆが)見ようとはしなかっただろう、出来るだけ率直に眺めようとしていた人に違いない、だが彼の率直さが発見した処が表現となって現れるともう単なる率直な言葉ではなく、必ず厳しくひねりが利いて来る。こういうものをほんとうの逆説というので、この意味で永くのこる言葉というものは例外なく逆説的なのである。意地悪くものを見て意地悪く表現するより、率直にものを見て率直に表現する方が遥かに難かしいが、率直にものを見て必然的にその表現が逆説的になるという事には、もっと大きな困難がある。例えば*「心の貧しきものは幸いなり」というキリストの言葉は、驚く可き(べ)率直が、極端な逆説となって現れた典型であり、又真の逆説の困難を語るお手本みたいなものだ。

真の逆説の源には、つねに烈しい(はげ)率直な観察がなければならぬ、割り切れない現実を直覚する鋭敏な知性がなければならぬ。逆説とは弄するものではない、生れるものだ。動いている現実を動いているがままに誠実に辿る(たど)分析家の率直な表現である。

今日の様に理論が繁栄し、人々が知識の過剰に苦しんでいる時、作家がインテリなどという御都合な蕪辞(ぶじ)を弄して知性上の悪闘を避ける手はないのである。若(も)し知性が制作を害すると知れば、知性をもって知性を殺すべきだ。ここに演じられる知性の悲劇ぐらい今日の新作家達が冷淡に構えている問題はない様に思う。だから彼等は、理論を思想を堂々と作品に盛って客観的な社会的な小説を創(つく)ろうという正当な野心に燃え乍(なが)ら、同時に純正な作家として理論を思想を隈(くま)なく受け入れて、これを征服しなければならぬという事情が、どれ位逆説的な知性の努力を必要とするかという事を全く顧みない。こういう知性の努力こそ、諸君がお手本としている西洋大小説家達の伝統の根幹を成しているものではないか。

小説に思想を盛ろうとしてただ公式的になる事をびくびくしている。凡(およ)そ思想というもの、理論というものの本来の性格に思い到る程、思想にも理論にも苦しんだ事がかつてない面々だから、びくびくするより外に手がないのだ。評論家は評論家で、弁証法という字は知っているが、弁証法とは真の逆説に他ならぬという事が納得が行く程、理論の精密に苦しんだ事がない、だから偶々(たまたま)精密な理論に出会うと逆説的だなどと罵(ののし)っている。ただ矛盾がない様にとびくびくしている。

私はルナンの逆説を、ここに再び繰返すまい。

年末感想

今年も押詰って、又批評家達が、一九三二年の文壇はああだったとか、こうだったとか、色々と他人のふところだけが心配みた様な文章を発表する時が来た。来年の事をいうと鬼が笑うという。では過ごした一年、何もかも明瞭だった積りなのか知らん。いずれにせよ年末を期として、文壇を眺めて回顧的になっても予言的になっても大して意味のある事だとは思えない。

成る程、今年は色々と世間のさわがしい年であった。敏感なジャアナリズムは、いわゆる反動的状勢なるものを丁寧になぞった。*ファッショ文学の出現、*プロレタリヤ文学の軟化、*芸術派文学の低迷等々——相変らずジャアナリズムの提出する文壇的問題は多様である。だが提出される文壇的問題が必ずしも真に文学的問題だとは限らない。そうだ、必ずしも限らない。この必ずしも限らないという点だけが一番大事だ。

ここの処の事情を明らかにする事の困難が、文芸時評家、月評家等の文章の多種多様な姿を生み出す。或る批評家は自ら確たる批評上の物指を持っていると信じているかもしれない、また或る批評家は何ものにも捕われない自由な立場から、ものを言っていると信じているかも知れない。だがとどのつまり、かれ等を一番無慈悲にこづき廻しているものは、かれ等がそれと気附いているにせよいないにせよ、如上の困難ではないのか、と私は屢々考える。時の流れという、われわれとは到底比較にならない批評家が、この困難を極めて徐々に殺して行く。かれは一体どういう武器を持っているのだろう。誰も知らぬ。

私は今、無選択に読んで来た今年発表された若干の創作や評論を心に浮べ、評判になったもので読まなかったものを速読して、幾分なりとも明瞭な文学的像を描こうと努めてみるのだが、どうしてもうまく行かない。漠然とした回想が何になろう。しかし、一九三二年の文芸作品について、極めて精密なプログラムを製作出来る人の回想が、果して明瞭なものなのだろうか、私は疑う。

例えば「*蘆刈」と「*寝園」とにどんな繋りがあるのか。「争う二つのもの」*と「青年」*との間にどんな繋りがあるのか。いわゆるプロレタリヤ派文学と芸術派文学とが異る如(ごと)く、まさしく、それぞれの同類作家は相似ているのか。成る程愚問といえば愚問であるが、精神が偏見を抱くまいとして一応は挨拶(あいさつ)すべき愚問である。

私は呆然(ぼうぜん)として眺めている。互に全く性質を異にした様々な衝動が、欲望が、感情が、思想が、独立して実現している様を。己れが生れた己れの種からも独立したげな顔をして実現している有様を。

若(も)し暫(しば)くの間でも、呆然と眺める事が許されるならば、これは又なんと厳酷な無秩序であろうか。

無秩序は当然秩序への希望を生む。だがこの希願をもった人が必ずしも無秩序を真に諒解(りょうかい)しているとは限らない。

*「夜明け前」が発表された当時、或る批評家がいった。こういう小説を今日一体誰が読むか、こういう小説に興味もなく、理解もない、全く違った思想と感情とに生きる新しい階級が、読者層が存在する事実をとくと見よ、と。「夜明け前」は今年も亦(また)悠々と続いた。そしてこの作品はどういう読者を獲得して行ったか。

私は徒(いたず)らにいわゆる反動的言辞を弄する積りはない。私はただ問題をもう少し注意深く眺めたいと思うのだ。若し今日の文学の一番強烈に反映しているものが、社会の秩序と無秩序の問題であるなら今日の文学は又当然、絶望と希願との織りなす迷路である。

批評家は、階級対立の激化をしきりと口にする。成る程これは動かす事の出来ぬ事実である。だがこの階級対立という言葉によって今日の文学を強引に理解しようとするのは誤りだ。事実を見給え。*ブルジョア文学と称する文学を、一体どういう種類の人間が読んでいるのか。プロレタリヤ文学といわれている文学は現実的にどういう種類の読者をもっているのか。重要なのは今日の文学の種類別けではない。現実の作品の持つ現実の読者である。

「すべての社会生活は本質上実践的である。理論を神秘主義に誘うすべての神秘は、その合理的な解明を、人間実践の中に且つこの実践の把握の中に見出す」――これは多くの人々によって引用される*「フォイエルバッハ論綱」中の言葉だ。理論家達は、この言葉を引用する為に知っている。だが世人は生活する為にこの言葉を会得している。不思議な事だ。惟うにすべての名言は、万人がわれ知らず心得ているまさしくその点を、その点のみを射抜いている。あんまり解りすぎているからこそ解り難い。この名言の持つ奇妙な性格がやがて名言が人なかを渡り歩く時に、あたりかまわず発散させる臭気の源をなす。

指導原理*という事が屢々(しばしば)語られる。誰々の批評には指導原理があるとかないとかいう。誰々の批評には洒落(しゃれ)があるとかないとかいう様にいう。聞いているとまるで鬚(ひげ)があるとかないとかいっている様に聞える。

例えば、前述のマルクスの言葉を、文芸批評の指導原理とするのは正しい。だがこの原理を原理とする文芸方法論が、どれ位当の原理を忘却した方法を説いているか。見本はいくらでもある。

大切なのは原理選択の問題ではない。選んだ原理の扱い方だ。器用に扱うか、不器用に扱うか。器用すぎる人は自分の器用を嘆くべきだし、無器用な人は――そんな人がいるかしらん。

正宗白鳥氏の「文壇人物評論*」、先日熟読して感服した。近頃の名著である。氏がどんなに親身になって他人の作品を読んでいるか。ここにこの本の魅力の源があり、氏の評論の最も驚くべき点がある。氏の理解力や教養も、無論並々ならぬものには相違なかろうが、それだけではこういう本は書けないのだ。

氏はいうまでもなく、今日の様に未だ文芸批評における客観的立場とか主観的立場とかという問題が激しく論じられなかった時から終始一貫、文学を文学の立場から、主観的に批評して来た人であった。そして今私達が読了して痛感するものは何んだ。文学の立場にたって、見事に文学の立場を追い抜いている光景ではないのか。主観的、客観的、そういう言葉は元来空言である。氏の批評に文学の指導的原理があるかないか、どこにもない、だがどこにでも見附かる。

「人間が理想を摑むのじゃない。理想が人間を摑むのだ」とシラアがいったそうだ。この逆説は正しいのである。全く同じ事をドストエフスキイがいっている。「確かに理想を捕えるのは人間だが、理想は常に人間より現実的だ」と。

この理想という言葉に指導原理という言葉を置き代えてみるとよい。同じ事だ。何故に人間の捕えた理想は空しいのか。それは単なる人間精神上の戯れだからだ。何故に人間を捕えた理想は現実的なのか。自然の理法は常に人間精神より沈著だからだ。

だが、誰が知ろう、お前の理想は捕えた理想か、捕えられた理想か。

今年の論壇で、*心理主義、*理智主義の小説論が活潑に論じられた。併し大多数のものが単なる凡庸な方法論であった。初期のプロレタリヤ文芸理論が空疎な方法論に過ぎなかったように。前者は原理を捕えてさえいなかった。後者は原理を捕えたに過ぎなかった。真に有益な方法論は、どこを切っても血がにじむように原理がにじまねばならぬ。

人々は大多数の方法論の実益のない事を本能的には知っている。が、実益のない方法論が必ず有害である事はあんまり気にしないものである。前の事情に比べて後の事情の方が遥かに錯雑しているからだ。

有害をおそれて何処に人間の進歩があるか。この言葉は正しい、最高級の意味に使われて初めて正しい。しかしこの言葉は一般には常識の最大弱点を暗示している。

批評家が社会的という言葉と人間的という言葉をやたらに対立させて使いたがる。この作品の人間は自然主義小説流には人間的に描けているが社会的契機をもった真の人間として描かれていない、いかん、という。馬鹿げた言葉の戯れである。バルザックの小説の一体どこに*フォイエルバッハ的人間が登場したか。いや*徳田秋声の小説のどこに、*田山花袋の小説のどこに。社会的人間と人間的人間を書き分ける奇術は、古往今来、どんな名作家の手でも出来なかった。
マルクスは明瞭に且つ繊細に語っている。
「人間は文字通りの政治的動物だ。単に社交的動物であるのみならず、社会においてのみ個別化され得る動物だ」と。社会においてのみという主辞に重点を置いて一つの表現が成り立つ。個別化され得るという賓辞に重点を置いて又別の表現が成り立つ。

社会的立場から小説を読んで、左翼であるか右翼であるかばかりしか見えぬならば、読まぬ方がましである。文学的立場から小説を読んで心理派か理智派かと心配になるようなら、読むだけ無益である。

どんな立場から文学を眺めようが、立場を意識しなければものがいえない以上、眼前には依然たる文学という仮面だけがある。重要な事は、立場を捨てる事だ。捨て切れた時、はじめて理想が人を捕えるであろう。そして確かに理想に捕えられるものは人間ならば、人間を捕えた理想は、各人の独創となって現れる筈ではないか。

親身になって他人の作品を読む、平凡な事に相違ない。だが不都合な事には、私達は今平凡な事が平凡に語られるような健康な時期に生きていない。平凡が稀有であるという事こそ驚くべき現代の特徴である。

一般経済の危機、政治の危機を眺めて、これらと同列になぜ精神の危機を置いてみないのか。今日の社会の物的混乱が殆(ほとん)ど怪物的な姿をしているならば、物質のうちで最も傷つき易(やす)い精神の姿は一層怪物的な姿に見える筈ではないか。

成る程精神の錯乱は社会の物的錯乱の反映に過ぎぬ。己れの受けた痛手を己れの眼で見ようとする今日の精神の逼迫(ひっぱく)も、外的事象の逼迫の反映に過ぎまい。だが精神は依然として物質と呼ぶには余りに精神的な或るものであり、事実と称するにはちと精妙すぎる事実である。精神の生み出す思想は、刻々に変化する。だが精神の*原理的位相は変りはせぬ。

外的無秩序を改変しようとする人間の希望を尊敬しよう。又この希望に色どられた精神を透して外的無秩序を点検する人達を尊敬しよう。だがこの仕事は必ずしも文学者の手を要しない。だが、精神を精神でじかに眺める事、いかなる方法の助力も借りずに、精神の傷の深浅を測定する事、現に独創的に生きている精神で、精神の様々な姿を点検する事、一言でいえば最も現実的な精神の科学、この仕事を文学にたずさわる人々がやらないで誰がやるか。

注解

断片十二

一一 ＊高等学校　旧制の高等学校。明治二七年（一八九四）に設けられ、中学修了の男子に三年間の高等普通教育を授けた。在学年齢は通常一七〜二〇歳。

一二 ＊エレメント element（英）要素。

＊十返舎一九　江戸後期の戯作者。明和二〜天保二年（一七六五〜一八三一）。作品に「東海道中膝栗毛」など。

＊浪六　村上浪六。小説家。慶応元年（一八六五）和泉の国、堺生れ。町奴を主人公とする「撥鬢（ばちびん）小説」を多く書き、大衆文学の先駆をなした。昭和一九年（一九四四）没。

＊フローベル Gustave Flaubert　フランスの小説家。一八二一〜八〇年。フロベール。引用の言葉は一八五〇年一〇月六日付、父方の親戚フランソワ・パラン宛書簡に見える。

＊ボヴァリー夫人 Madame Bovary　フロベールの小説。ノルマンディ地方の田舎医者シャルル・ボヴァリーの妻エンマが、退屈な生活からの脱出を夢見るあまり不倫に走り、借金に追いつめられて自殺する。

＊微苦笑芸術「微苦笑」は久米正雄の造語。久米はこの年、大正一三年（一九二四）二月、新潮社から「微苦笑芸術」を刊行し、その〈小序〉に「微苦笑」は「微笑にして同

時に苦笑」の意であり、自分の「生活及芸術上の一種の態度である」と記している。

一三　＊久米正雄　小説家。明治二四年（一八九一）長野県生れ。この年三三歳。作品に「破船」など。昭和二七年（一九五二）没。

＊Idea　英語で「内包されている観念」の意。

＊志賀直哉　小説家。明治一六年宮城県生れ。この年四一歳。当時の作品に「城の崎にて」「和解」「暗夜行路」など。昭和四六年没。

＊広津氏　広津和郎。小説家。明治二四年東京生れ。大正八年四月、『新潮』に「志賀直哉論」を発表した。昭和四三年没。

＊菊池氏　菊池寛。小説家、劇作家。明治二一年香川県生れ。大正七年一一月、『文章世界』に「志賀直哉氏の作品」を発表した。昭和二三年没。

＊Erotic な　英語で、官能的な、の意。

一四　＊芥川氏　芥川龍之介。小説家。明治二五年東京生れ。昭和二年没。

＊イプセン　Henrik Ibsen　ノルウェーの劇作家。一八二八〜一九〇六年。

＊人形の家　Et dukkehjem　イプセンの戯曲。一八七九年発表。弁護士ヘルメルの妻ノーラは、偽善的な夫を批判し、人形のようにではなく人間として生きたいと言って家を去る。

＊ランク　「人形の家」の登場人物。ヘルメルの友人。生れつきの難病を背負い、死の影と闘っている。

＊ペーア・ギント　Peer Gynt　イプセンの劇詩。ペール・ギュント。世界各地で冒険旅

行を続けるペールが、最後は無一文になって故国へ帰り、彼を待ち続けた恋人の胸に抱かれる。

＊Meditative な　英語で、瞑想的な、の意。

＊人民の敵　En folkefiende　イプセンの戯曲。一八八三年発表。鉱泉保養地の医師ストックマンが、鉱泉の汚染の公表を押さえようとする町の人々と戦う。

＊中学生　「中学」は明治三二年（一八九九）に制定された旧制の中学校。小学校を卒業した男子に五年間の高等普通教育を施した。一般的には一二～一七歳が在学年齢。

一五

＊戦争と平和　Voina i mir　トルストイの小説。一八六九年完成。一八〇五年から一二年にいたるナポレオン戦争下のロシアとロシア人の運命を描く。

＊ピエール　「戦争と平和」の主人公の一人。

＊独歩　国木田独歩。詩人、小説家。明治四～四一年。作品に「武蔵野」「牛肉と馬鈴薯」など。

＊ヘリオトロープ　heliotrope（英）　ムラサキ科の多年草ヘリオトロープの花を原料とする香水。独歩は香水を愛好した。

＊三拝九拝　何度も頭を下げて敬意を表すること。

＊フィリスティン　Philistin（英）　俗物。

＊欧洲の大戦　第一次世界大戦。一九一四～一八年。

＊ベネット　Enoch Arnold Bennett　イギリスの小説家。一八六七年生れ。作品に「老妻物語」など。一九三一年没。

＊コンラッド　Joseph Conrad　ポーランド生れのイギリスの小説家。一八五七年生れ。作品に「内通者」「西欧の眼の下に」など。一九二四年没。
＊ハーデー　Thomas Hardy　イギリスの小説家、詩人。一八四〇年生れ。作品に「帰郷」「カスタブリッジの町長」など。一九二八年没。

一六
＊茶番　茶番狂言。素人が即興で行う滑稽な寸劇。
＊閑人　広津和郎が、大正一三年（一九二四）四月、『改造』に発表した小説。
＊チェホフ　Anton Pavlovich Chekhov　ロシアの小説家、劇作家。一八六〇～一九〇四年。言及の言葉は、一八九九年一月三日付のゴーリキー宛書簡に見える。小説に「可愛い女」「犬を連れた奥さん」、戯曲に「かもめ」「三人姉妹」「桜の園」など。
＊ボードレル　Charles Baudelaire　フランスの詩人。一八二一～六七年。ボードレール。引用は散文詩集「パリの憂鬱」の中の「芸術家の告白祈禱」から。
＊デカダン　décadent（仏）頽廃的な、の意の形容詞。あるいは名詞「デカダンス」décadence（頽廃）の略語。

一七
＊横光利一　小説家。明治三一年（一八九八）福島県生れ。この年、大正一三年（一九二四）二六歳。一〇月、川端康成らと『文芸時代』を創刊し、新感覚派運動を展開する。当時の作品に「日輪」「蠅」など。昭和二二年（一九四七）没。
＊赤い色　横光利一が大正一三年六月、『文藝春秋』に発表した小説。田舎宿の息子、灸が、泊り客の赤い着物の娘と遊んでいるうち、階段から落ちて死ぬ。後に「赤い着物」と改題。

＊モーパッサン　Guy de Maupassant　フランスの自然主義（四五三頁）の小説家。一八五〇〜九三年。作品に「脂肪の塊」「女の一生」など。

＊傀儡　あやつり人形。

＊宇野浩二　小説家。明治二四年（一八九一）福岡県生れ。作品に「蔵の中」「苦の世界」など。独特のユーモア文学を確立した。昭和三六年（一九六一）没。

＊兄弟　宇野浩二が大正九年四月、『改造』に発表した小説。

佐藤春夫のヂレンマ

一八　＊おれもそう思う　佐藤春夫の小説「F・O・U」の別題。大正一五（一九二六）年一月、『中央公論』に発表された。

＊アンドレ・サルモン　André Salmon　フランスの詩人、美術批評家。一八八一年生れ。一九六九年没。

＊アイロニイ　irony（英）　皮肉、当てこすり、反語。

＊ポオ　Edgar Allan Poe　アメリカの詩人、小説家。一八〇九〜四九年。詩に「大鴉」「鐘」、散文詩による宇宙論に「ユリイカ」など。これらはフランスの象徴詩に影響を及ぼし、また小説「モルグ街の殺人」「黄金虫」などで推理小説の祖となった。

＊大鴉　The Raven　一八四五年に発表されたポーの詩。

＊黒猫　The Black Cat　一八四三年に発表されたポーの短篇小説。

一九　＊佐藤春夫　詩人、小説家。明治二五年（一八九二）和歌山県生れ。この年三四歳。詩集

に「殉情詩集」、小説に「田園の憂鬱」「都会の憂鬱」などがあった。昭和三九年（一九六四）没。

＊お絹とその兄弟　佐藤春夫の小説。大正七年（一九一八）執筆。主人公の「私」が、村の桶屋の妻お絹の辛苦に満ちた半生を聞き書きする。

＊ミューズ　Muse（仏）ギリシャ神話で、人間の知的活動をつかさどる女神（ムーサ）たち。現在は詩や音楽の神とされる。

＊FOU　fou はフランス語で「狂人」「愚か者」「道化」などの意。

＊ジュウル・ラフォルグ　Jules Laforgue　フランスの詩人。一八六〇〜八七年。自由詩の創始者の一人。詩集に「なげきうた」「聖母なる月のまねび」など。

＊アンリ・ルソオ　Henri Rousseau　フランスの画家。一八四四〜一九一〇年。素朴派絵画の代表者の一人。

＊ボオドレエル　Charles Baudelaire　フランスの詩人。一八二一〜六七年。一八五七年に刊行された詩集「悪の華」の一篇に「信天翁」がある。本書四四頁『悪の華』一面参照。

二〇＊シモンズ　Arthur William Symons　イギリスの批評家。一八六五年生れ。一九四五年没。

＊ハムレット　Hamlet　本来はイギリスの劇作家シェイクスピアの戯曲「ハムレット」の主人公。ここはラフォルグ「伝説寓意」（一八八七）所収のパロディ「ハムレット」の主人公。

＊美しき町　大正八年（一九一九）に執筆された佐藤春夫の小説。ただしここはその小説の題をふまえて比喩的にいっている。

性格の奇蹟

二二　＊イリュージョン　illusion（英）幻想、錯覚。ここは、小説家がある現実に接して、眼の前の現実とは別種の現実感、真実感を感じとることをいう。

＊アンナ・カレニナ　Anna Karenina　ロシアの小説家トルストイ（一八二八〜一九一〇）の小説。一八七五〜七八年刊。社会の因襲に抗い、道ならぬ恋に走るが、結局は鉄道自殺を選ぶしかなかった貴族の女性の悲劇を描く。

＊狂人日記　Zapiski sumasshedshego　ロシアの小説家ゴーゴリが、一八三五年に発表した文集「アラベスキ」中の一篇。

二三　＊ブールヂェ　Paul Bourget　フランスの小説家。一八五二年生れ。作品に「弟子」「宿駅」など。一九三五年没。

＊カルメン　Carmen　フランスの小説家メリメが、一八四五年に発表した小説。舞台はスペイン、主人公のカルメンは、野性的、情熱的に行動する、漂泊の民ロマの奔放な女性。

＊ドストエフスキー　Fyodor Mikhailovich Dostoevskii　ロシアの小説家。一八二一〜八一年。作品に「罪と罰」「白痴」「悪霊」「カラマーゾフの兄弟」など。

＊世間では…　この言葉は、一八八〇年末と推定される「手帖」に記されている。

*主観派　ここでは、一般に実証主義的心理学の影響を受けた心理小説作家群をさす。ブールジェらがその代表。

*新感覚派　大正末期から昭和初期に興った文学の一流派。横光利一、川端康成ら同人雑誌『文芸時代』に拠った小説家たちの主要な傾向から生れた呼称。硬質の文体、斬新な比喩、鋭敏な時代意識などを特徴とした。

*六号室　Palata No.6　チェーホフの中篇小説。一八九二年発表。精神科医ラーギンは、患者との議論に熱中するうち周囲から狂人扱いをうけ、門番に殴られた翌日、卒中で死ぬ。

*メーテルリンク　Maurice Maeterlinck　ベルギーのフランス語詩人、劇作家。一八六二年生れ。詩集に「温室」、戯曲に「青い鳥」など。一九四九年没。

*ドン・キホーテ　セルバンテスの小説「才知あふれる郷士ドン・キホーテ・デ・ラ・マンチャ」El ingenioso hidalgo Don Quijote de la Mancha（前篇は一六〇五年、後篇は一六一五年刊）の主人公。騎士道物語を読み耽ったあげく狂気にとらわれ、自ら遍歴の旅に出た老郷士。

二四

*リジア　ポー（四四三頁参照）の小説「リジイア」で語られる才色兼備の女性。

*ストリンドベルヒ　Johan August Strindberg　スウェーデンの劇作家、小説家。一八四九〜一九一二年。ストリンドベルィ。小説に「赤い部屋」、戯曲に「令嬢ジュリー」「死の舞踏」など。

*ラネーフスカヤ夫人　チェーホフの戯曲「桜の園」の登場人物。女地主。

二五 ＊エドガー ストリンドベルィの戯曲「死の舞踏」の登場人物。要塞砲兵大尉。

＊賽の河原 冥途にあるとされる三途の河原のこと。幼い亡者がここで石を積んで父母供養のために塔を造ろうとするが、いくら積んでも鬼が来て壊してしまう。しかし最後は地蔵菩薩が救うという。ただしここでは比喩として用いられている。

＊ストリンドベルヒは… ストリンドベルィは、晩年、従来の無神論と自然主義の立場からキリスト教を信じる立場に変わり、「世界史劇三部作」として「モーセ」「ソクラテス」「キリスト」などの歴史劇を書いた。

＊本格小説 客観的・三人称的に社会的現実や人間の生活を描く小説、の意。大正一三年（一九二四）一月、心境小説の盛行に抗して中村武羅夫が用いた造語。中村武羅夫は編集者、小説家、評論家。明治一九年（一八八六）北海道生れ。明治末から大正初頭にかけて文芸雑誌『新潮』編集の中心となった。小説に「人生」「地霊」、評論に「誰だ？花園を荒す者は！」など。昭和二四年（一九四九）没。

＊心境小説 作者が自分自身の生活に即し、主観的・一人称的にその心境を描写した小説、の意。久米正雄（四四〇頁参照）の造語と言われ、中村武羅夫の本格小説本道論に対して大正一四年一、二月、久米正雄は心境小説本道論を唱えて反駁した。

測鉛 I

二六 ＊測鉛 水深を測る器具。綱の先に鉛がついている。

＊懐疑派 客観的真理を認識することの可能性を疑い、「判断保留」を主張する立場の人。

＊ポール　Paul「新約聖書」に記されているパウロ（一〇頃〜六五頃）のこと。初め、熱心なユダヤ教徒としてキリスト教徒を迫害していたが、ダマスカスへの途上、天からのイエスの呼び掛けを聴いて回心し、以後、原始キリスト教団の最大の伝道者となった。
＊ダマス　Damas（仏）　ダマスカス。

測鉛Ⅱ

二八　＊ラヂオの時代　大正一四年（一九二五）三月、社団法人東京放送局（現ＮＨＫ）がラジオの放送を試験的に開始し、七月から本放送を行った。聴取契約は、放送開始当時、約三千五百、大正一五年には三三万八千だった。
＊不二家　洋菓子店。明治四三年（一九一〇）開業。日本で最初にシュークリームやエクレアなどを販売、大正一二年には銀座に進出した。

二九　＊階級意識　自分が属する社会階級の地位・役割・使命などの自覚。ここは特にマルクス主義におけるプロレタリア（労働者階級）の階級意識をいっている。
＊サント・ブーヴ　Charles-Augustin Sainte-Beuve　フランスの詩人、批評家。一八〇四〜六九年。近代批評の創始者。著作に「文学的肖像」「ポール・ロワイヤル」「月曜閑談」など。
＊批評家とは精神の…　サント・ブーヴ「覚書と感想」（「月曜閑談」第一一巻所収）中の〈批評と批評家について〉に出る。「植物学者」は、原文では naturaliste。
＊奇葩　珍しい花。

＊テーヌ　Hippolyte Taine　フランスの哲学者、批評家。一八二八〜九三年。フランスの実証主義を代表し、近代の科学的文学研究、文学史研究の創始に寄与した。著作に「イギリス文学史」「芸術哲学」など。

＊翹望　待望。

＊印象批評　作品評価にあたって科学的・客観的基準を斥け、評者の直観・印象に依拠して対象の本質に迫ろうとする批評。

＊文芸往来　菊池寛の最初の評論随筆集。大正九年（一九二〇）六月刊。言及の文は〈印象批評の弊〉。

三〇

＊アナトール・フランス　Anatole France　フランスの小説家、批評家。一八四四〜一九二四年。

＊La Vie littéraire　「文学生活」。アナトール・フランスの文芸時評集（四巻、後に追補一巻）。

＊ゾラ　Emile Zola　フランスの小説家。一八四〇〜一九〇二年。自然主義の代表的作家。作品に「居酒屋」「ナナ」など。

＊エピキュリアン　epicurien（仏）　エピクロス主義者の意。快楽主義者。「エピクロス」は、前四〜前三世紀の古代ギリシャの哲学者。人生の目的を快楽の実現とし、最高の快楽は心の平静さ（アタラクシア）にあると説いた。

＊準度　critérium（仏）　基準。

＊ベルグソン　Henri Bergson　フランスの哲学者。一八五九年生れ。ベルクソン。近代

の自然科学的世界観を批判し、人間の生は宇宙の創造的活動の産物であり、それは直観によってのみ捉えられるとする直観主義を説いた。著作に「物質と記憶」「創造的進化」など。一九四一年没。

三一 ＊普遍性というものは…　ベルグソン「笑い」〈第三章 性格のおかしみ〉から。

＊ロダン Auguste Rodin　フランスの彫刻家。一八四〇〜一九一七年。

三二 ＊室生犀星　詩人、小説家。明治二二年（一八八九）金沢生れ。この年三八歳。詩集に「愛の詩集」「抒情小曲集」、小説に「幼年時代」「性に眼覚める頃」など。昭和三七年（一九六二）没。

＊枯野抄　芥川龍之介の短篇小説。大正七年（一九一八）発表。臨終の松尾芭蕉を取り囲む弟子たちの心情を描く。

＊トロッコ　芥川龍之介の短篇小説。大正一一年（一九二二）発表。面白半分に鉄道工事用のトロッコに乗せてもらった良平は、途中で「暗くなるから帰れ」と言われ、自分の村まで駆け続ける。

＊頓首　中国古来の拝礼の一つで、頭を地面に打ちつけて敬意を表すこと。ここでは「完全に頭をさげている」くらいの意。

＊いずれ書きたいと…　著者は翌月、『大調和』に「芥川龍之介の美神と宿命」（三七頁参照）を発表する。

三三 ＊河童　芥川龍之介の短篇小説。昭和二年（一九二七）発表。空想の動物、河童の国の出来事の描写を通して現代社会を風刺する。

＊主調低音　「主調」は音楽用語で、ひとつの楽曲全体を通して根本となる調性。「交響曲第五番ハ短調」とあれば「ハ短調」がそれにあたる。また音楽用語には低音の弦楽器などによって持続的に低音部が奏される意の「通奏低音」があり、著者はこの「主調」と「低音」を組合せ、人生にしても芸術にしても、物事は当事者ですら確とは認識できない力によって動かされていると見てこの力を「主調」と言い、その「主調」は表立って聞えることもあるが多くは聞えるか聞えないかであるという意味で「低音」と言っている。

＊葉緑素的機能　「葉緑素」は、植物の細胞内の葉緑体にある緑色の色素。自然界に存在する水と二酸化炭素から、光のエネルギーを利用して生命の維持に必要な有機物の栄養素を作り出す。

＊サンチョ・パンザ　小説「ドン・キホーテ」(四四六頁参照)の登場人物。主人ドン・キホーテへの愛情と報酬への欲心から、灰色のろばに乗って主人とともに旅に出る農民。

＊紛失した驢馬に乗って…　「ドン・キホーテ」の初版では、第二三章でろばが盗まれたままなのに、第二五章の冒頭で、サンチョが「ろばと一緒に」と誤って書かれていたことに基づく。

三四　＊玉屋　玉突屋。ビリヤードをさせる遊技場のこと。

＊クレオパトラ　Cleopatra　古代エジプトの女王。ただしここはシェイクスピアの戯曲「アントニーとクレオパトラ」のクレオパトラ。第二幕に彼女が玉突きで遊ぶ場面がある。

＊丸ビル　「丸の内ビルディング」の略称。この年からは四年前、大正一二年に竣工し、東京・丸の内が日本最大のビジネス街として発展していく時代の象徴的存在となった。現在の丸ビルの前身。

＊隣の疝気を頭痛に病む　自分に関係のないことを心配するたとえ。「疝気」は漢方医学で腰腹部の疼痛を総称していう。

三五

＊中里介山　小説家。明治一八年（一八八五）東京生れ。昭和一九年（一九四四）没。

＊大菩薩峠　中里介山の長篇小説。幕末を舞台に、盲目となった剣客机龍之助が活躍する。大衆文学の先駆とよばれるが、介山自身は仏教思想を根幹とした大乗小説であるとしていた。

＊新潮社の世界文学全集　新潮社が昭和二〜七年に出版した。全三八巻。

＊ヴィクトル・ユーゴー　Victor Hugo　フランスの詩人、小説家、劇作家。一八〇二〜八五年。ユゴー。フランス文学史上屈指の詩人とされ、抒情詩集に「静観詩集」、叙事詩集に「諸世紀の伝説」がある。小説には「レ・ミゼラブル」、戯曲には「エルナニ」など。

＊ペリクレス時代　「ペリクレス」Perikles は古代ギリシャの都市国家アテナイの将軍、政治家。前五世紀半ばに文化上の黄金時代を築いた。

＊デモステネス　Demosthenes　前四世紀のアテナイの政治家、雄弁家。

＊ルイ十四世　Louis XIV　フランスの国王。在位一六四三〜一七一五年。絶対王政の頂点を築いた。

＊ラシイヌ　Jean Racine　フランスの劇詩人。一六三九〜九九年。コルネイユ、モリエールとともにフランス古典劇を代表する。作品に「アンドロマック」「フェードル」など。

＊アンドレ・ジッド　André Gide　フランスの小説家、評論家。一八六九年生れ。一九五一年没。

＊芸術家に偽善を…　ジイドの評論集「続プレテクスト」（一九一一）所収の講演〈公衆の重要性について〉から。

芥川龍之介の美神と宿命

三七　＊芥川龍之介　小説家。明治二五年（一八九二）東京生れ。大正五年（一九一六）、「鼻」が夏目漱石に激賞され文壇に登場。他に「羅生門」「地獄変」「河童」「歯車」「或阿呆の一生」など。この年、昭和二年（一九二七）七月二四日、自殺した。

＊ロマンティスム　romantisme（仏）浪漫主義。本来はフランス大革命以降の一八世紀末から一九世紀初めまで、ヨーロッパで展開された芸術上の思潮・運動。古典主義・合理主義に抗し、自然・感情・空想・個性・自由の価値を主張した。文学ではルソー、ゲーテらを先駆とし、バイロン、スタンダール、ユゴーなどに代表される。日本では明治二〇年代、北村透谷・島崎藤村らに始まり、与謝野鉄幹・晶子らによって全盛となった。

＊自然主義　一九世紀後半、フランスを中心として興った文芸思潮・運動。自然科学の成果と実証主義に則り、自然的・社会的環境下にある人間の現実を客観的に描こうとした。

ゾラ、モーパッサンなどがその代表。日本では明治の末期、島崎藤村、田山花袋らを先駆として興隆、日本独自の自己表現形式となって文壇の主流を占めたが、多くは自らの私生活に基づく告白小説の形をとった。本書二九九〜三〇一頁に著者自身の詳論がある。

三八　＊畢竟　つまるところ。結局。

＊僕は　芥川龍之介の短篇小説。昭和二年発表。

＊鼻　芥川龍之介の短篇小説。大正五年発表。僧侶内供は顎の下まである長大な鼻に悩み、中国伝来の法を試みてそれを短くすることに成功するが…。

＊逆説的心理　「逆説」は、通常一般に認められている説に反しながら、しかしなおその中にある種の真理を含むと思われる説、あるいは事象。また「急がば回れ」「負けるが勝ち」など、一見矛盾のように見えるが見方を変えれば真理と認められる説、あるいは事象。

＊羸痩　やせ衰えていること。

三九　＊心の貧しきものは幸いなり　「新約聖書」〈マタイによる福音書〉五章三節にあるイエスの言葉。「山上の垂訓」の第一。

＊循環論　循環論法。結論として導き出すべき事柄が、先に前提となって展開される議論をいうが、ここでは「堂々巡り」というほどの意。

四〇　＊螺階的　「螺階」は螺旋階段。

＊羸弱　ひよわであること。疲れ弱ること。

＊今私に唯一つ…　一八三八年八月九日付、ドストエフスキー（一六歳）の、兄ミハイル

への手紙にある。

*笞刑　笞(むち)で罪人の身体を打つ刑。

*或日の大石内蔵助　芥川龍之介の短篇小説。大正六年（一九一七）発表。吉良邸討入りの後、細川家預かりとなった大石内蔵助のある日の心情の推移を描く。

*お富の貞操　芥川龍之介の短篇小説。大正一一年発表。上野の彰義隊攻撃の前日、店に主人の猫を取りに戻った女中のお富は、顔見知りの乞食に襲われそうになる。

*ヴェルレェン　Paul Verlaine　フランスの詩人。一八四四〜九六年。ヴェルレーヌ。詩集に「艶なるうたげ」「言葉なき恋歌」「叡知」など。

*ラムボオ　Jean Nicolas Arthur Rimbaud　フランスの詩人。一八五四〜九一年。ランボー。

四一

*彼　芥川龍之介の短篇小説。昭和二年発表。

*可見世界　視覚などの感覚で捉えられる現実の世界。

*彼にとって人生とは…「函数」は関数。本来は数学用語。一方が決まれば、他方が確定するような関係をいう。ここでは、芥川は、自身の神経というきわめて限られた尺度によって人生を解釈していた、というほどの意。

*微分　本来は数学用語。「微分する」は、ある関数について、極端に短い区間ないし時間における変化の状態を分析することをいう。ここでは、芥川は、自分の神経に即した観点からのみ人生を捉えた、の意。

*一塊の土　芥川龍之介の短篇小説。大正一三年発表。息子を亡くしたお住と、働き者の

嫁お民との長年にわたる微妙な確執、やがてそれはお民の突然の死によって終るが……。

四二　＊サン・バッド　シンドバッド。「アラビアン・ナイト」（千一夜物語）に登場する船乗り。七つの不思議な冒険に満ちた航海をする。

＊一盲人　「アラビアン・ナイト」に、修行者と財宝をめぐってかけひきをするうち盲目となり、強欲を悔いるらくだ曳きが登場する。

＊観念学　ここでは、人間の生き方の根底となる、世界や人生についての首尾一貫した考察、考究、の意。ちなみに、哲学・思想分野で一般に用いられる「観念学」は、もとは観念の形成過程を研究する科学をさしていうフランス語「イデオロジー」idéologie の訳語であったが、マルクス主義の普及以後は、自分の属する社会階級の考え方に規定された意識のあり方をさすドイツ語「イデオロギー」Ideologie の訳語として今日の訳語「観念形態」が定着するまで一部で用いられた。

四三　＊眩暈　めまい。

＊彷徨　さまようこと。

＊抒情詩　作者自身の感情や情緒を主観的に表現する韻文。

「悪の華」一面

四四　＊シャルル・ボオドレエル　Charles Baudelaire　フランスの詩人。一八二一〜六七年。

＊連禱　litanie（仏）カトリック教会などでの祈禱形式の一つ。ここは百五十余の詩を秩序立てて配列した「悪の華」を連禱に見立てている。

＊Les Fleurs du Mal「悪の華」。ボードレールの詩集。一八五七年、初版刊行。

＊無稽　根拠のないこと。

＊毫末　ほんの少し。

＊浪漫派　romantisme（仏）の訳語。四五三頁「ロマンティスム」参照。

＊象徴派　symbolisme（仏）の訳語。一九世紀後半、フランスに興った文学思潮・運動。後項「象徴」四五八頁参照。

四五

＊オランダ紙　hollande（仏）　特装本などに用いる、すの目入りの上質紙。

＊ダンディスム　dandysme（仏）　男性の身だしなみ。一八世紀後半にイギリス社交界に出現し、ボードレールらによって、他者と違うということをはっきり見せる一つの生き方として、一九世紀ヨーロッパの知識階級の一部に広まった。

＊カソリシスム　catholicisme（仏）　ローマ・カトリック系のキリスト教。カトリシスム。

＊エキゾティスム　exotisme（仏）　異国情緒。黒人との混血女性ジャンヌ・デュヴァルとの縁がきっかけとなり、ボードレールは異国情緒あふれる詩篇を数多く書いた。

＊サバティエ　Apollonie Sabatier　パリでサロンを開いていた女性。一八二二〜八九年。ボードレールと一時期の恋人関係を含む交流があった。

＊ブラッセル　Bruxelles　ベルギーの首都。ブリュッセル。

＊タヴェルヌ・ロワイヤル　Taverne Royale　ブリュッセルの料理店。

＊ヴァレリイ　Paul Varéry　フランスの詩人、思想家。一八七一年生れ。詩篇に「若きパルク」、詩集に「魅惑」、評論に「ヴァリエテ」など。一九四五年没。引用の言葉はそ

の著「レオナルド・ダ・ヴィンチの方法序説」に後年付加された「覚書と余談」から。

四六 *孱弱 ひよわなこと。かよわ。
*創痍 刃物などで受けた傷。
*Je suis… 俺は 自分の心臓の吸血鬼、／——永遠の笑いの刑に処せられて、／しかも微笑することも最早出来ない／あの偉大な見棄てられた人たちの中の一人だ。（鈴木信太郎訳）「悪の華」の〈我とわが身を罰する者 L'Héautontimorouménos〉の最終節。

四七 *由来 もともと、元来。
*イ立 立ちつくす、立ちはだかる。
*オオトマティスム automatisme（仏） 自動運動、自動性の意。機械や生物の自動作用や反射的運動を指す。
*象徴 symbole（仏） 通常の語義としては、眼に見えない事柄や簡単に表現できない物事、神秘に属することまでをも、それを連想させる別の形あるもので表わすこと、また、その表わされたもの。「象徴」は明治の思想家、中江兆民による訳語。なお後年、著者は「様々なる意匠」（新潮文庫『Xへの手紙・私小説論』一二九頁）において、より詳しく論及する。

四八 *La Nature est… 自然は神の宮にして、生ある柱／時おりに捉えがたなき言葉を洩らす。／人、象徴の森を経て 此処を過ぎ行き、／森、なつかしき眼相(まなざし)に人を眺む。（鈴木信太郎訳）「悪の華」の〈交感 Correspondances〉の第一節。

四九 *湮滅 あとかたなく隠し消してしまうこと。

*象徴の森　四八頁に引用された「悪の華」の〈交感 Correspondances〉第一節中の詩句「des forêts de symboles」の訳語。

*游弋　本来は、警戒のために艦船が海上を往復して待機する意。

五〇　*燿眩　輝きに目がくらむさま。「燿」はかがやく、てりはえる。「眩」は目がくらむ、目まいがする。

*不可知　知り得ないこと。わからないこと。

*契点　きっかけとなる点。

五二　*実在論的夢　「実在論」は、意識を超えて独立し、客観的に存在するものを認める哲学上の立場をいう語。理念を実在とする観念論、物質を実在とする唯物論など。

*神速　人間わざを超えるほどに速いさま。

*イリュミナシオン　Les Illuminations　ランボーの詩集。一八八六年刊。「飾画」「着色版画集」などと訳される。

五三　*Je t'adore…　夜の大空と同じように　お前を俺は熱愛する、／おお　悲しみを盛る器、丈(せ)の高い無言の女よ、／お前が俺から逃げようとすればするほど、美女よ、お前を／愛するし、俺の腕と　青空の無限とを　分離している／隔りを　皮肉に　尚更積み上げるように見えれば見えるほど、／夜な夜なのわが装飾よ、お前を一層俺は愛する。（鈴木信太郎訳）

*Je m'avance…　死屍(しかばね)を追う蛆虫(うじむし)の群が　音高く這うように、／俺は　進んで攻撃し、攀(よ)じては襲う。／おお　和らげることの出来ない残虐な獣(けだもの)よ、俺はその／冷酷さえも愛

するし、冷酷だからいよいよお前が美しい。（鈴木信太郎訳）以上、「悪の華」の中の無題の詩。その全文が引かれている。

五四　＊おお吾が心の生と死よ！「悪の華」の〈香水の壜 Le Flacon〉最終節中の一句。

＊街衢　まち、ちまた。

＊轍　道に残る車輪の跡。

五五　＊定命　前世の業によって定まっている寿命。

＊鋪石　道路に敷かれた石。あるいは石畳。

五六　＊寂滅　すべての迷いや悩みを離れた静かな境地。また死や消滅。本来は仏教用語でサンスクリット語「ニルヴァーナ」（涅槃）の漢訳。

＊見神　神の本体を感知する体験。

＊蓋し　思うに、恐らく。

五七　＊縄戯　綱渡り。

＊賽の一擲…　マラルメの長詩「骰子一擲」を構成する一文。

＊マラルメ　Stéphane Mallarmé　フランスの象徴派の詩人。一八四二〜九八年。長詩「エロディアード」「半獣神の午後」、論集「ディヴァガション」、哲学的物語「イジテュール」（未完）など。

＊儀型　模範、手本。

五八　＊枯凋　かれる、ひからびる。

アシルと亀の子 I

五九　＊アシルと亀の子　標題は、古代ギリシャの哲学者エレアのゼノンの、駿足のアキレウスも先に出発した亀には決して追いつけないという逆理に由来する。アキレウスはギリシャ神話の英雄、ラテン語ではアキレス。「アシル」Achille はそのフランス語形。なお本書一三三頁「文学は絵空ごとか」参照。

＊川端康成　小説家。明治三二年（一八九九）大阪府生れ。この年三一歳。大正一三年（一九二四）一〇月創刊の『文芸時代』に拠って新感覚派の運動を展開。大正一五年に「伊豆の踊子」、昭和四〜五年（一九二九〜三〇）に「浅草紅団」を発表していた。昭和四七年没。

＊アヂ・プロ的要求　「アジ・プロ」は煽動と宣伝。agitation（英）と Propaganda（独）の略語。社会主義運動で、大衆に思想を理解・共感させ、運動に巻き込むための活動をいう。

＊唯物弁証法的視野　「唯物弁証法」はマルクス主義の弁証法。その世界観の根底となる哲学学説。四六四頁「近代唯物弁証法」参照。

＊文壇的ヘゲモニィ　「ヘゲモニー」Hegemonie（独）は主導権・支配権の意。文壇の人間関係や政治的な力関係における主導権・支配権。

＊符牒　合図の隠語、合言葉。

六〇　＊中河与一　小説家。明治三〇年（一八九七）香川県生れ。川端康成らと新感覚派運動を興す。この年三三歳。作品に「刺繡せられた野菜」など。「形式主義芸術論」は昭和五年一月、新潮社から刊行した。平成六年（一九九四）没。

*大宅壮一　評論家。明治三三年大阪生れ。この年三〇歳。「文学的戦術論」は昭和五年二月、中央公論社から刊行した。昭和四五年没。

六一

*オオギュスト・コント　Auguste Comte　フランスの哲学者。一七九八～一八五七年。人間の知識は、神学的、形而上学的、実証的の三段階を経て進歩するとし、客観的根拠に基づいて合理的に思考する実証的精神こそ知性の最高段階であるとして、実証主義を最初に体系化した。また社会学を創始した。著作に「実証哲学講義」「実証政治体系」など。

*ゾラ　フランスの小説家。実証主義の影響を受けて興った自然主義文学を代表する。四四九頁参照。

*エドガア・ポオ　アメリカの詩人、小説家。その詩や詩論がフランスの象徴詩に影響を及ぼした。四四三頁参照。

*ポオル・ヴァレリイ　フランスの詩人、思想家。四五七頁参照。

*レオ・トルストイ　Lev Nikolaevich Tolstoi　ロシアの小説家、思想家。一八二八～一九一〇年。作品に「戦争と平和」「アンナ・カレーニナ」「復活」など。

*感傷主義文学　「感傷主義」は知性や意志より個人の心情を重んじる立場。一八世紀イギリスに興り、後のロマン派の先駆となった。

*自然主義文学　「自然主義」は naturalisme（仏）の訳語。四五三頁参照。

六二

*素朴な実在論者　外界が意識に映る姿のままで、しかも意識とは独立して存在している、

と考える立場の人。

六三　＊雅川滉　文芸評論家。明治三九年（一九〇六）東京生れ。昭和四八年（一九七三）没。

＊広津和郎　小説家。明治二四年東京生れ。昭和四三年没。

＊千葉亀雄　評論家。明治一一年山形県生れ。昭和一〇年没。

＊鼻歌中河与一「形式主義芸術論」所収の論文「鼻歌による形式主義理論の発展」を踏まえた表現。

六四　＊近代認識論　ここでは、マルクス主義の認識論が念頭に置かれている。四六四頁「近代唯物弁証法」参照。

＊石原純　理論物理学者。明治一四年（一八八一）東京生れ。ドイツへ留学、アインシュタインらと親交を結ぶ。日本初の本格的な理論物理学者。昭和二二年（一九四七）没。

＊四次元連続体の計量的性質　連続体の力による変化を考える時、三次元の空間とそこにかかる力の変化は、継続性を持った時間という新たな次元の導入によって数量として計測できるということ。「連続体」は、平面上の二点が、一つの線で結べるものをいう。

六五　＊プレハノフ　Georgii Valentinovich Plekhanov　ロシアのマルクス主義の理論家。一八五六〜一九一八年。著作に「マルクス主義の根本問題」など。

＊ゲエテ　Johann Wolfgang von Goethe　ドイツの詩人、小説家。一七四九〜一八三二年。小説に「若きヴェルテルの悩み」、戯曲に「ファウスト」など。「詩と真実」Dichtung und Wahrheit（全四部）はゲーテの自伝的作品。

六六　＊コルビュジエ　Le Corbusier　スイス生れのフランスの建築家。一八八七年生れ。一九六五年没。中河与一はその作品の写真三葉を著書に収載して論じている。

六七　＊近代唯物弁証法　マルクス主義の世界観の根底となる哲学学説。自ら運動し発展する物質である世界は生物を生み、その生物の脳の活動が意識であり、意識の働きである認識は人間の実践活動において出会う物質世界のあり方を反映する、世界は人間の認識活動をも含めて多様な運動の統一体であり、対立や矛盾を媒介として低次の状態からより高次の状態へと進んでゆく発展の過程にある、という考え方。弁証法的唯物論ともいう。

＊マルクス Karl Heinrich Marx　ドイツの哲学者、経済学者、革命家。一八一八〜八三年。弁証法哲学と唯物論を批判的に総合して、実践的な史的唯物論の立場に立ち、資本主義社会の経済構造を分析した。著作に「ドイツ・イデオロギー」「共産党宣言」「資本論」など。

＊一般　同様であること。

六八　＊中野重治　小説家、評論家、詩人。明治三五年（一九〇二）福井県生れ。プロレタリア文学の代表者の一人。昭和五四年（一九七九）没。

＊芸術に関する…　中野重治の評論集。昭和四年（一九二九）九月、改造社から刊行した。同題論文の初出は昭和二年一〇月。

＊技術的規矩　表現のための規準や決まりごと。

六九　＊階級争闘　政治的、経済的な優位や、支配・被支配をめぐって互いに異なる階級の間で行われる闘争。資本家と労働者の間の闘争など。

＊松竹シアタア・ビュウロウ　現在の「松竹」の前身。明治三五年（一九〇二）に設立さ

れた松竹合名社が発展したもの。ただしこれは正式の社名ではなく、昭和三年（一九二八）、歌舞伎の二世市川左団次がソ連・ヨーロッパで公演した際、便宜的に用いたものかといわれる。

七〇　＊超個人主義的　ここは「個人の立場を超えた」というほどの意。「社会的」「階級的」と同義。

七一　＊デュマ　Alexandre Dumas　フランスの小説家、劇作家。一八〇二〜七〇年。デュマ。作品に「三銃士」「モンテ・クリスト伯」など。多作のため、オーギュスト・マケなどの助手を使っていた。同名の息子と区別して「大デュマ Dumas pére」と呼ぶ。

＊パラマウント映画会社　アメリカの映画会社。この年、一九三〇年には「モロッコ」などを製作している。

＊フォード自動車会社　アメリカの実業家ヘンリー・フォード Henry Ford が一九〇三年に設立、フォード・システムによって大量生産に成功した。

＊バルザック　Honoré de Balzac　フランスの小説家。一七九九〜一八五〇年。自ら「人間喜劇」と総称した九一篇の長短篇小説に、フランス革命後の社会を舞台として約二千人の人物の性格、職業、境遇、階級等々を描いた。「ゴリオ爺さん」「谷間の百合」「従妹ベット」など。自身、製紙・印刷業で一儲けを企て、結果は莫大な負債を背負うことになった。商業出版への強い関心を主題とした長篇に「幻滅」もある。

＊大脳皮質　大脳の表面で、主として人間の精神活動を制御している部位。

七三　＊浪漫派精神　「浪漫派」は理性や合理主義に抗し、自然・感情・空想・主観・個性・形式の自由を重んじる立場。四五三頁「ロマンティスム」参照。

＊葛西善蔵　小説家。明治二〇〜昭和三年（一八八七〜一九二八）。青森県生れ。実生活の破綻を顧みず、酒に溺れ病に苦しむなどの自己を見つめて私小説に芸術的感興を求め続けた。作品に「浮浪」「蠢く者」「湖畔手記」など。

＊芸術哲学　Philosophie de l'art　テーヌ（四四九頁参照）がパリの美術学校の教授時代に行った講義をもとにまとめた芸術論集。一八八二年刊。

＊シェクスピア論　Shakespeare　テーヌの論文。一八五六年七月、『両世界評論』に発表し、後に加筆訂正して「イギリス文学史」に収録した。

＊エティエンヌ・マイラン　Étienne Mayran　テーヌが一八六一年に書いた小説。

＊プロレタリヤ派　一九世紀の半ばにマルクスとエンゲルスによって創始されたマルクス主義（四七〇頁参照）を掲げる文学者の一派。「プロレタリヤ」Proletarier（独）は近代資本主義社会において、生産手段をもたない賃金労働者の階級。

＊芸術派　芸術至上主義を掲げる文学者の一派。芸術としての文学の自律を目標とする。

ナンセンス文学

七四　＊神経病時代　著者は大正一〇年（一九二一）一〇月から約一年間、盲腸周囲炎と神経症のため第一高等学校を休学している。

七五　＊フロイト　Sigmund Freud　オーストリアの精神病理学者。一八五六年生れ。精神分析学の創始者。著作に「夢判断」など。一九三九年没。

七六 ＊メカニック mécanique（仏）「機械」「機械仕掛け」の意。

＊笑い Le Rire ベルグソン（四四九頁参照）が一九〇〇年に発表した著作。引用の言葉は〈第一章四〉から。

＊パスカル Blaise Pascal フランスの哲学者、科学者。一六二三～六二年。没後、遺稿が「パンセ」として編集・刊行された。

七七 ＊小さん 三代目柳家小さん。落語家。安政四年（一八五七）生れ。明治三〇年（一八九七）に三代目を襲名。ちなみに夏目漱石が小説「三四郎」で「天才」と誉めている。昭和五年（一九三〇）一一月没。

＊うどん屋 冬の夜、町を流して歩く屋台の鍋焼きうどん屋が、酔っぱらいにからまれたり大量注文のあてが外れたり…。

＊ナンセンス文学 語呂あわせや言葉あそび、皮肉や風刺に満ちた文学作品をいう。日本では昭和五年一月、戯曲「ボア吉の求婚」を『文藝春秋』に発表した中村正常などがその代表とされた。

七八 ＊感傷の国日本 本書所収「アシルと亀の子I」六一～六二頁に、「宿命的に感傷主義に貫かれた日本の作家達が、理論を軽蔑して来た事は当然である。作家が理論を持つとは…」とある。

＊哄笑 大口をあけて笑うこと。おおわらい。

新興芸術派運動

八一 ＊プロレタリヤ派　四六六頁参照。

＊芸術派　四六六頁参照。

＊新興芸術派　昭和五年（一九三〇）四月、龍胆寺雄（四九六頁参照）、中村武羅夫（四四七頁「本格小説」参照）を中心として、反マルクス主義芸術家の団結と芸術の自律性の確保を意図した「新興芸術派倶楽部」が結成された。

八二 ＊マルクス主義芸術理論　革命と文学の関係、大衆にとっての芸術の意味などをめぐって展開されたプロレタリア文学の理論。青野季吉、蔵原惟人、中野重治らに代表される。

＊正宗白鳥　小説家、劇作家、評論家。明治一二年（一八七九）岡山県生れ。この年五一歳。小説に「何処へ」「入江のほとり」「牛部屋の臭い」、戯曲に「人生の幸福」「安土の春」など。昭和三七年没。

＊文学的戦術論　六〇頁参照。

八三 ＊その表現を失うに…　マラルメ（四六〇頁参照）は、純粋かつ完璧な詩的表現を求めるあまり、最後には詩が書けないこと、すなわち表現の不可能性を自らの詩の主題とするに至った。

＊浪漫派の音楽　「浪漫派」は四五三頁「ロマンティスム」参照。音楽分野の代表的作曲家にはウェーバー、シューベルト、メンデルスゾーン、シューマン、ワーグナーなど。

＊表現派　Expressionismus（独）第一次世界大戦（一九一四〜一八）前のドイツに始まり、戦後各国に広がった芸術思潮。作者の感情、思想、夢などの主観的表現を通して

事象の内部生命に迫ろうとする。画家では、キルヒナー、ノルデ、カンディンスキー、マルク、ココシュカなど。

＊立体派 cubisme（仏） 二〇世紀初頭、ピカソ、ブラックを中心としてフランスに興った絵画運動。物体の形を分析し、その構造を幾何学的に再構成して新しい美の表現を試みた。

＊近世唯物論 マルクス主義の世界観の根底となる哲学学説。四六四頁「近代唯物弁証法」参照。

八六 ＊ピカソ Pablo Picasso スペインの画家。一八八一年生れ。この年四九歳。〈青の時代〉、〈立体派〉の時期を経て、抽象絵画に取り組んでいた。一九七三年没。

八七 ＊ヘルムホルツ Hermann von Helmholtz ドイツの生理学者、物理学者。一八二一〜九四年。著作に「生理光学全書」など。「エネルギー保存の法則」でも知られる。

＊文学の社会学的解釈 文学作品の内容や形式が、経済・階級など社会の下部構造的側面に規定されているとする立場の作品解釈。ハンガリーの文学理論家、ルカーチの「小説の理論」（一九二〇）など。

八八 ＊ためし 先例、前例。

＊広目屋 広告屋。ちんどん屋。

アシルと亀の子 Ⅱ

八九 ＊旋毛曲り 性格がひねくれていること。ここは一般通念に従わずに、の意。

＊プロレタリヤ小説家　近代資本主義社会における賃金労働者、すなわちプロレタリアの階級的自覚と生活に基づいて現実を捉えようとする小説家。わが国では大正末期から昭和初頭に大きな勢力となっていた。

＊芸術派小説家等　文学の芸術としての自律を目標とする小説家たち。

＊イデオロギイ　Ideologie（独）　政治・哲学・芸術などに関する、個人や組織の基本的な物の考え方、あるいは信念、主張。マルクス主義（後項「マルクス主義世界観」参照）の立場からは自分の属する社会階級の考え方に規定された意識のあり方をいい、訳語としては「観念形態」が用いられる。

九〇　＊マルクシズム青年　マルクス主義を標榜する青年、マルクス主義にかぶれた青年。

九一　＊マルクス主義世界観「マルクス主義」Marxism（英）は一九世紀の半ば、マルクス（四六四頁参照）とエンゲルス（四七八頁参照）が創始した哲学・社会思想上の立場。弁証法的唯物論に立って階級闘争と革命の道を主張する。四六四頁「近代唯物弁証法」参照。

九二　＊三木清　哲学者。明治三〇年（一八九七）兵庫県生れ。この年三三歳。当時、ドイツの哲学者ハイデッガーから学んだ解釈学を応用してマルクス主義哲学を研究していた。昭和二〇年（一九四五）没。

＊新興美学に対する懐疑　「新興美学」すなわち「マルクス主義文学論」に対する評論家・平林初之輔、哲学者・谷川徹三、小説家・広津和郎たちの批判に、マルクス主義擁護の立場から反論を試みる論文。

＊パスカルに於ける…　フランスの哲学者パスカル（四六七頁参照）の人間観の研究書。三木清が大正一五年（一九二六）二九歳のときに出版した。

九三　＊平林氏　平林初之輔。評論家。明治二五年京都府生れ。初期のプロレタリア文学理論を主導した。著作に「文学理論の諸問題」など。昭和六年没。

＊谷川氏　谷川徹三。哲学者。明治二八年愛知県生れ。文学、芸術の分野においても幅広く発言した。著作に「感傷と反省」など。平成元年（一九八九）没。

＊表慶館　東京の上野公園内にある東京国立博物館の一部の建物。明治四二年落成。

＊抱一　酒井抱一。江戸後期の画家。宝暦一一～文政一一年（一七六一～一八二八）。作品に「夏秋草図屏風」「四季花鳥図屏風」など。

＊ブルジョア　bourgeois（仏）　近代資本主義社会において有産階級に属する人をいう語。転じて、金持ちの意にも用いられる。酒井抱一は名は忠因（ただなお）、姫路城主酒井忠以（ただざね）の弟であった。

九四　＊プレハノフ　ロシアのマルクス主義の理論家。四六三頁参照。

＊フリチェ　Vladimir Maksimovich Friche　ロシアの芸術学者、批評家。一八七〇～一九二九年。著作に「芸術社会学」など。

九五　＊芸術の為の芸術　芸術は道徳や教育のためのものではなく、美のみを目的とすべきである、という考え。一九世紀フランスでテオフィル・ゴーチエ（一八一一～七二）に始まり、イギリスのオスカー・ワイルド（後項参照）らに受け継がれた。芸術至上主義。

＊飴　ここはいわゆる金太郎飴。丸い棒状で、どこを切っても断面に金太郎の顔が現れる。

九七 ＊ワイルド Oscar Wilde イギリスの小説家、劇作家。一八五四〜一九〇〇年。小説「ドリアン・グレイの肖像」、戯曲「サロメ」、童話集「幸福な王子」など。

＊深き処より De Profundis ワイルドの獄中記。ワイルドは一八九五年、アルフレッド・ダグラス卿との同性愛の罪で逮捕され、二年間の牢獄生活を送った。標題は「旧約聖書」の〈詩篇〉第一三〇篇冒頭の句のラテン語訳「De profundis clamavi ad te Domine.」（主よ、私は深い淵からあなたに呼ばわる）に由来する。

＊跳梁 好き勝手にのさばること。

一〇〇 ＊微分方程式 数学で未知関数の導関数を含んだ方程式をいう。ただし、ここでは、自然界の諸現象を数量的に明示できるとする高等数学の数式、というほどの意で用いられている。

＊プロレタリヤ・リアリズム 蔵原惟人が昭和三年五月、『戦旗』に発表した論文「プロレタリヤ・レアリズムへの道」に由来する語。蔵原の論文は、プロレタリア文学におけるリアリズムの基本として、個人的観点ではなく社会的観点を据えよと主張したもの。蔵原は評論家。明治三五年東京生れ。平成三年没。

一〇一 ＊弁証法的綜合的… 具体的・現実的な現象と、観念的なイデオロギーという相反する関係にある両者が、弁証法的に総合され、より高い次元で構成（コンポジション）されているあり方。「弁証法」は、相互に対立する意見や事柄の双方を媒介にしてより高い水準の真理に迫ろうとする態度、あるいは手続き。本来は学問の方法に関する用語。

＊ブウヴァルとペキュシェ Bouvard et Pécuchet フランスの小説家、フロベール（四

三九頁参照）の未完の遺作。独身で初老の書記ブヴァールとペキュシェは、友人となり、前者にころがりこんできた遺産を基に、農業、化学、生理学、医学などの学問に熱中するが、何ひとつ成功せず、元の筆耕の仕事に戻っていく。

＊マダム・ボヴァリイ Madame Bovary 「ボヴァリー夫人」。フロベールの長篇小説。四三九頁参照。

＊マアツァ Ivan Lyudvigovich Matsa ソ連（現ロシア）の芸術学者。一八九三年生れ。ハンガリー出身。マルクス主義の立場に立つ。著作に「現代欧洲の芸術」など。一九七四年没。

アシルと亀の子 Ⅲ

一〇三 ＊滝井孝作 小説家、俳人。明治二七年（一八九四）岐阜県生れ。この年三六歳。作品に「無限抱擁」「結婚まで」など。昭和五九年（一九八四）没。

＊牧野信一 小説家。明治二九年神奈川県生れ。この年三四歳。作品に「父を売る子」「村のストア派」「吊籠と月光と」など。昭和一一年没。

＊時の用なら鼻を殺げ 急を要する局面では、鼻を切り落すような手段であってもよい、手段を選ばずに事にあたれ、という意味のことわざ。

一〇四 ＊谷崎氏 谷崎潤一郎。小説家、劇作家。明治一九年東京生れ。この年四四歳。作品に「刺青」「痴人の愛」「卍」「蓼喰う虫」など。昭和四〇年没。

一〇五 ＊無限抱擁 滝井孝作の自伝的長篇小説。竹内信一は、吉原の遊女だった松子と、紆余曲折の末に結婚する、が、松子は結核を病んで若くして死に、後に信一と松子の母がとり残される。大正一〇年(一九二一)から一三年にかけて発表した四つの連作短篇を合わせ、昭和二年、改造社から刊行された。

*十銭　現在の一〇〇円程度。一銭は一円の一〇〇分の一。

*五リン「リン」(厘)は「銭」の一〇分の一。

*賃機「機」は手足を使って布を織る機械。またその機械で織られた布。「賃機」は機織業者から原料と賃銭を受取って織る機。

一〇七

*演繹　一般的な原理から、特殊な事柄を、論理的手続きのみで推論すること。

*ゲテモノ　滝井孝作が大正一四年九月、『改造』に発表した小説。飛驒高山に住む、頑固で嫌われ者の父の気質を描く。

*養子　滝井孝作が大正一五年一月、『改造』に発表した小説。やや意固地ではあるが義理堅い叔父の気質を描く。

*大阪商人　滝井孝作が大正一五年七月、『中央公論』に発表した小説。大阪の商人である叔父の風貌を描く。

*吊籠と月光と　牧野信一が昭和五年三月、『新潮』に発表した小説。主人公のマキノは、村の酒場で友人七郎丸と会い、漁師でありながら持舟を手離していた七郎丸が、再び漁船を持てるようになったことをともに喜ぶ。

一〇八

*理智派　intellectualiste(仏)意志や感情ではなく、知性による思考に認識の基礎を求める立場。主知主義ともいう。

＊鱗雲　牧野信一が昭和二年三月、『中央公論』に発表した小説。B村の伝統だった百足凧を復元しようとする「私」は、すっかり様子の変わったB村を訪ね、幼なじみの青野冬子と会うが…。

一〇九　＊西瓜喰う人　牧野信一が昭和二年二月、『新潮』に発表した小説。丘の麓に住む「余」は、丘の中腹に住む小説家滝を日夜望遠鏡で観察し、日記に記すが…。

＊中世紀の大放蕩詩人　一五世紀フランスの詩人、フランソワ・ヴィヨンを暗示している。

＊セント・ジオゲイネスの樽　「セント・ジオゲイネス」は、古代ギリシャの哲学者シノペのディオゲネス Diogenes ho Sinopeus（前四一二頃〜前三二三）。無欲・自足・虚栄心の克服をモットーに生き、大甕（酒樽）を住居としていた犬儒学派の代表的哲人。「セント」の意は「聖なる」ではなく「高潔な」で、キリスト教の聖者とは無関係。「犬儒学派」とは、古代ギリシャにおいて、一切の社会的規範を軽蔑し、自然に与えられたものに満足して生きる犬のような無欲な生活を理想としたアンティステネスが創始したギリシャ哲学の一派。

一一〇　＊マーメイド・タバン The Mermaid Tavern（英）「居酒屋人魚亭」。一七世紀、ロンドンの中心部チープサイドのブレッド街にあった酒亭。シェイクスピア、ベン・ジョンスンなどの文人たちが集った。

＊ストア派聖人　「ストア派」は、古代ギリシャに始まる、禁欲的倫理を重視する哲学者の系列。ただし、この直前の引用「その父・母…能わず」は、「新約聖書」〈ルカによる福音書〉一四章二六節のイエスの言葉。「吊籠と月光と」の原文では、ただ「聖人」と

あるだけで、その次の文に「ストア学徒」という言葉があり、著者は、両者を同一人と錯覚したか。

＊あの科学者　イタリアの物理学者、天文学者、ガリレオ・ガリレイ（一五六四〜一六四二）をさしている。

＊ベリイ・ブライト　ブライトは「明るい」「輝かしい」の意。ここでは、自分の前途が明るい様。

＊アメリカ・インヂアン　北米の先住民。現在は「ネイティヴ・アメリカン」といっている。

一一一　＊フェミニスト　feminist（英）女性を尊重する考えを持ち、態度で表現する男性。後に男女を問わず、女性解放論者を意味する言葉となった。

アシルと亀の子 Ⅳ

一一二　＊戯作者根性　「戯作者」は江戸時代の俗文学作者のこと。ここでは、理論に関心を持たず、ただ読者を楽しませることを文芸作品の目的としている態度を指す。

一一三　＊武田麟太郎　小説家。明治三七年（一九〇四）大阪生れ。この年二六歳。昭和四年（一九二九）六月、『文藝春秋』に「暴力」を発表、プロレタリア作家としての地位を得た。昭和二一年没。

一一五　＊シェラア　Max Scheler　ドイツの哲学者。一八七四〜一九二八年。哲学的人間学の樹立を試みた。著作に「宇宙における人間の地位」「哲学的人間学」など。

＊ハイデッガア　Martin Heidegger　ドイツの哲学者。一八八九年生れ。この年四一歳、

「存在と時間」「カントと形而上学の問題」などを発表していた。一九七六年没。

＊われわれは人間に…　ゲーテの「箴言と省察」（後世の研究家たちの編纂による）に出る言葉。H・J・シュリンプフ編集のハンブルク版全集第一二巻では〈芸術と芸術家〉の項に収録されている。

＊哲学の貧困　Misère de la philosophie　マルクス（四六四頁参照）による、フランスの社会主義者プルードンの「貧困の哲学」（一八四六）に対する批判の書。一八四七年刊。引用は〈第二章第一節〉から。

一一六　＊決定論的風手「決定論」は、宇宙の事象はすべて先行する原因の必然的結果である、とする説。「風手」は「風貌」に同じ。

＊唯物論　物質のみを真の実在とし、精神や意識はその派生物と考える哲学上の立場。西洋では、古代ギリシャの哲学者デモクリトスなどによって初めて主張された。マテリアリズム。

＊太初に言葉があった　「新約聖書」〈ヨハネによる福音書〉第一章の冒頭の言葉。

一一七　＊桎梏　自由を奪い行動を束縛するもの。

一一八　＊物自体概念　「物自体」はカント哲学の中心概念。ドイツの哲学者カントは、人間の認識能力の形式に応じて現れる対象を「現象」と呼び、その現象を生み出す元となる、人間には不可知の真実在を「物自体」と呼んだ。ここでは、商品には固有の価値があるとする経済学の古い考え方のこと。

＊神速　非常に速いさま。

*属性　事物にそなわる固有の性質。
*形而上学的「形而上学」は哲学の一部門。事物や現象の本質あるいは存在の根本原理を、思惟や直観によって探求しようとする。
*エンゲルス Friedrich Engels ドイツの哲学者、経済学者、革命家。一八二〇～九五年。マルクスの協力者。著作に「家族・私有財産・国家の起源」「フォイエルバッハ論」など。
*絶対言語　社会生活の手段として通貨のように交換される言語ではなく、人間精神の活動を可能にする根拠としての言語、の意。

一一九
*端倪　推測すること。
*人々は私を心理派だと…　引用の言葉は一八八〇年のドストエフスキーの「手帖」にある。
*セザンヌ Paul Cézanne　フランスの画家。一八三九～一九〇六年。

一二〇
*檻に入れられた…　ドン・キホーテは旅の途次、悪を正すのが自分の使命と思いこみ、次々と冒険に挑む。しかし最後は檻に入れられ、村に連れ戻される。四四六、四五一頁参照。
*セルヴァンテス Miguel de Cervantes Saavedra　スペインの小説家。一五四七～一六一六年。「ドン・キホーテ」以外に「模範小説集」、戯曲「ヌマンシア」などがある。

一二一
*浪漫派 romantisme（仏）の訳語。四五三頁「ロマンティスム」参照。
*現実派 réalisme（仏）の訳語。現実を忠実に反映する作品を制作しようとする芸術上

の思潮・運動。浪漫派と対立的に用いられる場合、一般には自然科学や実証主義の影響を受け、自然的・社会的条件下にある人間の現実を客観的に描こうとした一九世紀後半の自然主義を指す。

一二二　＊確度論　確率論のこと。容器中の気体を構成する各気体分子は、運動の方向性を一義的に限定できないランダムな熱運動をしており、その三次元ベクトルは、ある範囲内の割合、つまり確率によってのみ表現される。

アシルと亀の子　V

一二三　＊安部磯雄　政治家。慶応元年（一八六五）福岡県生れ。社会民主党・社会民衆党を組織。昭和二四年（一九四九）没。

＊高橋誠一郎　経済学者。明治一七年（一八八四）神奈川県生れ。慶応大学教授。昭和五七年没。

＊無産政党中間合同「無産政党」は、戦前の日本で、日本共産党以外の無産階級の利益を代表する政党の総称。この年、昭和五年七月、そのうちの中間派である日本大衆党、全国民衆党などが合同して全国大衆党を結成した。

＊シュルレアリスム芸術　一九二〇年代にフランスで興った芸術運動。「シュルレアリスム」surréalisme はフランス語で、超現実主義の意。フロイト（四六六頁参照）の深層心理学などの影響を受け、意識下の世界や自由な幻想の表現を目指す。

＊創作欄「創作」は主として小説を意味した。戯曲などもこの欄に掲載された。

＊ヘンリ・フォオド Henry Ford アメリカの実業家。一八六三年生れ。自動車王。一九四七年没。四六五頁「フォード自動車会社」参照。

一二四 ＊サント・ブウヴ Charles-Augustin Sainte-Beuve フランスの批評家。四四八頁参照。

＊七十銭 この年、たとえば『改造』の通常定価は五〇銭、七月号は特別定価七〇銭であった。

一二五 ＊広津和郎 小説家。明治二四年東京生れ。この年三九歳。大正六年（一九一七）、「神経病時代」で文壇に出た。昭和四三年没。

＊昭和初年のインテリ作家 広津和郎の小説。昭和五年四月、『改造』に発表した。

一二七 ＊ランボオ Jean Nicolas Arthur Rimbaud フランスの詩人。一八五四～九一年。一〇代から詩作を始め、詩集「地獄の季節」「飾画」を著した後、二一歳頃には筆を絶って世界を放浪した。

一二八 ＊グランデ爺さん バルザックの小説「ウージェニー・グランデ」の主人公の一人。けちんぼうで大金持ちの樽屋の老人、フェリックス・グランデ。

＊ムイシュキン公爵 ドストエフスキーの長篇小説「白痴」の主人公。青年公爵。かぎりなく善良で純粋無垢、真実美しい人間。

＊プチ・アンテレクチュエル petit-intellectuel（仏）「小知識人」の意。

＊プチ・ブルジョア petit-bourgeois（仏） 小市民。

一二九 ＊黒衣の僧 Chyornyi monakh チェーホフが一八九四年に発表した短篇小説。幻覚に現れる黒衣の僧と緊迫した人生問答を重ねるうち、ついには精神を病み、死に至る知識人の悲劇的物語。

＊匿名者の手紙　Rasskaz neizvestnogo cheloveka　チェーホフが一八九三年に発表した中篇小説。正しくは「匿名者の話」。冷笑家の役人と、名を偽って役人に近づくテロリストの「私」、その間に一人の女を配し、時代の閉塞状況の中で生きることに意味を見出せずに滅びてゆくインテリゲンチャを描く。

一三〇　＊阿部知二　小説家。明治三六年（一九〇三）岡山県生れ。昭和四八年（一九七三）没。

＊範疇　ここは範囲、部類の意。

一三一　＊六号室　Palata No. 6　チェーホフの中篇小説。精神科医ラーギンは、患者との議論に熱中するうち周囲から狂人扱いをうけ、門番に殴られた翌日、卒中で死ぬ。

＊死児を抱いて　広津和郎が大正八年（一九一九）四月、『中央公論』に発表した小説。住みこみの家庭教師よし子の部屋から、ミイラ化した赤児の死体が発見される。

文学は絵空ごとか

一三二　＊絵空ごと　まったくの架空、あるいは虚構。

＊文芸時評　正宗白鳥（四六八頁参照）は、この年、昭和五年（一九三〇）一月から『中央公論』に文芸時評を連載していた。

＊微分係数　数学の用語。ここは、極端に短い時間におけるアシルの位置の変化と、それに対する亀の子の位置の変化の割合をいう。

一三三　＊懐疑派　sceptique（仏）　思想界で客観的真理を認識することの可能性を疑い、「判断保留」を主張する立場の人をいう。

＊虚無派　nigilist（露）伝統的な価値・権威・道徳などを認めず、生きることに意味を見出さない（あるいは、見出せない）人をいう。

＊パスカル　Blaise Pascal　フランスの哲学者、科学者。一六二三〜六二年。遺稿集「パンセ」において、人間存在は人間自身にとって謎、逆説、矛盾であり、懐疑する理性はこれを解明しようと戦うが、結局解くことはできず、人間の本質は、信仰によって神から聞かなくてはならない、と述べている。

一三六　＊スタヴロオギン　ドストエフスキーの長篇小説「悪霊」の主人公。二〇代半ばの美青年。高い教養と悪行への嗜好を持ち、周囲に大きな影響を及ぼす。

＊細田民樹　小説家。明治二五年（一八九二）東京生れ。軍隊批判の小説「或兵卒の記録」が反響を呼び、次いでプロレタリア文学の一翼を担った。昭和四七年没。

＊真理の春　繊維関係の大企業の社員栢山は、社内の同志とともに企業上層部の専横・腐敗と闘う。昭和五年一月から六月まで、『東京朝日新聞』に連載された（前篇）。

一三七　＊こけ　虚仮。思慮や分別が浅い者。

＊平林初之輔　評論家。四七一頁参照。

＊シネマ　cinéma（仏）映画のこと。スクリーンに映写する方式の映画は、この年、昭和五年からでは三五年前の一八九五年、フランスのリュミエール兄弟によって発明された。

一三八　＊ジェイムズ・ジョイス　James Joyce　イギリス領（当時）アイルランドの小説家。一八八二年生れ。個人の意識の流れを描く心理主義、内的独白の手法、神話の現代的可能性を追求した。作品に「若き芸術家の肖像」「ユリシーズ」など。一九四一年没。

＊超現実主義　シュルレアリスム surréalisme（仏）。四七九頁参照。

＊ブルトン André Breton　フランスの詩人、思想家。一八九六年生れ。シュルレアリスム運動の創始者。作品に「ナジャ」など。一九六六年没。

＊ジゴマ Zigomar（仏）　フランスの探偵小説の悪漢主人公。一九一一年（明治四四）に映画化、同年、日本でも公開され、映画をまねた犯罪が起って社会問題となった。

一三九　＊アベル・ガンス Abel Gance　フランスの映画監督。一八八九年生れ。映画芸術の開拓者の一人。作品に「鉄路の白薔薇」「ナポレオン」など。一九八一年没。引用の言葉は、「映像の時代が来た」（一九二七）に見える。

一四〇　＊先々月の時評　本書所収「アシルと亀の子Ⅳ」のこと。

＊マラルメ Stéphane Mallarmé　フランスの詩人。一八四二～九八年。詩に「エロディアード」「半獣神の午後」「骰子一擲」など。純粋かつ完璧な詩的表現を求めるあまり、最後には詩が書けないこと、すなわち表現の不可能性を自らの詩の主題とするに至った。

一四一　＊ラマンチャの騎士　ドン・キホーテのこと。

＊ジャン・コクトオ Jean Cocteau　フランスの芸術家。一八八九年生れ。文学・演劇・バレエ・映画・音楽などの諸分野で活動。詩集に「ポエジー」、小説に「恐るべき子供たち」、戯曲に「オルフェ」など。一九六三年没。

文学と風潮

一四二　*意匠　趣向、装飾、デザイン。

*簇生　群がり生えること。

*ざれ言　冗談。

*翩々と　軽々しく、落着きなく。

一四三　*神経衰弱　トランプ遊びの一つ。すべて裏返しに並べたカードの中から二枚もしくは四枚をめくり、数字の同じカードを当ててその枚数を競う。

一四四　*エレクトロン　electron（英）電子。電気的現象の本体。ここはエレクトロニクス、すなわち電子工学の意で、電子の理論や技術の活用をいっている。

*沽券　品格、体面。

*蹌踉　足もとが定まらぬさま、よろよろしたさま。

一四五　*遁辞　逃げ口上。

*阿諛　おもねり、へつらい。

*ハムレット　Hamlet　イギリスの劇作家シェイクスピアの戯曲「ハムレット」の主人公。デンマークの王子。父王を殺して王位に就いた叔父への復讐に苦悩する。ここから、内向的・懐疑的な人間像の典型として例に引かれることが多い。

*中村正常　劇作家、小説家。明治三四年（一九〇一）東京生れ。都会の享楽的傾向やナンセンス・ユーモアを主な主題とした。作品に「ボア吉の求婚」「隕石の寝床」など。昭和五六年（一九八一）没。

一四六　*膝栗毛　十返舎一九の作品「東海道中膝栗毛」。弥次郎兵衛と喜多八の滑稽道中記。
*席巻　激しい勢いで勢力範囲を広げること。
*泉鏡花　小説家。明治六年金沢生れ。この年五七歳。独自の浪漫的・幻想的境地を開いた。作品に「高野聖」「歌行灯」など。昭和一四年没。
*武者小路実篤　小説家。明治一八年東京生れ。この年四五歳。作品に「お目出たき人」「友情」など。昭和五一年没。
一四七　*楔形文字　紀元前三五〇〇～前一〇〇年頃、シュメール人が発明し古代オリエント全域で用いられた文字。字画が楔のような形をしていることからこう呼ばれる。
*流絢　綾錦を流したようにあでやかなさま。
*高野聖　泉鏡花が明治三三年（一九〇〇）に発表した小説。越前（現在の福井県）敦賀の宿で、旅の僧が奇異な体験を語る。蛇におびえ、山海鼠（蛭）の群れに襲われなどして辿った飛騨山中の一軒家に、ものやさしい婦人が住んでいたが…。
*陥穽　おとしあな。
*伝法な　勇ましい。
一四八　*歌行灯　泉鏡花が明治四三年に発表した小説。能役者喜多八は、玄人の意地から素人の謡自慢を死に追いやり、破門されて放浪する。ある夜、旅先で、宿から格調高い謡と鼓の音が聞えてくる。
*眉かくしの霊　泉鏡花が大正一三年（一九二四）に発表した小説。木曾街道、奈良井の宿での怪異譚。

一四九　＊浪漫派　四五三頁「ロマンティスム」参照。鏡花もその一人に数えられる。
＊信仰が阿片であるのは…　マルクスの著「ヘーゲル法哲学批判序説」にある「宗教は（中略）民衆の阿片である」を下敷きにしていっている。
＊あとは来月に…　昭和五年一一月、「横光利一」（一五六頁〜）が書き継がれる。

新しい文学と新しい文壇

一五〇　＊鳥瞰図　鳥が地上を見るように、高所から斜めに見おろしたように描いた風景図または地図。俯瞰図。

一五一　＊鉄道省　大正九年（一九二〇）に設置された中央官庁。鉄道行政に関する事務を担当した。
＊勧工場　明治・大正時代、複数の商店が一つの建物の中に様々の商品を並べて売った場所。

一五二　＊大森義太郎　経済学者。明治三一年（一八九八）横浜生れ。マルクス主義学者として知られ、昭和三年（一九二八）、日本共産党員などが全国的に検挙された三・一五事件を機に東大助教授の座を追われた。著作に「史的唯物論」など。昭和一五年没。
＊新芸術派　反マルクス主義芸術を掲げ、この年、昭和五年四月、新興芸術派倶楽部を結成した。四六八頁参照。
＊呑舟の魚　舟を呑むほどの大きな魚。転じて、善悪ともに常人のスケールを超えた大人物。
＊ゴオリキイ　Maksim Gor'kii　ロシアの小説家、劇作家。一八六八年生れ。社会主義リアリズム文学の創始者。戯曲に「どん底」、小説に「母」など。一九三六年没。

一五三　＊今様十字軍　「今様」は当世風、今のはやり。「十字軍」は元来、中世ヨーロッパのキリスト教徒が、聖地エルサレムをイスラム教徒から奪回するために組織した遠征軍のこと。そこから転じて理想や信念に基づく集団的な戦闘行動の意にも用いられる。
＊社会学的批評　文学作品の内容や形式が、経済・階級など社会の下部構造的側面に規定されているとする立場の批評。ハンガリーの文学理論家、ルカーチの「小説の理論」(一九二〇)など。

一五四　＊推参　自分から押しかけて参上すること。
＊ナンセンス　nonsense (英)　無意味。ばかげたこと。当時、中村正常(四八四頁参照)などが、ナンセンス・ユーモアの文学を提唱、発表していた。
＊イデオロギイ　Ideologie (独)　特定の社会階級や集団の立場に規定・制約された人間の考え方。特にマルクス主義者がこの語を多く用いた。四七〇頁参照。

一五五　＊泉鏡花　著者は「文学と風潮」(一四二頁〜)で鏡花を詳しく論じている。
＊あるフランスの偉い人　フランスの詩人、思想家、ポール・ヴァレリーのこと。四五七頁参照。

横光利一

一五六　＊横光利一　小説家。明治三一年(一八九八)福島県生れ。この年三二歳。作品に「日輪」「蠅」「上海」など。昭和二二年(一九四七)没。
＊先月号で…　「先月号」は『文藝春秋』昭和五年(一九三〇)一〇月号。「文学と風潮」

（一四二頁〜）が書かれている。

＊法がつかなかった　仕方がなかった。

一五七　＊燎火　かがりび、にわび。

＊日輪　横光利一の小説。大正一二年（一九二三）五月、『新小説』に発表。古代、不弥（うみ）国の美貌の王女卑弥呼をめぐって、争い倒れる王子たちを描く。

＊御身　横光利一の小説。大正一三年五月、第一創作集『御身』として金星堂から刊行。末雄は姪の幸子が気になる、しかし幸子はなつかない。

＊蠅　横光利一の小説。大正一二年五月、『文藝春秋』に発表。田舎の宿場から街に向った乗合馬車が、途中、崖から転落する。

＊赤い色　横光利一の小説。大正一三年六月、『文藝春秋』に発表。田舎宿の息子、灸が、泊り客の赤い着物の娘と遊んでいるうち、階段から落ちて死ぬ。後に「赤い着物」と改題された。

一五八　＊ゴオチエ　Théophile Gautier　フランスの詩人、小説家。一八一一〜七二年。詩集に「七宝と螺鈿」、小説に「モーパン嬢」、回想録に「ロマン主義の歴史」など。

＊花園の思想　横光利一の小説。昭和二年（一九二七）二月、『改造』に発表。

＊一碧　一面に青いこと。

＊驍将　勇将、強い大将。

一五九　＊アイロニイ　irony（英）皮肉、当てこすり、反語。

＊擬眼　義眼。

＊玻璃　ガラス。

＊点睛「睛」はひとみ。動物を描くとき、最後に瞳をかきいれて仕上げることから、物事の眼目、急所。

＊贄　供物、貢物。

＊古い筆　横光利一の小品集。昭和四年四月、『文藝春秋』に発表。「竹の花」「鯉」「水晶」「花嫁」「虫」の五作品からなる。

＊ナポレオンと田虫　横光利一の小説。大正一五年（一九二六）一月、『文芸時代』に発表。ヨーロッパを支配し、さらにロシア征服をもくろむナポレオンのコンプレックスを、腹の上の皮膚病を通して描く。

一六〇　＊鳥　横光利一の小説。昭和五年二月、『改造』に発表。

＊高架線　横光利一の小説。昭和五年二月、『中央公論』に発表。

＊蟻、台上に飢えて月高し　横光利一の句。横光の原句、第二句は「餓ゑて」。

一六一　＊川端康成　小説家。明治三二年（一八九九）大阪府生れ。横光利一らと新感覚派文学運動の中心となる。この年三一歳。昭和四七年没。引用は昭和五年一〇月、『新潮』に発表された「横光利一の作品」から。

一六三　＊膠質　液体などに微細な粒子が分散した状態。膠（にかわ）・澱粉・寒天等。

＊聖書の雅歌「旧約聖書」中の一書。決まった構成はなく、宗教的・倫理的要素が感じられないため、解釈には比喩説、戯曲説、恋歌集説など諸説ある。

＊恋茄かぐはしき…〈雅歌〉七章一三節。口語訳聖書では「恋なすは、かおりを放ち、

もろもろの良きくだものは、新しいのも古いのも共にわたしたちの戸の上にある」。
＊なんぢの歯は…〈雅歌〉四章二節、同六章六節。口語訳聖書では「あなたの歯は洗い場から上(のぼ)ってきた毛を切られた雌羊の群れのようだ。みな二子(ふたご)を産んで、一匹も子のないものはない」。

一六四　＊主人　下に続く「軽部」「屋敷」とともに「機械」の登場人物。

＊御景物　「景物」は添え物。

＊ペルス　perce（仏）錐、錐状の工具。

一六六　＊瘋癲院　精神を病む人たちのための病院。精神病院。

一六七　＊撞著　撞着。つじつまが合わないこと。矛盾。

＊デカルトの倫理　「デカルト」はルネ・デカルト René Descartes（一五九六～一六五〇）。理性に基づく判断や行動を重視する合理主義の哲学者。したがってここでの「倫理」は、主人公の「私」が通念や感情に従ってではなく、言葉のもつ論理的な意味に従って行動していることをさしている。

一六八　＊況や　言うまでもなく、まして。

一六九　＊ポンチ絵　風刺を含んだ滑稽画。漫画。「ポンチ」は一八四一年創刊のイギリスの絵入り週刊誌『Punch』に由来する。

一七〇　＊叙事詩人　「叙事詩」は民族など社会集団の歴史的事件を客観的に叙述する韻文。

＊抒情詩人　「抒情詩」は作者自身の感情や情緒を主観的に表現する韻文。

批評家失格 I

一七二　＊一日三省　日々何度も我身を省み自戒すること。

＊サント・ブウヴ　フランスの批評家。四四八頁参照。「毒は薄めねば…」は断想集「我が毒」でいわれている。新潮社刊『小林秀雄全作品』第12集に著者の「我が毒」全訳を収録する。

一七四　＊立役　芝居の主役。あるいは、物事の中心となって働く人。

一七五　＊冠履顚倒　上下の順序がさかさまであること。

一七六　＊犬の川端歩き　何か幸運に行き当ろうとしてうろうろすることのたとえ。

＊精神分析学　夢や空想に現れる精神状態を分析し、意識下に抑圧された潜在的な欲望と表面に現れる意識や行動との関係を研究する学問。一九世紀末、オーストリアの精神病理学者フロイトに始まり、アドラーやユングなど諸派に分かれて発展した。

一八一　＊倨傲　おもいあがって威張っている様子。傲慢。

一八二　＊陶冶　素質や才能をひき出し、育て上げること。

＊辛酸　つらく苦しいこと。にがい思い。辛苦。

一八三　＊娑婆臭い　「娑婆」は人間界、俗世間。

＊脛に疵を…　「脛に疵を持つ」はやましいことがある、知られたくない前歴を持つ、などの意。

私信――深田久弥へ

一八五　＊深田久弥　小説家。明治三六年（一九〇三）石川県生れ。この年二七歳。昭和四六年（一九七一）没。

＊オロッコの娘　深田久弥がこの年、昭和五年（一九三〇）一〇月、『文藝春秋』に発表した小説。樺太の遊牧民オロッコ族の娘パタラと、異族ギリヤークの若者との恋、そして二人の間の子の誕生とパタラの死を描く。

一八六　＊合作　この年、昭和五年、マルクス主義、非マルクス主義、それぞれの立場から文芸の共同製作（合作）の是非が論じられていた。西沢隆二「組織的生産としての共同製作の問題」（『ナップ』）、吉村鉄太郎「共同制作を中心として」（『新潮』）、小宮山明敏「共同製作の問題、及び二つの共同製作に反映せる心理、イデオロギーの分析」（『詩・現実』）など。

＊マルクス主義文学　マルクス主義（四七〇頁参照）に立脚し、現実をプロレタリアすなわち賃金労働者の階級的自覚に基づいて捉えようとする文学の立場。わが国では大正末期から昭和初頭に大きな勢力となった。

＊ブルジョア臭い　「ブルジョア」bourgeois（仏）は近代資本主義社会における有産階級、あるいは生産手段を持つ階級の人をいう。

一八七　＊プロレタリヤ・リアリズム　四七二頁参照。

＊樺太　北海道の北方、オホーツク海西南部に位置する島。ロシア名はサハリン。昭和五年当時、その南半分は日本領土となっていた。

*日活　日本最初の映画会社、日本活動写真株式会社の略称。のちに正式名称となった。大正元年（一九一二）創立。

一八八　*天然色　自然の色彩。現在の所謂カラー。

*悒愁　憂え悲しむこと。「悒」は「憂」と同意。

我ままな感想

一八九　*文芸時評　正宗白鳥（四六八頁参照）は、この年、昭和五年（一九三〇）五一歳。一月から『中央公論』に文芸時評を連載していた。

一九〇　*年は薬　年齢を重ねるにつれて、思慮分別の加わること。

*沈香をたいて…　「沈香」は天然香料。本来の成句は「沈香も焚かず屁もひらず」で、役には立たぬが害にもならぬ、よいこともないが悪いこともない、などの意。

*青二才　年が若く未熟な男。

*一高　旧制の第一高等学校。著者の母校。

*校友会雑誌　第一高等学校文芸部の機関誌。

一九一　*ジャック・シャルドンヌ　Jacques Chardonne　フランスの小説家。一八八四年生れ。「エヴァ」はこの年、一九三〇年に発表された小説。一九六八年没。

近頃感想

一九二　*今朝「帝大新聞」へ書き「我ままな感想」（一八九頁〜）を『帝国大学新聞』に寄稿し

たことをいっている。

一九三　＊逕庭　かけはなれていること。かけへだたり。

一九四　＊観照的　「観照」は主観を交えず、対象のありのままをながめ、その本質を認識すること。

一九五　＊神仙譚　神通力をもった不老不死の仙人の話。

一九八　＊マルクス主義批評家　「マルクス主義」は四七〇頁参照。代表的な論客としては、中野重治、蔵原惟人、青野季吉らがいた。

一九九　＊尖端娘　時代や流行の先頭を行く少女。「尖端」は当時の流行語。時代の最先端の意で「ファッション」「職業」「女性」「文学」などに冠して用いられ、当時同様に用いられた「モダン」よりもさらに大胆・過激なものをさした。

＊共同制作　四九二頁「合作」参照。

＊清算　ここは当時のマルクス主義者の用語。環境や教育の影響で身についた資本主義的・ブルジョア的傾向を自己批判することによって克服し、真にマルクス主義の立場に立つことをいった。

物質への情熱

二〇〇　＊正岡子規　俳人、歌人。慶応三～明治三五年（一八六七～一九〇二）。伊予の国（愛媛県）生れ。俳句・短歌の革新に努め、『ホトトギス』派の俳句、『アララギ』派の短歌の祖となった。著作に「歌よみに与ふる書」「病牀六尺」などがあり、日記に「仰臥漫録」

がある。
＊歌よみに与ふる書　正岡子規の歌論書。明治三一年、新聞『日本』に発表。「古今和歌集」を排して「万葉集」の重視を唱え、写生主義に基づく短歌の革新を主張した。
＊切歯　歯ぎしり。腹立たしく無念に思うこと。
＊誰やら名高い人　明示すればフランスの小説家、フロベール。四三九頁参照。
＊石にお灸　まったくききめのないことのたとえ。

二〇一
＊仕掛けうが　仕掛けようが。
＊生　男子の謙称。小生。
＊大檀那　スポンサー。
＊頃日　近ごろ、最近。
＊序次倫無く　順序かまわず。「序次」「倫」、ともに順序の意。
＊疾呼　早口であわただしく言いたてること。
＊総じて同一の歌にて…　大体は同じ一つの歌でも、私が非常に誉めるところと、他の人がひどくけなすところが同じ個所になるのです、の意。
＊実証的な精神　観念や想像ではなく、観察・実験によって得られる客観的事実に基づいて物事を説明しようとする考え方。
＊名人は危うきに遊ぶ　江戸前期の俳人、松尾芭蕉が、句作の心がけを門人に諭した言葉に「名人は危うき所に遊ぶ」（森川許六・向井去来「俳諧問答」）がある。

二〇三
＊イット　性的魅力の意。アメリカの女性小説家エリナー・グリン原作の映画「イット

(It)」(主演クララ・ボウ、一九二七年製作) から出た言葉。
*モダン小説　龍胆寺雄、中村正常らによって書かれた小説の呼称。都市文化の消費的諸断面がアメリカから入った風潮のなかで描かれた。
*帝都復興祭り　この年、昭和五年(一九三〇)三月、大正一二年(一九二三)九月の関東大震災からの復興を祝って東京市が主催した祭り。天皇の下町視察、音楽会、映画会、体育会、提灯行列など多彩な行事が行われた。
*龍胆寺雄　小説家。明治三四年(一九〇一)千葉県生れ。昭和五年「新興芸術派倶楽部」を結成、モダニズム文学の中心として活動した。平成四年(一九九二)没。
*放浪時代　昭和三年、『改造』一〇周年記念懸賞小説の一等に当選した。

二〇四 *珠壺　龍胆寺雄が昭和四年一月から『都新聞』に連載した小説。

二〇五 *警句　奇抜な着想で真理を鋭くついた短い言葉。アフォリズム。
*長谷川如是閑　ジャーナリスト、文明批評家。明治八年東京生れ。デモクラシー思想の鼓吹に努め、大正・昭和の論壇に地歩を占めた。著作に「現代国家批判」など。昭和四四年没。
*ジャズ的思弁による…　長谷川如是閑が昭和四年八月、『中央公論』に発表したエッセイ。
*ホワイトマン　Paul Whiteman　アメリカのジャズ・バンドのリーダー、ヴァイオリニスト。一八九〇年生れ。一九六七年没。

二〇六 *短調　西洋音楽の音階の一つの短音階を用いた調子。長調に比べて、一般に悲しく暗い気分の表現に使われることが多い。

二〇七　＊衰耗　衰え元気がなくなること。

二〇八　＊為永春水　江戸時代後期の人情本作者。寛政二～天保一四年（一七九〇～一八四三）。世相を反映した情痴の世界を描き、天保の改革の際、風俗壊乱の科で処罰された。作品に「春色梅児誉美」「春色辰巳園」など。

＊梅暦　為水春水の人情本「春色梅児誉美」のこと。天保三～四年（一八三二～三三）刊。江戸深川の花柳界を舞台に、美男子と芸者二人の三角関係を描いた愛欲小説、風俗小説。婦女子を読者とする人情本の典型をつくった。

二〇九　＊一寸の虫も五分の魂　どんなに小さく弱いものにも相応の意地がある、だから馬鹿にできない、という意味の諺。

＊卍　谷崎潤一郎の小説。昭和三～五年（一九二八～三〇）『改造』に連載。阪神間の西宮・香櫨園に住む弁護士の妻、柿内園子をめぐる倒錯した性の世界を、園子自身の独白体で綴る。

二一〇　＊大森義太郎　経済学者。四八六頁参照。

＊雅川滉　文芸評論家、近代文学研究家。明治三九年（一九〇六）東京生れ。「新興芸術派倶楽部」による反マルクス主義文学運動に参加し、「芸術派宣言」などを執筆した。昭和四八年（一九七三）没。

＊大正大地震　大正一二年（一九二三）九月一日に関東地方で起った大地震。関東大地震ともいう。東京府と近県の死者約一〇万人、負傷者約一〇万人、破壊焼失戸数約七〇万

戸に及んだ。

二一一　＊水木京太　劇作家、演劇評論家。明治二七年（一八九四）秋田県生れ。戯曲「殉死」「フォオド躍進」など。昭和二三年（一九四八）没。

＊片岡鉄兵　小説家。明治二七年岡山県生れ。横光利一、川端康成らとともに新感覚派文学運動を展開。小説に「生ける人形」、評論に「新感覚派の表」など。昭和一九年没。

＊貴司山治　小説家。明治三二年徳島県生れ。昭和四年、日本プロレタリア作家同盟（ナルプ）に加盟。作品に「ゴー・ストップ」「忍術武勇伝」など。昭和四八年没。

二一二　＊傍杖　「傍杖を食う」で巻添えを食う、とばっちりを受ける意。

＊襤褸　ぼろ。

二一四　＊足あり、仁王の足の如し…　私の足は、腫れて仁王の足のようだ。

＊天地震動、草木号叫　天地が震動し、草木が泣き叫ぶほどの痛みが走る。

＊女媧　中国の伝説上の女神。人頭蛇体で、天の支柱が折れて空が崩れようとしたとき、五色の石を練って空の割目を繕い、大亀の足を切って天の支柱としたという。

＊病牀六尺　正岡子規の日誌的随筆。脊椎カリエスで病臥していた子規が、新聞『日本』に明治三五年（一九〇二）五月五日から断続的に掲載した。ここに引用の文は同年九月一四日に掲載され、子規はその五日後、同月一九日に死去した。

中村正常君へ――私信

二一五　＊私の批評文中の十行程　著者が昭和五年（一九三〇）一〇月、『文藝春秋』に発表した

「文学と風潮」で、中村正常に言及した部分。一四五〜一四六頁参照。

二一六 ＊土台　もともと、はじめから。
＊調戯師の美徳　中村正常が昭和五年一一月、『文藝春秋』に発表した短文の標題。自分の愚劣さの自覚と懐疑を根底に置くナンセンス文学の立場を主張した。
＊アインシュタイン　Albert Einstein　理論物理学者。一八七九年生れ。一九五五年没。
＊相対性原理　アインシュタインが一九〇五年に発表した。光、エネルギー、空間、時間等の相関性についての自然法則で、それまでのニュートン力学などの矛盾を新しい概念の導入によって解決した。

二一七 ＊ファルス　farce（仏）　滑稽劇。本来は中世フランスの一幕物の笑劇。
＊シェクスピヤ　William Shakespeare　イギリスの劇作家、詩人。一五六四〜一六一六年。悲劇「オセロ」「リア王」、喜劇「じゃじゃ馬ならし」「夏の夜の夢」、歴史劇「リチャード三世」「ヘンリー四世」など、多くの分野で作品を残した。
＊お為ごかし　他人のためにするように見せながら実は自分の利益をはかること。

二一九 ＊ジュウル・ラフォルグ　Jules Laforgue　フランスの詩人。一八六〇〜八七年。現代詩への出発点に立つと目される。「ハムレット」のパロディがある。一九〜二〇頁参照。

二二〇 ＊ジュル・ロメン　Jules Romains　フランスの小説家。一八八五年生れ。ジュール・ロマン。個人と共同体が一体となっているあり方をこそ描かねばならないとする「一体主義」（ユナニミスム）文学を主張した。小説「プシシェ」三部作など。一九七二年没。
＊ラ・ヴィ・ユナニム　La Vie unanime　ジュール・ロマンの詩集「一体生活」。

感想

二二二　＊ヴァリエテ　Variété　ヴァレリーの全五巻の評論集。一九二四年から四四年にかけてガリマール社から断続的に刊行された。書名「ヴァリエテ」は、「さまざまな文集」というほどの意。著者の学生時代には〈Ⅰ〉のみが出版されており、この稿が書かれた昭和五年（一九三〇）には〈Ⅱ〉が出ていた。

二二三　＊知的コメディ　ヴァレリーがその著「レオナルド・ダ・ヴィンチの方法序説」に後年付加した「覚書と余談」に、「私は彼（レオナルド）のなかに、『知性の劇』の主人公を見ていた」という一節がある。

＊生得　うまれつき。

二二四　＊修身　旧制の小・中学校の一教科。現在の道徳にあたる。

マルクスの悟達

二二七　＊平林初之輔　四七一頁参照。この年三九歳。ここで言及されている『新潮』掲載文は「所謂科学的批評の限界」。

＊大森義太郎　四八六頁参照。この年三三歳。著作に「史的唯物論」など。ここで言及されている『改造』掲載文は「文芸時評―平林初之輔氏の科学的批評排斥論（以下略）」。

二二九　＊マルクシスト　Marxist（英・独）marxiste（仏）　マルクス主義者。マルクス（四六四頁参照）やエンゲルス（四七八頁参照）の思想を信奉する人。

二三〇　*新カント派風　「新カント派」は、一九世紀後半ドイツに興った、カントの批判哲学を現代的観点から復興しようとした学派。存在学（存在論）を重視したのは、N・ハルトマン。他にコーエン、リッケルトなど。

*弁証法的唯物論　四六四頁「近代唯物弁証法」参照。

二三二　*自然弁証法　Dialektik der Natur　エンゲルスの未完の遺稿の題名。弁証法的唯物論の立場からの自然観を体系的に述べようとする。

*山川　山川均（ひとし）。社会主義者。明治一三年（一八八〇）岡山県生れ。日本共産党設立時（大正一一年）の理論的指導者。昭和三三年（一九五八）没。

*レニン　Vladimir Il'ich Lenin　ロシアの革命家、政治家。一八七〇～一九二四年。レーニン。マルクス主義に基づき、帝政ロシアにおいて社会主義国家への革命を指導、政権獲得後は人民委員会議（ソビエト）議長として活動した。著作に「帝国主義論」「国家と革命」など。

*唯物論と経験批判論　Materializm i Empiriokrititsizm　レーニンの著作。一九〇九年刊行。大森義太郎、山川均共訳本は、昭和四年七月、白揚社から出版された。

*マッハ　Ernst Mach　オーストリアの物理学者、哲学者。一八三八～一九一六年。論理実証主義の基礎を築いた。著作に「感覚の分析」など。

二三三　*衒学的　学識や教養があることをひけらかすさま。

*唯物論的方向　「唯物論」は、物質のみを真の実在とし、精神や意識はその派生物と考える哲学上の立場。西洋では、古代ギリシャの哲学者デモクリトスからエピクロスを経

て、近代のフォイエルバッハ、マルクスなどに至る。
＊観念論的方向　「観念論」は、物質や自然は神または人間の精神によって規定されて初めて存在しうるとする哲学上の立場。古代ではプラトン、近代ではヘーゲルなどがその代表。
＊不可知論　人間は事物を感覚に現れる限りで認識できるのであり、その背後の実在の真の姿を知ることはできない、とする立場。
＊悟達　物事の本質を悟り、無私の境地に達すること。
＊ボグダノフ　Aleksandr Aleksandrovich Bogdanov　ロシアの政治家、哲学者、医者。一八七三〜一九二八年。その著「経験的一元論」でマッハ主義とマルクス主義の結合を企て、レーニンに「唯物論と経験批判論」で批判された。

二三四

＊反デュウリング論　Anti-Dühring　エンゲルスが、ドイツの哲学者デューリング（一八三三〜一九二一）の唯物論的実証主義を批判した著作「オイゲン・デューリング氏の科学の変革」（一八七八年刊）の通称。

二三五

＊半畳　他人の言動をまぜかえしたり、からかうことをいう。元来は江戸時代に芝居の見物人が敷いた小さな畳やござ。それを舞台に投げ、役者の演技への不満や反感を表わすことを「半畳を入れる」といった。
＊資本論　Das Kapital　マルクスの主著。全三巻。一八六七年から九四年にかけて刊行された。第二巻・第三巻はマルクスの死後、エンゲルスによって編集・刊行された。
＊ダンテ　Dante Alighieri　イタリア、フィレンツェ生れの詩人。一二六五〜一三二一年。

ルネサンス文学への道を開いた叙事詩「神曲」がある。ここに引用の言葉はその「神曲」の〈煉獄篇〉第五歌に基づく。

＊問題は懺悔であり…　一八四三年九月のルーゲ宛書簡にある。ルーゲ（次項参照）と編集した雑誌『独仏年誌』で公開された。

＊ルウゲ　Arnold Ruge　ドイツの哲学者。一八〇二～八〇年。一八四四年、マルクスの協力者としてパリで『独仏年誌』を発刊した。

二三六　＊ペプシン　pepsin（英）胃液中の消化酵素の一つ。タンパク質を分解する。

二三七　＊プレハノフ　ロシアのマルクス主義の理論家。四六三頁参照。引用の言葉は、論文集「二十年間」〈第三版への序文〉から。

＊ラプラスの鬼　Laplacian demon（英）フランスの天文学者、数学者ラプラス（一七四九～一八二七）が考えた想像上の認識者。自然界の因果法則の初期条件・拘束条件をすべて認識・計算でき、したがって、未来の予測も原理的には可能な知性的存在。ラプラスの魔。

＊階級対立　ここは資本主義社会におけるブルジョア階級とプロレタリア階級の対立をさしている。

二三八　＊範疇　個々の学問の基礎となる概念の枠組。社会学では、構造、集団、行為、制度、階級などの定義が基本的範疇となる。

＊秋波　色目、流し目。

＊並列五度音程　完全五度の間隔にある二つ以上の音が並進行すること。耳に不快として

古典的和声学では禁じていた。

*左右双称　左右対称。シンメトリー。

*ダダイスト　dadaïste（仏）　第一次大戦頃に、ヨーロッパに広まった芸術運動、ダダイスムを奉ずる人。意味のない音声詩や自動書記などの新技法を生み、自発性と偶然性を尊重した。日本では高橋新吉や村山知義ら。

*ヘエゲル　Georg Wilhelm Friedrich Hegel　ドイツの哲学者。一七七〇～一八三一年。自然・歴史・人間の精神を絶対精神（後項参照）の弁証法的展開のプロセスとして表現する。著作に「精神現象学」など。

*フォイエルバッハ　Ludwig Andreas Feuerbach　ドイツの哲学者。一八〇四～七二年。マルクスは「ドイツ・イデオロギー」などで、フォイエルバッハは、現実を客観的に捉えるだけで、主体的、実践的に捉えていないと批判した。

*絶対精神　ヘーゲル哲学の用語。ここでの「精神」は知的存在としての神のこと。ヘーゲルは、存在の根源にある絶対者としての「精神」が、自然と人間の創造を通じて全能かつ全知であるという自己認識を獲得し、真に自由な「精神」へと還っていくと説き、「精神」がこの自己認識に到達した段階を「絶対精神」と呼んだ。

*物自体　カント哲学の中心概念。ドイツの哲学者カントは、人間の認識能力の形式に応じて現れる対象を「現象」と呼び、その現象を生み出す元となる、人間には不可知の真実在を「物自体」と呼んだ。

*哲学の貧困　マルクスの著書の書名をふまえている。書名の原綴は Misère de la

二三九

philosophie。同書は、フランスの社会主義者プルードンの「貧困の哲学」に対する批判の書。一八四七年刊。

二四〇　*試金石　貴金属の品位判定に用いる石。そこから、価値や能力などを見きわめる際の判断材料となる物事にもいう。

*芸術とは何ぞや　Chto takoe iskusstvo? トルストイ（四六二頁参照）の芸術論。近代的美学を批判し、芸術作品による人々の連帯を説く。一八九八年刊。

二四一　*範疇としてなら…　「範疇」は、ここでは経済学的範疇、すなわち経済学が取り扱う基礎的概念の領域のこと。引用はマルクス「経済学批判序説」〈三・経済学の方法〉から。

*ノアの洪水　「旧約聖書」〈創世記〉にある洪水伝説のこと。神は、堕落した人類を滅ぼすために大洪水を起こすが、その前に義人ノアには、方舟を作って難を免れるよう命じた。彼とその家族は、アダムとイヴにつぐ人類の第二の祖先になったという。

*分娩　子を生むこと。ここでは、経験に先立つ抽象的概念が、演繹的に現実を導き出すことをいう。

二四二　*マルクス・エンゲルス全集　昭和三年（一九二八）から同一〇年にかけて改造社から刊行された。「経済学批判序説」を収録するのは第七巻の一。昭和四年四月刊。

文芸時評

二四三　*立花　当時、東京神田にあった寄席〈立花亭〉のこと。

*小勝　五代目三升家小勝。落語家。安政五年（一八五八）江戸生れ。毒舌を交えた滑稽

落語で人気があった。この年七三歳。昭和一四年（一九三九）没。
＊うなぎや　落語の演目「素人鰻」のこと。料理人に休まれた鰻屋の主人、料理には素人なのに客の注文を断りかね、やっと鰻を捕まえたが…。
＊先月号で…　『文藝春秋』昭和六年一月号に「マルクスの悟達」（二二七頁～）を書いたことをさす。
＊転換　マルクス主義への「方向転換」。「転向」に同じ。後には逆に、権力の圧迫に屈した者が共産主義思想を放棄する意味になった。

二四四　＊ナップ　NAPF　全日本無産者芸術連盟。エスペラント語 Nippona Artista Proleta Federacio の頭文字からの略称。昭和三年創立。機関誌『戦旗』『ナップ』を発行。昭和初期のプロレタリア芸術運動を導き、昭和六年、コップ（日本プロレタリア文化連盟）に発展解消した。
＊ソヴェト・ロシヤ　Sovetskaya Rossiya　ソビエト政権治下のロシア。ソビエト社会主義共和国連邦（一九一七年成立、一九九一年解体）の俗称。

二四五　＊ブルジョア雑誌　ここでは、大手の出版社が刊行する『中央公論』『文藝春秋』などをさしている。
＊まくら　本題の前に話す短い話。その話をすることを「まくらを振る」という。

二四六　＊前座　格付最下位の落語家。
＊真打ち　寄席の一座で技量の最もすぐれた者。通常その日の最後の演目を務める。また格付最上位の資格にもいう。

二四七 ＊取り　寄席で最後に出演する者。
＊ダグラス　Clifford Hugh Douglas　イギリスの経済学者。一八七九年生れ。昭和四年秋に来日し、工学的方法を経済現象に応用する趣旨の講演などを行った。一九五二年没。
「役者」は、アメリカの映画俳優、ダグラス・フェアバンクス（一八八三～一九三九）。
＊人絹文学　新しいが、お手軽で作り物めいた文学をいう。「人絹」は木材パルプなどを加工して絹に似せた人造絹糸の略。レーヨン。
二四八 ＊いかもの　にせもの。
＊吉野葛　谷崎潤一郎の小説。主人公の小説家が吉野を訪れ歴史を探訪し、案内役の友人津村から、かすかな記憶の中にある母を慕う気持ちを打ち明けられる。
二四九 ＊ハウゼンスタイン　Wilhelm Hausenstein　ドイツの美術史家、芸術学者。一八八二年生れ。著作に「芸術と社会」「芸術史における人間の身体」など。一九五七年没。
＊フリチエ　Vladimir Maksimovich Friche　ロシアの芸術学者、批評家。一八七〇～一九二九年。経済や生産方法の変化が、文学や芸術の様式の変化を基礎づけると規定した。著作に「西欧文学史概観」「芸術社会学」など。
＊稟質　生まれつきの性質。稟性。
＊ジャン・コクトオ　Jean Cocteau　フランスの芸術家。一八八九年生れ。文学・演劇・バレエ・映画・音楽などの諸分野で活躍。詩集「ポエジー」、小説「恐るべき子供たち」、劇「声」など。一九六三年没。
＊職業の秘密　Le Secret professionnel　ジャン・コクトーの詩論。一九二二年刊。

批評家失格Ⅱ

二五一　＊ロッシュフウコオ François de La Rochefoucauld　フランスのモラリスト。一六一三～八〇年。ラ・ロシュフーコー。貴族で軍人として活動、引退後、「箴言と考察」などを発表した。

＊マクシム Réflexions ou sentences et maximes morales　直訳すれば「自省録あるいは箴言と道徳的格言」。一六六四年、初版刊行。一六七八年の第五版まで改訂を重ねた。

二五二　＊一銭　「銭」は「円」の一〇〇分の一。

二五六　＊遠近法の戯れ　ここは、遠くにあるものは小さく見えるという人間の視覚現象を比喩的にいっている。

＊子を見る親に如かず　自分の子の性質や能力について、最もよくその長所・短所を見ぬいているのは親である、という意味の諺。

二五七　＊上野の美術館　東京の上野公園内にある現在の東京都美術館。大正一五年（一九二六）竣工。

＊ランボオ Jean Nicolas Arthur Rimbaud　フランスの詩人。一八五四～九一年。詩集に「地獄の季節」「飾画」。著者は、前々年の昭和四年（一九二九）からランボー詩の翻訳に打ちこみ、昭和五年一〇月「地獄の季節」を、この年、昭和六年一一月には「酩酊船」を、いずれも白水社から刊行した。

二五九　＊五銭玉を…　「五銭玉」は大正九年から発行されていた穴あき小型五銭白銅貨。「十銭玉」は同じく穴あき十銭白銅貨。

＊流し　銭湯で三助（客の体を洗ったり雑役をする男性従業員）に背などを洗わせることを「流しを取る」といった。

二六〇　＊壊血症　ビタミンCの欠乏によって起こる病気。貧血、衰弱のほか、歯肉や関節、皮膚などから出血する。壊血病ともいう。

谷川徹三「生活・哲学・芸術」

二六一　＊谷川徹三　哲学者。明治二八年（一八九五）愛知県生れ。この年三六歳。平成元年（一九八九）没。

＊生活・哲学・芸術　谷川徹三が昭和五年（一九三〇）九月、岩波書店から刊行した随想集。

＊高等学校　旧制の高等学校。著者は、大正一〇年（一九二一）四月（一九歳）から、一年間の休学をはさんで一四年三月（二二歳）まで、東京の第一高等学校に通った。

二六二　＊感傷と反省　谷川徹三が大正一四年三月、岩波書店から刊行した論文集。

＊享受と批評　谷川徹三が昭和五年九月、鉄塔書院から刊行した随想集。

＊ディアレクティク　dialectique（仏）「弁証法的な」の意。「弁証法」は、相互に対立する意見や事柄の双方を媒介にして、より高い水準の真理に迫ろうとする態度、あるいは手続きをいう。本来は学問の方法に関する用語。

＊馳駆　使いこなすこと。駆使。

井伏鱒二の作品について

二六四　＊井伏鱒二　小説家。明治三一年（一八九八）広島県生れ。この年三三歳。大正一二年（一九二三）、『世紀』に「幽閉」（のち「山椒魚」と改題）を発表。昭和四年（一九二九）、「朽助のいる谷間」「シグレ島叙景」を発表して文壇に出た。平成五年（一九九三）没。

＊丹下氏邸　井伏鱒二の小説。姫谷村の丹下氏邸に世話になっている「私」は、その使用人と、亭主の不始末を詫びに遠方の奉公先から訪ねてくる彼の妻との不思議な夫婦関係を目撃する。

＊詩・現実　淀野隆三たちが創刊した詩雑誌。昭和五年六月から六年六月まで五冊刊行された。

＊淀野隆三　小説家、翻訳家。明治三七年京都生れ。昭和四二年没。言及の文章は、「詩・現実」第二冊（昭和五年九月）所収の「末期ブルジョア文学批判（1）」に含まれる〈「芸術派」作品の梗概　井伏鱒二に就いて〉。

＊夜ふけと梅の花　井伏鱒二の最初の作品集。大正一四年発表の標題作を中心として昭和五年四月、新潮社から刊行した。

＊小市民的根性　「小市民」は petit-bourgeois（仏）の訳語。プチブルとも呼ばれる。資本家と労働者の中間に位置し、経済的には労働者に近いが、思想的には保守的な傾向の強い階層の人々の考え方や立場をいう。

二六七　＊鯉　井伏鱒二の小説。大正一五年（一九二六）九月、『桂月』に発表。十数年前、「私」は友人から貰った一匹の鯉を殺さない約束をした。私が住居を移るたび、鯉も次々住む場所を変えた。先年、友人は死去したが、鯉は今、早稲田大学のプールにいる。

二六八　＊シグレ島叙景　井伏鱒二の小説。昭和四年（一九二九）一一月、『文藝春秋』に発表。シグレ島は地図の上では陸続きだが実は孤島。岸壁近くに座礁した廃船には「私」以外に宮地伊作と村上オタツの二人が住んでいる。二人は毎日大声で喧嘩する以外に交際する術を知らない…。

二六九　＊ジョセフと女子大学生　井伏鱒二の小説。昭和五年一月、『新潮』に発表。

二七〇　＊谷間　井伏鱒二の小説。昭和四年一月から四月まで『文芸都市』に連載。姫谷焼の竈跡を発掘するため、谷間の村を訪れた「私」は発掘と滞在を許される。折しも、隣村との間に、顕彰碑建立の寄付金をめぐって騒動が持ちあがろうとしていた。
＊朽助のいる谷間　井伏鱒二の小説。昭和四年三月、『創作月刊』に発表。「私」はハワイ帰りの山番朽助に英語の初歩を教えられて育った。朽助は今、ハワイ育ちの孫娘とともに同じ山番をしているが、住んでいる谷間がダムに変わることになった。

心理小説

二七一　＊伊藤整　評論家、小説家、翻訳家。明治三八年（一九〇五）北海道生れ。フロイト（四六六頁参照）の精神分析と、ジョイス（四八二頁参照）らによる西欧二〇世紀文学の方法を紹介・移入し、新心理主義文学を唱えた。昭和四四年（一九六九）没。

＊ユリシイズ Ulysses ジョイスの小説。一九二二年刊。古代ギリシャのホメロスの叙事詩「オデュッセイア」を踏まえつつ、現代の広告取りブルームの一日を内的独白などの新しい手法で描いた。

二七二　＊ダダイスム dadaisme（仏）五〇四頁「ダダイスト」参照。

＊訕謗　そしること。誹謗。

＊ラルボオ Valery Larbaud　フランスの小説家、批評家、翻訳家。一八八一年生れ。「ユリシーズ」を出版前から評価して講演、部分訳を行い、また一九二九年のフランス語全訳の際はジョイスとともに監修にあたった。一九五七年没。

二七三　＊ルネ・ラルウ René Lalou　フランスの批評家、英文学研究家。一八八九年生れ。著作に「現代フランス文学史」「現代イギリス文学展望」など。一九六〇年没。

＊アトム説「アトム」atom は「これ以上分割できないもの」を意味する古代ギリシャ語の「アトモン」の英語形で「原子」のこと。哲学者デモクリトスらは、世界のあらゆる出来事が、原子の集合と離散の運動に基づくと説いた。

＊量子説 原子や素粒子などの微細な粒子の世界では、物理量の変化は連続的な値ではなく、基本となる量の整数倍の値しかとらない、という概念。「量子」はその基本量をいう。一九〇〇年、ドイツの物理学者プランクが「量子仮説」で提唱した。

二七四　＊プルウスト Marcel Proust　フランスの小説家。一八七一～一九二二年。作品に記憶の深層、意識下の心理などを基礎的主題とする長篇小説「失われた時を求めて」がある。

＊ブルウム 小説「ユリシーズ」の主人公。ダブリンの広告代理店に勤める中年のユダヤ

人。

二七五　＊ネロン Néron　ラシーヌ（四五三頁参照）の悲劇「ブリタニキュス」の主人公、ローマ皇帝ネロ。

＊ボヴァリイ夫人 Madame Bovary　四三九頁参照。引用の文は、〈第一部二〉の、シャルルの先妻エロイーズの死の場面。

二七六　＊ポオ Edgar Allan Poe　アメリカの詩人、小説家。一八〇九～四九年。詩に「大鴉」「鐘」、散文詩による宇宙論に「ユリイカ」など。これらはフランスの象徴詩に影響を及ぼし、また「黄金虫」などで推理小説の祖となった。

二七七　＊ルイ・アラゴン Louis Aragon　フランスの詩人、小説家。一八九七年生れ。ダダイストとして活動、のちシュルレアリスム（四七九頁参照）の推進者となった。一九八二年没。

＊文体論 Traité du style　ルイ・アラゴンが一九二八年に発表した文学批判の書。

＊アインシュタイン Albert Einstein　ドイツ生れのユダヤ人物理学者。一八七九年生れ。一九〇五年、「相対性理論」を提唱。一九五五年没。

＊豚児呼ばわり「豚児」は自分の子、特に息子の謙称。それを不出来な人間の意に用いている。

＊自然派「自然主義」に同じ。四五三頁参照。

二七八　＊里見弴　小説家。明治二一年（一八八八）横浜生れ。武者小路実篤、志賀直哉らと『白樺』創刊に参加。作品に「善心悪心」「多情仏心」など。昭和五八年（一九八三）没。

＊ブルジョアリアリズム　プロレタリア・リアリズム（四七二頁参照）に対し、階級的無自覚、もしくは有産階級の立場に立って現実を描くことをさげすんでいわれた言葉。

＊エピゾディスム　episodisme（仏）　大きな物語を作らず、日常の雑事（エピソード）の描写を積み重ねて小説をつくる方法。

＊心理学は頭にくる酒…　本書所収「批評家失格I」一七六頁に記されている。

＊形而上学　四七八頁参照。

＊修辞学　聞き手や読者に感動を与え、また説得性を高めるため、言葉の最も有効な表現法を研究する学問。

＊ジャネ　Pierre Janet　フランスの心理学者、精神医学者。一八五九年生れ。ノイローゼ、ヒステリーの研究で知られる。一九四七年没。

＊ブウルジェ　Paul Bourget　フランスの小説家。一八五二年生れ。自然主義や実証主義に抗して心理分析を重んじた。作品に「弟子」など。一九三五年没。

＊ヒュウム　David Hume　イギリスの哲学者。一七一一～七六年。経験論の立場に立つ。引用の言葉は主著「人間本性論（人性論）」の〈第一部〉から。

二七九

＊ケエレル　Wolfgang Köhler　ドイツの心理学者。一八八七年生れ。ケーラー。ゲシュタルト心理学の創始者の一人。一九六七年没。

＊ゲシタルト心理学　Gestalt Psychology　一九二九年刊。「ゲシュタルト」はドイツ語で「形態、形状、状態」などの意。心理学上の術語としては、人間の意識などをその構成要素に分解することなく、どこまでもひとつの全体として捉える姿勢や手法をいう。

＊人間常識「常識」は、ここでは人が生れつき備えている知恵や能力の意。外部から習得される知識よりも万人共通の直観力、判断力、理解力に基づく思慮分別等に重きをおいて著者は用いる。

＊聯合　観念同士、あるいは観念と感情など、意識内容の要素同士の連結を意味する。意識の研究や内省法などを重視する一九世紀の心理学で多用された概念。

＊再生　心理学では、過去に経験したことや記憶したことを特別な刺激はなくても思い出したり、学習した反応を反復したりすることをいう。

二八〇　＊マルジナリヤ　Marginalia　ポーのエッセイ集。一八四四年から四九年にかけてニューヨークの『デモクラティック・レヴュー』誌などに発表したエッセイが集められている。題名は「欄外の書き込み」の意。二七五〜六頁の引用は〈想像力〉から。

室生犀星

二八一　＊室生氏　室生犀星。四五〇頁参照。抒情詩人として出発したのち小説に転じた。

＊熊　室生犀星の小説。昭和五年（一九三〇）四月、『改造』に発表。ブルドッグの闘犬「ゴリ」とその主人「豹」は、滞留先のホテルの庭先で鎖に繋がれた一頭の熊に出会い戦慄する。飼主である学者も、その熊が時折りむき出しにする野性的本能を恐れていた。

＊パテベビイ　Pathé-baby　フランスのパテ社がアマチュア向けに開発し、一九二〇年代に世界的に普及させた小型軽量の撮影機。

＊ジャン・コクトオ　フランスの芸術家。「レ・ザンファン・テリブル」Les Enfants terribles はその小説「恐るべき子供たち」、「グラン・テカアル」Grand Ecart は同「大胯びらき」。四八三頁参照。

二八二　＊ペエル・ゴリオ　Le Père Goriot　バルザック（四六五頁参照）の小説「ゴリオ爺さん」。

＊四十年　Sorok let　ゴーリキー（四八六頁参照）の最後の未完の中篇小説「クリム・サムギンの生涯」Zhizn' Klima Samgina のこと。「四十年」はその副題。

＊ポオル・モオラン　Paul Morand　フランスの小説家。一八八八年生れ。一九七六年没。

＊夜ひらく　Ouvert la nuit　モーランの小説。堀口大学訳で大正一三年（一九二四）七月、新潮社刊。

＊夜とざす　Fermé la nuit　モーランの小説。堀口大学訳で大正一四年六月、新潮社刊。

＊タンドル・ストック　Tendres Stocks　モーランが一九二一年に発表した最初の小説「三人女」。

二八三　＊好事家　ものずきな人。変わったことや風流な物事を好む人。

＊ディレッタンティスム　dilettantisme（仏）素人が道楽半分で学芸、特に音楽や美術を愛好すること。

＊ロマネスク　romanesque（仏）小説的な、あるいは（小説のように）奇異な、数奇な。

二八四　＊自殺　室生犀星の小説。昭和六年発表。大使館の小間使いを解雇された「僕」は、父親の勧める職場を転々とする。が、一向に手に職がつかない。「僕」は父親へのあてつけに自殺することを考える。

*抒情小曲集　室生犀星の第二詩集。大正七年九月、感情詩社刊。初期の抒情詩が中心。「ふるさとは遠きにありて思ふもの…」の〈小景異情〉、「したたり止まぬ日のひかり…」の〈寂しき春〉などが収められている。

二八六 *改造社版の氏の詩集　改造文庫版「室生犀星詩集」。昭和四年一一月刊。
*明の壺　大正一一年一二月、京文社から刊行された室生犀星「忘春詩集」の中に、「明代の陶器」をはじめ数篇に陶器が歌われている。
*庭石「忘春詩集」（前項参照）の中の「童心」に歌われている。
*鶴　室生犀星の詩集。昭和三年九月、素人社書屋から刊行。収録作品は八六篇。

二八七 *故郷図絵集　室生犀星の詩集。昭和二年六月、椎の木社から刊行。収録作品は三二篇。
*鉄集　室生犀星の詩集。『詩神』昭和四年二月号に掲載、昭和七年九月、椎の木社から刊行。収録作品は四六篇。
*幼年時代　室生犀星の自伝的小説。大正八年八月、『中央公論』に発表。
*美しき氷河　室生犀星の小説。大正九年四月、『中央公論』に発表。ある夏、「私」は海辺の料亭に嫁入りした姉のもとに滞在する。二人の半玉と親しみながら、「私」は生と性の高揚と、一種の寂しさを感じ取る。
*庭を造る人　室生犀星は、大正一二年九月、関東大震災に遭って郷里の金沢へ移住、陶器を愛し庭造りに没頭するなど、それまでの野性的・情熱的な小説から転じて伝統的な風流に遊ぶ随筆を多く書いた。「庭を造る人」は、そういう犀星の新境地をさして、昭和二年六月、改造社から刊行された随筆集の標題をふまえていわれている。

二八九

＊審美的範疇　ここでは、芸術を創作する者が採用する表現形式や素材の領域、の意。

＊疼痛　ずきずきとうずき痛むこと。また、その痛み。

＊田園の憂鬱　佐藤春夫（四四三頁参照）の小説。定本版は大正八年六月、新潮社刊。都会の喧騒に疲れた作家志望の青年の、孤独と倦怠に彩られた郊外生活を描き、「おお、薔薇、汝病めり！」の句で終る。

＊都会の憂鬱　佐藤春夫の小説。大正一一年一〜一二月、『婦人公論』に連載、同一二年一月、新潮社刊。「田園の憂鬱」の続篇。青年は妻と都会に出てくるが、無為の日々は変らない。

＊警笛　佐藤春夫の小説。『報知新聞』に大正一五年一一月から連載。ある晩、大阪の場末で情痴殺人事件が起こる。タクシーの車内で女を刺殺し、自らも喉笛を切った男は、かつて新進作家ともてはやされた牧沢信吉だった。牧沢は、手記の形で過去を語り始める。

＊神々の戯れ　『報知新聞』に昭和二年一二月から連載。同四年二月、新潮社刊。

＊更生記　『福岡日日新聞』に昭和四年五月から連載。同五年九月、新潮社刊。

＊心驕れる女　『大阪朝日新聞』に昭和五年一月から連載。同六年一月、新潮社刊。

＊モラリスト　moraliste（仏）ここは一六〜一八世紀初頭のフランスで、人間の心理や本性を観察・探求し、倫理的考察もまじえて随筆や箴言の形で書いた文筆家（モンテーニュ、パスカル、ラ・ロシュフーコーら）とその伝統が念頭におかれている。

＊病める薔薇　佐藤春夫の小説。大正六年六月、『黒潮』に発表。のちに加筆、改題され、

「田園の憂鬱」として刊行された。

二九〇　＊性に眼覚める頃　室生犀星の自伝的小説。大正八年一〇月、『中央公論』に発表。

二九一　＊膠著　膠着。ねばりつくこと。ある状態が固定して進展しないこと。「膠」はにかわ。

＊準尺　評価のための基準や尺度。

二九二　＊ユイスマン Joris-Karl Huysmans　フランスの小説家。一八四八～一九〇七年。ユイスマンス。自然主義から出発し、後年、神秘的象徴主義に移行した。作品に「さかしま」「彼方」「大伽藍」など。

＊浮気な文明　室生犀星が昭和四年八月、『改造』に発表した小説。「彼」は「彼女」と不安定な同棲生活を送っている。「彼女」はフルート吹きの「カツ」を、これ見よがしに家に呼び込む…。

＊私の白い牙　室生犀星の小説。昭和四年九～一〇月に『文藝春秋』に発表。強盗対策に「私」はブルドッグと土佐犬の雑種児を手に入れる。残酷なことは嫌いな「私」であったが、西洋人がシェパードを放し飼いにしているのを見て野性の本能に目覚め、自分の犬を鍛えてシェパードと闘わせてしまう。

二九三　＊巴丹杏と市民　室生犀星の小説。昭和五年八月、『新潮』に発表。市長山森は、敵対する党派に属する鷲見の娘チヨを家に引き取り、身ごもらせてしまう。事実が新聞に暴露され、やがてチヨは自殺。市民は集会を開き、鷲見を演壇に乗せるが…。

＊実体鏡的戯れ　「実体鏡」は立体鏡。立体カメラで撮影した二枚の写真を用いて映像を立体的に見る装置。

二九五　*嶮岨　けわしいこと。

二九五　*蕭殺　秋風が草木を枯らしきったような、ものさびしいさま。

谷崎潤一郎

二九六　*谷崎潤一郎　小説家。明治一九年（一八八六）東京生れ。作品に「刺青」「痴人の愛」「卍」「蓼喰う虫」など。昭和四〇年（一九六五）没。

二九六　*潤一郎。人及び芸術　昭和二年（一九二七）三月、『改造』に発表。「文芸一夕話」は昭和三年七月、改造社から刊行。

二九七　*奔放不羈　「不羈」は束縛されないこと。

二九八　*中学　明治三二年（一八九九）に制定された旧制の中学校。著者は大正四年（一九一五）四月（一二歳）から九年三月（一七歳）まで、東京府立第一中学校に在学した。

*人魚の嘆き　谷崎潤一郎の小説。大正六年一月発表。巨万の富を持ち、ありとあらゆる歓楽に倦んだ南京の貴公子は、ある日、西洋人から美しい人魚を手に入れる。たちまちその麗しさに魅入られて、恋に落ちる。

*愛新覚羅　中国、清朝の帝室の姓。満州語ではアイシンギョロ。

*刺青　彫りもの。いれずみ。谷崎潤一郎が明治四三年一一月、『新思潮』に発表した小説「刺青」（五二四頁参照）をふまえていっている。

*個人主義思想　ここで言われている「個人主義」は、自己凝視・自己批評によって個人としての自己の発見、自己の確立を希求する態度、姿勢の意。

二九九 *無碍 障害やさまたげのないこと。

*唯美派 人生や芸術の最高の価値を、美の創造・享受におく立場。耽美派ともいう。

*ゴンクウル兄弟 フランスの小説家。Edmond de Goncourt（一八二二〜九六）と Jules de Goncourt（一八三〇〜七〇）。共同で膨大な資料に基づく歴史研究や評伝、実話を元にした小説等を著した。引用は兄弟の「日記」一八六一年冒頭の記述から。

三〇〇 *ジェルミニイ・ラセルトゥ Germinie Lacerteux ゴンクール兄弟が一八六四年に発表した実話小説。彼らが雇っていた女性の陥った悲劇に基づく。自然主義小説の嚆矢(こうし)とされる。

*発祥の本国 フランス。

*コント Auguste Comte フランスの実証主義の哲学者。四六二頁参照。

*ベルナアル Claude Bernard フランスの生理学者。一八一三〜七八年。実験医学を樹立、主著「実験医学序説」は自然主義の方法論に強い影響を与えた。

*テエヌ Hippolyte Taine フランスの哲学者、批評家。四四九頁参照。

*ルナン Ernest Renan フランスの思想家、宗教史家。一八二三〜九二年。テーヌとともにフランスの実証主義を代表する。特にキリスト教の学問的・歴史的研究で内外に知られた。

三〇一 *身辺雑事小説 「心境小説」にほぼ同じ。作者が自分の身のまわりの生活事実をとりあげて描写した小説。

三〇二 *ポオ或はボオドレエルの… ボードレールはポーの作品のほとんどを仏訳した。

三〇三

＊震駭　体がふるえるほど驚くこと。あるいは恐れること。

＊ドグマ　dogma（英）ここでは、個人の信条のこと。元来はギリシャ語で、個人の信念や見解の意。のちにラテン語化され、キリスト教の教義や信条を意味する言葉としても用いられる。

＊饒舌録　谷崎潤一郎のエッセイ集。昭和二年（一九二七）二月から一二月まで『改造』に連載、昭和四年一〇月、改造社から刊行された。

＊神童　谷崎潤一郎の小説。大正五年（一九一六）一月、『中央公論』に発表。

＊鬼の面　谷崎潤一郎の小説。大正五年一月、『東京朝日新聞』に発表。

三〇四

＊恐駭　恐れ驚くこと。

＊ユウレカ　Eureka　宇宙を論じたポーの散文詩。ユリイカ。題名は、古代ギリシャの数学者アルキメデスが、王冠に使われた金の含有量の測定法を、湯船からこぼれた湯を見て思いつき、「ヘウレーカ」（わかったぞ）と叫んで裸で外に飛び出したという故事に基づく。

三〇五

＊アレゴリイ　allegory（英）、allégorie（仏）　寓意。ある事柄や思想などを、類似した具体的な事物によって暗示的に表現すること。

＊ベルフリイのデヴィル　The Devil in the Belfry　ポーの小説「鐘楼の悪魔」のこと。鐘楼の大時計とキャベツだけが自慢のオランダの古い町に、ある日悪魔がやってきて、鐘楼に飛び上がり、大鐘にいたずらをして町の人々を混乱に陥れる。

＊魔術師　谷崎潤一郎が大正六年（一九一七）一月、『新小説』に発表した小説。三一二

頁参照。

＊シャルラタニスム　charlatanisme（仏）「charlatan」は、大道でおもしろおかしい口上を述べて薬などを売りつける者のこと。そこから、ほら吹き、いかさま、ぺてん、山師気質などの意を表す。

三〇六　＊鮫人　谷崎潤一郎の小説。大正九年（一九二〇）一～一〇月、『中央公論』に連載。

三〇七　＊病蓐の幻想　谷崎潤一郎の小説。大正五年一一月、『中央公論』に発表。

＊稟性　天からさずかった性質。うまれつきの天性。稟質。

＊バルザック　Honoré de Balzac　フランスの小説家。一七九九～一八五〇年。「人間喜劇」と総称される九一篇の長短篇小説がある。

＊ベット　「人間喜劇」中の一篇「従妹ベット」La Cousine Bette のこと。著者が言及しているのは、主人公の一人リスベット（ベット）がパリのソーセー街に住むクルヴェル氏を訪れる場面。

三〇八　＊饒太郎　谷崎潤一郎の小説。大正三年九月、『中央公論』に発表。

＊富美子の足　谷崎潤一郎の小説。大正八年六～七月、『雄弁』に発表。

＊マゾヒスム　masochisme（仏）被虐趣味。他者から肉体的・精神的苦痛を受けることで性的満足を得ることをいう。この種の人物を作品に描いたオーストリアの小説家ザッヘル・マゾッホ（一八三六～九五）の名に由来する。サディスムの対極。

＊フェチシスム　fétichisme（仏）性的倒錯の一種。異性の衣類や装身具、身体の一部などに対して異常な愛着を示し、それによって性的満足を得ることをいう。元来は呪物

崇拝・物神崇拝の意。

＊刺青　谷崎潤一郎の小説。明治四三年（一九一〇）発表。美女の肌に己れの魂を彫りこむことを悲願とする刺青師清吉は、やがてその夢を叶えるが…。永井荷風に激賞され、谷崎の出世作の一つとなった。

＊悪魔、続悪魔　谷崎潤一郎の小説。「悪魔」は明治四五年二月、「続悪魔」は大正二年（一九一三）一月、いずれも『中央公論』に発表。帝大に通うため上京してきた佐伯には、神経衰弱の気味があった。逗留した叔母の家で、従妹の照子の誘惑と、書生の鈴木の嫉妬との板挟みになり、ますます神経を病んでいく。

＊羹　谷崎潤一郎の小説。明治四五年七月～大正元年一一月、『東京日日新聞』に連載。一高生の橘宗一は、かつて自分の家にいたが今は小田原の生家にいる美代子と密かに恋をし、結婚の約束をする。が、相手方の家の事情が許さず、次第に夜の街の歓楽に耽り始める。

三〇九

＊神と人との間　谷崎潤一郎の小説。大正一二年一月～一三年一二月、『婦人公論』に連載された。悪魔派と呼ばれて世評を得ている作家添田は、友人の開業医、穂積と譲りあったすえに朝子と結婚する。しかしまもなく添田は家をあけるようになり、朝子への愛と憂慮と添田との確執で、穂積は急速に神経を苛まれていく。

三一〇

＊異端者の悲しみ　谷崎潤一郎の自伝的小説。大正六年七月、『中央公論』に発表。

＊金と銀　谷崎潤一郎の小説。大正七年五月、『黒潮』に発表。

＊呪われた戯曲　谷崎潤一郎の小説。大正八年五月、『中央公論』に発表。

三一一 ＊反ワイルド的唯美主義「ワイルド」はイギリスの小説家、劇作家、オスカー・ワイルド Oscar Wilde（四七二頁参照）。ワイルドの唯美主義は、美を追求するあまり、道徳にしばられた社会を否定軽蔑する。

＊不撓 強固な心をもち、困難に屈しないこと。

三一二 ＊牧羊神 牧神。パン。ギリシャ神話の牧畜の神。半人半獣の姿をしている。

三一四 ＊母を恋うる記 谷崎潤一郎の小説。大正八年（一九一九）一月、『大阪毎日新聞』『東京日日新聞』に発表。夢のなかで幼い「私」は「お母さん」を探して歩いている。そこへ子供のころよく耳にした新内流しの三味線の音が聞こえてくる。

＊愛すればこそ 谷崎潤一郎の戯曲。大正一〇年一二月、『改造』に発表。

＊愛なき人々 谷崎潤一郎の戯曲。大正一二年一月、『改造』に発表。

＊韜晦 ここは行方をくらます意。

三一五 ＊痴人の愛 谷崎潤一郎の小説。大正一三年三月から『大阪朝日新聞』に連載、同年一一月から続篇を『女性』に連載。河合譲治はカフェーで働く少女ナオミを見そめて養育し、自分の思いどおりの女にしようとする。が、譲治は逆にその奔放さに魅了され、彼女のいうがままになっていく。

＊愛経 カーマ・スートラ。男女の性愛に関して記した古代インドのバラモン教の文献。

＊此の人を見よ「新約聖書」〈ヨハネによる福音書〉一九章で、ローマの総督ピラトが言った言葉。イエス・キリストを弾劾するユダヤ人たちに対し、ピラトはイエスに茨の冠をかぶせ、紫の衣を着せて、兵卒に平手で打たせるが、「私にはこの人に何の罪も見出

せない」として、辱めを受けたイエスをふたたびユダヤ人たちの前へ連れ出し、彼らに向けて言う。

＊蓼喰う虫　谷崎潤一郎の小説。昭和三～四年（一九二八～二九）、『大阪毎日新聞』『東京日日新聞』に連載。要と美佐子は、すでに夫婦としては冷えた関係になっている。が、小学生の息子を気づかい離婚できずにいる。美佐子には阿曾という恋人がおり、要もそれを容認している。

＊卍　四九七頁参照。

「安城家の兄弟」

三二六　＊里見弴　小説家。明治二一年（一八八八）横浜生れ。この年四三歳。明治四三年、武者小路実篤、志賀直哉らと『白樺』創刊に参加。作品に「善心悪心」「多情仏心」など。昭和五八年（一九八三）没。

＊安城家の兄弟　里見弴の自伝的小説。昭和二年から五年にかけて各誌に分載、昭和六年三月、中央公論社から刊行した。

＊芸道陰陽論　里見弴の随筆。大正一三年（一九二四）六月、新潮社刊の「白酔亭漫記」に収録。

＊善心悪心　里見弴の自伝的小説。大正五年七月、『中央公論』に発表。放蕩生活から足を洗おうと決意した昌造は、数多くの女性との関係を断とうとする。が、元遊女のお京との関係はなかなか切れない。

三一八　＊狷介　自分の意思を固く守って人と相いれないこと。

＊和解　志賀直哉の小説。大正六年（一九一七）発表。長年に及んだ父親との確執の氷解過程が描かれる。

三一九　＊不羈　束縛されないこと。

＊徳富蘇峰　ジャーナリスト、文筆家。文久三年（一八六三）肥後の国（熊本県）生れ。著作に「近世日本国民史」など。昭和三二年（一九五七）没。

＊日日だより　徳富蘇峰が昭和四年四月から『東京日日新聞』と『大阪毎日新聞』の夕刊に連載していた随想。

三二四　＊まごころ　里見弴がその人生哲学を象徴させた言葉。自分の感情・欲望などの自然な発動をさしていわれ、里見はこうした「まごころ」から出た行為であれば世間一般のモラルに反していても許されるとした。先行作品「多情仏心」（大正一一～一二年）の主人公、藤代信之の言行に、最も具体的に示されている。

三二六　＊瑛龍　昌造が贔屓(ひいき)にしていた芸妓。

三二七　＊ジャン・ジャック・ルッソオ　Jean-Jacques Rousseau　フランスの啓蒙思想家。一七一二～七八年。著作に「新エロイーズ」「社会契約論」「エミール」など。

＊懺悔録　Les Confessions　ルソーの自伝的著作「告白」のこと。誕生から五三歳の年まで、自己の内面を赤裸々に語り、日本の近代文学にも強い影響を与えた。

＊葛西善蔵　小説家。明治二〇年～昭和三年（一八八七～一九二八）。その私小説に、酒に溺れ病に苦しむなどの深刻な生活経験を描いた。四六六頁参照。

＊近松秋江　小説家、評論家。明治九年（一八七六）岡山県生れ。作品に「別れたる妻に送る手紙」「黒髪」など。昭和一九年（一九四四）没。

もぎとられたあだ花

三三二　＊イデオロギイ　Ideologie（独）　ここでは、人間がもつ、存在や現象に関する根本的諸観念についての学問的探求、の意。観念学。

＊形而上学　哲学の一部門。事物や現象の本質あるいは存在の根本原理を、思惟や直観によって探究しようとする学問。

三三三　＊現象学　経験された現象を研究対象とする哲学の一部門。Phänomenologie（独）。

＊存在学　存在そのものの本質を問う学問。Ontologie（独）。

＊フッサアル　Edmund Husserl　ドイツの哲学者。一八五九年生れ。現象学の創始者。哲学を厳密な学にするため、意識の対象をいわば括弧に入れて判断を保留し、その上で事実の本質を直観によって把握しなければならないとし、この二重の「還元」の後に残る純粋意識の構造の記述を試みる。著作に「論理学研究」など。一九三八年没。

＊ハイデッガア　Martin Heidegger　ドイツの哲学者。一八八九年生れ。その著「存在と時間」で、存在とは何かを客観的に問うのではなく、人間がある対象を把握する際、すでに予め前提としている存在についての了解を、不安や死への憂慮といった実存的現象の解釈を通して解明しようとした。一九七六年没。

三三四　＊思弁的理智　対象そのものの観察や実践に基づかず、抽象的な思考だけで物事の本質を捉えようとする理性のあり方。

三三五　＊ヒュウム David Hume　イギリスの哲学者。一七一一～七六年。言及の趣旨は、「人間本性論（人性論）」〈第一巻第三部第三節　なぜ原因は常に必然的であるか〉に出る。

＊ライプニッツ Gottfried Wilhelm Leibniz　ドイツの哲学者、数学者、神学者。一六四六～一七一六年。著作に「単子論」「弁神論」「形而上学叙説」「人間悟性新論」など。

＊アトムの不分割性　「アトム」は一般的には「原子」（五一二頁「アトム説」参照）をいうが、ここは「単子」（モナド）のことがいわれている。「単子」はライプニッツによって唱えられた世界の構成単位で、本来、分割することのできない個別的実体。

＊レニンの言葉…　言及の言葉は、ロシアの革命家レーニンが一九一五年に執筆し、死後の一九二五年、『ボリシェヴィク』に発表された「弁証法の問題について」の末尾の文に基づく。

正岡子規

三三七　＊正岡子規　俳人、歌人。慶応三～明治三五年（一八六七～一九〇二）。俳句・短歌の革新に努め、『ホトトギス』派の俳句、『アララギ』派の短歌の祖となった。

＊病牀六尺　正岡子規の日誌的随筆。脊椎カリエスで病臥していた子規が、新聞『日本』に明治三五年五月五日から断続的に掲載した。

＊仰臥漫録　正岡子規の断片的な日記。明治三四年九月から翌三五年七月まで。俳句や略画なども入れ、病床生活を記した。

三三九　＊その歌論など　正岡子規には、「俳諧大要」（明治二八年発表）、「歌よみに与ふる書」（明治三一年発表）等の俳論、歌論書がある。

＊リアリスト　realist（英）現実主義者。ここは理想・空想に走らず、目前の事実を最も重要なこととして考え、行動する人、の意。

＊万葉　「万葉集」。わが国における現存最古の歌集。

＊金槐　「金槐和歌集」。鎌倉幕府第三代将軍、源実朝（建久三〜建保七年〈一一九二〜一二一九〉）の歌集。

フランス文学とわが国の新文学

三四〇　＊学校でフランス文学を…　著者は大正一四年（一九二五）四月、東京帝国大学文学部仏蘭西文学科に入学、昭和三年（一九二八）三月、二五歳で卒業した。

＊ファクタア　factor（英）要因、因子。

三四一　＊ナチュラリスム文学　自然主義文学。四五三頁参照。

三四二　＊サンボリスム　symbolisme（仏）象徴主義。一九世紀後半、フランスの詩壇に興った思潮・運動。客観的表現を重んじた自然主義に対抗して主観的情緒や抽象的思考を表現しようとし、そのため個々の言葉が伝統的、慣習的に持つ意味内容によって描写するのではなく、詩語と詩語とを組合せることで新たな暗示的イメージを喚起し、読者の想像力に訴えた。ボードレール、マラルメ、ヴェルレーヌ、ランボーなど。

三四四　＊プルウスト　Marcel Proust　フランスの小説家。一八七一〜一九二二年。作品に「失われた時を求めて」がある。

＊ジイド André Gide フランスの小説家。一八六九年生れ。評論に「ドストエフスキー」、小説に「贋金つかい」など。一九五一年没。

三四五

＊バレス Maurice Barrès フランスの小説家、評論家、政治家。一八六二～一九二三年。象徴主義の影響を受けた個人主義者から転向し、伝統主義者・国家主義者となった。著作に三部作「自我礼拝」など。

＊ペギイ Charles Péguy フランスの詩人。一八七三～一九一四年。社会主義者から信仰に復帰し、神秘主義的な詩を書いた。詩「エーヴ」など。

＊モオラス Charles Maurras フランスの思想家。一八六八年生れ。芸術の領域ではギリシャ・ローマの古典芸術の復興を説き、思想界では君主制復活を渇望するなどした。著作に「知性の未来」。一九五二年没。

＊詩人は最高の批評家である ボードレールの評論「リヒャルト・ワーグナーと『タンホイザー』のパリ公演」〈二〉に、「批評家が詩人になるということは驚くべきことかもしれないが、詩人が自分の裡に批評家を蔵しないということは不可能だ」とある。

＊マラルメ Stéphane Mallarmé フランスの詩人。一八四二～九八年。詩に「エロディアード」「半獣神の午後」「骰子一擲」など。ここにいう「枯渇」は、マラルメが純粋かつ完璧な詩的表現を求めるあまり、詩が書けないこと、すなわち表現の不可能性を自らの詩の主題とするに至ったことをさしている。

＊ランボオ Jean Nicolas Arthur Rimbaud フランスの詩人。一八五四～九一年。一〇

代の半ばから詩作を始め、詩集「地獄の季節」「飾画」を著した後、二一歳頃には筆を絶って世界を放浪した。

辰野隆「さ・え・ら」

三四六　*辰野隆　フランス文学者。明治二一年（一八八八）東京生れ。東京帝国大学仏蘭西語学仏蘭西文学講座の初代担任者。当時、助教授。日本のフランス文学研究の基礎を築いた。昭和三九年（一九六四）没。

*感佩　深く感じて心に留めること。

三四七　*名著「ボオドレエル研究序説」のこと。昭和四年一二月、第一書房刊。辰野隆の博士論文。

*さ・え・ら　辰野隆が昭和六年六月、白水社から刊行した文学随想集。「さ・え・ら」はça et là。フランス語で「そこここ」「あちこち」の意。

*ロハ　ただ。無料。漢字「只」をカタカナの「ロ」と「ハ」に分けて読んだ語。

*イリュウジオン　illusion（仏）幻覚、錯覚。

弁明——正宗白鳥氏へ

三四八　*感想文　本書所収「『安城家の兄弟』」（三二六頁〜）をさしている。

三五二　*演繹　ここでは、あることを元にして、さらにそこからおし広げて述べる意。本来は、論理学上の用語。四七四頁参照。

三五四　＊幇間　酒席にはべり、面白い話や滑稽な短い芸で客を楽しませる職業の男性。たいこもち。男芸者。

困却如件——津田英一郎君へ

三五五　＊君の公開状　昭和六年（一九三一）八月二四、二五日、『時事新報』に掲載された、津田英一郎の「懐疑する精神―小林秀雄氏への公開状」のこと。

三五六　＊間諜X27　原題は「Dishonored」（名誉を汚されし者）。一九三一年、アメリカ、パラマウント社製作の映画。オーストリアの秘密情報局長にその愛国心を見込まれ、間諜（スパイ）となった娼婦は、ロシアとの諜報戦のさなか、敵国のスパイを愛するようになる。が、彼女の行為は裏切りと見なされ、銃殺される。監督ジョゼフ・フォン・スタンバーグ、主演マレーネ・ディートリッヒ、ヴィクター・マクラグレン。

三五七　＊ムウン・ライト　Moonlight（英）「月光」。ベートーヴェンの「ピアノ・ソナタ第一四番 嬰ハ短調　作品二七―二」のこと。主人公が自室で演奏するその音に紛れて、ロシアのスパイが忍び込んでくる。なお「月光」は後世の呼称で、ベートーヴェン自身の命名ではない。

＊活動　映画の旧称。「活動写真」の略。

＊如件　右に述べたとおりである、の意。

純粋小説というものについて

三五八　＊永井荷風　小説家、随筆家。明治一二年（一八七九）東京生れ。この年五二歳。作品に「あめりか物語」「ふらんす物語」「腕くらべ」など。昭和三四年（一九五九）没。

＊つゆのあとさき　永井荷風の小説。昭和六年一〇月、『中央公論』に発表。カフェの女給の君江は、上京して以来放恣な生活を送り続けている。その結果、愛人の一人、流行作家の清岡に、嫉妬からの様々な嫌がらせを受ける。

三六〇　＊テエヌ　Hippolyte Taine　フランスの哲学者、批評家。四四九頁参照。

＊芸術哲学　Philosophie de l'art　四六六頁参照。

三六一　＊山気　万一の幸運に賭けて投機や冒険を試みる気持。

三六三　＊帰納　個々の具体的事実を比較・対照することで一般的な原理ないし法則を導きだすこと。

三六四　＊水滸伝　中国の長篇小説。山東省の西部、梁山泊に集う一〇八人の英雄豪傑たちの活躍とその悲劇的な最後を描く。宋時代（一二世紀）の歴史を骨子とした英雄伝説を、明代初期（一四世紀）に施耐庵が編纂したといわれる。

＊土偶　土人形。

三六五　＊茅屋　あばらや。

＊幸田露伴　小説家、劇作家。慶応三年（一八六七）江戸生れ。作品に「五重塔」など。昭和二二年（一九四七）没。

＊紅楼夢　中国清時代の小説。作者は曹霑（そうてん）。大貴族賈（か）家の公子宝玉とその従姉妹、薛宝釵（せつほうさ）、

林黛玉（りんたいぎょく）との愛情関係を中心に、賈家の盛衰を描く大河小説。
*士太夫　士大夫。中国の官吏登用試験である科挙の合格者。官僚知識人層のこと。

横光利一「書方草紙」を読む

三六六　*私は曾て…　本書所収「横光利一」一七〇頁参照。
*横光氏　横光利一。小説家。明治三一年（一八九八）福島県生れ。大正一三年（一九二四）、川端康成らと『文芸時代』を創刊して新感覚派運動を展開、この年、昭和六年（一九三一）当時は新心理的手法を推進していた。昭和二二年没。

*こんどの本「書方草紙」。昭和六年一一月、白水社から刊行された。

*私は極力人々の…「書方草紙」中の〈肝臓と神について〉から。

正宗白鳥

三六九　*正宗氏　正宗白鳥。小説家、評論家。明治一二年（一八七九）岡山県生れ。この年五三歳。作品に「何処へ」「牛部屋の臭い」など。昭和三七年（一九六二）没。
*生まざりしならば　正宗白鳥の小説。大正一二年（一九二三）四月、『中央公論』に発表。
*入江のほとり　正宗白鳥の小説。大正四年四月、『太陽』に発表。瀬戸内海沿岸の漁村に暮らす一家の兄妹、そのうち三男で小学校代用教員の辰男は、変人扱いされながら他人には通じない英語を独習している。そこへ、長兄の栄一が東京から帰ってくる…。
三七〇　*泥人形　正宗白鳥の小説。明治四四年七月、『早稲田文学』に発表。それまでまったく

縁談の纏まらなかった守屋重吉は、気乗りのしないまま田舎娘と見合結婚をする。新婚生活に期待はなかったが、事実、妻に情が移るでもなく、ただ味気ないだけの日々を過ごす。

三七一　＊巴里滞在の事を書いた短篇　「六十の手習い」。昭和五年六月、『改造』に発表された。

三七二　＊髑髏と酒場　正宗白鳥のパリ紀行文。昭和六年八月、『改造』に発表。

＊赤毛布　ここは「不慣れな外国旅行者」の意。「ゲット」は「blanket」（英語、毛布）からきた語。明治時代、田舎から都会へ来る者が赤毛布を外套代りとしていたことで、いわゆる「おのぼりさん」をいうようになった。

三七三　＊靖献遺言　江戸中期の儒学者、浅見絅斎（けいさい）（慶安五〜正徳元年〈一六五二〜一七一一〉）の著。中国の屈原・孔明ら忠臣の遺文を集め、略伝を付し、天皇に仕えることのみが大義と説く修身の書。幕末の勤皇の志士たちに影響を与えた。

三七四　＊別荘の主人と留守番　正宗白鳥の小説。昭和七年（一九三二）一月、『文藝春秋』に発表。

＊悦しがらせる　正宗白鳥の戯曲。昭和七年一月、『中央公論』に発表。

梶井基次郎と嘉村礒多

三七七　＊梶井基次郎　小説家。明治三四年（一九〇一）大阪生れ。この年三一歳。昭和七年（一九三二）三月没。

＊嘉村礒多　小説家。明治三〇年山口県生れ。この年三五歳。自らの破滅的な生活を素材として私小説を書く。作品に「業苦」「崖の下」「途上」など。昭和八年没。

*檸檬　昭和六年五月、武蔵野書院刊。大正一四年（一九二五）一月、同人雑誌『青空』に発表された同名の短篇小説を収録する。

*正鵠　的の中心にある黒点。転じて物事の急所。

*のんきな患者　梶井基次郎の最後の小説。昭和七年一月、発表。肺結核を患った吉田は、床について不如意な日々を送っている。母親から世間の風評を聞くなどするうち、自分の思っているよりはるかに現実的で一所懸命な世の中を感じる。

三七八　*導調　Leitmotiv（独）本来は音楽用語で、主導動機、示導動機などとも訳す。歌劇、標題音楽などで、特定の想念、人物、出来事などと結びつけて使われる、特定の旋律・リズム・和声を持つひとまとまりの楽節をいう。ここでは、梶井基次郎のその後の作品にも繰り返し現れる作風の特質が、「檸檬」において最も顕著に現われている、の意。

*丸善　明治二年、福沢諭吉門下の早矢仕有的（はやしゆうてき）が横浜に設立した商社に始まり、現在も和洋書籍や文具などの販売と出版業を営む。「檸檬」の舞台となった丸善は、明治四〇年、京都に再進出し、三条通り麩屋町に開いた木造平屋建ての支店。

三八〇　*メタフォル　métaphore（仏）隠喩。ある観念を表わすために、それに類似、共通した性質を示す別の観念を持つ言葉を用いること。ここでは、作品「檸檬」が梶井基次郎の資質を象徴的に示している、の意。

*城のある町にて　梶井基次郎の小説。大正一四年（一九二五）二月、『青空』に発表。

*ある崖上の感情　梶井基次郎の小説。昭和三年（一九二八）七月、『文芸都市』に発表。

*冬の蝿　梶井基次郎の小説。昭和三年五月、『創作月刊』に発表。

＊桜の樹の下には　梶井基次郎の散文詩。昭和三年一二月、『詩と詩論』に発表。
＊交尾　梶井基次郎の小説。昭和六年一月、『作品』に発表。
＊筧の話　梶井基次郎の小説。昭和三年四月、『近代風景』に発表。
＊器楽的幻覚　梶井基次郎の小説。昭和三年五月、『近代風景』に発表。
＊愛撫　梶井基次郎の小説。昭和五年六月、『詩・現実』に発表。
＊過古　梶井基次郎の小説。大正一五年一月、『青空』に発表。

三八一

＊三好達治　詩人。明治三三年（一九〇〇）大阪生れ。詩集に「測量船」など。昭和三九年没。
＊冷静というものは…　梶井基次郎の小説「冬の日」〈五〉にある、主人公尭の言葉。
＊ある意力ある無常感　梶井基次郎の小説「ある崖上の感情」〈四〉にある言葉。
＊七月二十二日の夜　嘉村礒多の小説。昭和七年（一九三二）一月、『新潮』に発表。かつて世話になった小説家Sの三周忌の前日、「私」は妻とともに遺族を訪れ、その境遇を憐れむ。同時に現在の自分たちの苦境や、前妻の子供の行く末に思いをはせる。

三八二

＊崖の下　嘉村礒多の作品集。昭和五年、新潮社刊。昭和三年発表の同名小説を収録。
＊弱其志強其骨　「老子道徳経」〈第三章〉の「是を以て聖人の治は、其の心を虚しくして、其の腹を満たさしめ、其の志を弱くして、其の骨を強くす」の一部。原典は「それゆえに聖人の統治は、人民の心を虚しくすることによって、人民の腹を満たしてやり、彼らの志（望み）を弱めることによって、彼らの骨を強固にしてやる」の意（小川環樹訳による）。

三八三　＊老子　中国古代、春秋戦国時代の哲学者。生没年不詳。道家の祖。知識や計らいを捨てて自然の教える道に従うことを説く「老子道徳経」を、関守の尹喜の勧めによって語ったといわれる。

＊くだ　とりとめもない言葉。

三八四　＊岡田三郎　小説家。明治二三年（一八九〇）北海道生れ。大正一〇〜一二年、フランスに遊学した。昭和二九年（一九五四）没。

＊人と為り友親を絶す　人づきあいができない性質である、の意。「友親」は友人と肉親。中国唐代、九世紀頃の詩僧寒山の、「吁嗟貧復病」で始まる五言律詩（無題）の第二句。

三八五　＊秋霜烈日　秋の冷たい霜と烈しく照りつける夏の太陽のように、厳しくおごそかなこと。

＊埒があいた　「埒があく」はきまりがつく、けりがつく。

＊アルラン　Marcel Arland　フランスの小説家、批評家。一八九九年生れ。第一次世界大戦後の「不安の世代」を代表する一人。一九八六年没。

＊ストラアホフ　Nikolai Nikolaevich Strakhov　ロシアの哲学者、批評家。一八二八〜九六年。一八五九年末にドストエフスキーと知り合い、交際が続く。一八八三年、「ドストエフスキーの回想」を含む「ドストエフスキー伝」をミルレルとの共著で出版。以下の書簡は、その年の一一月二六日（露暦）付のトルストイ宛のもの。

三八七　＊生別離　嘉村礒多の小説。昭和四年（一九二九）七月、『新潮』に発表。

＊久保田万太郎　小説家、劇作家、俳人。明治二二年（一八八九）東京生れ。小説に「末枯」「春泥」、戯曲に「大寺学校」など。昭和三八年没。

*さわり　作品中、最も感動的な個所をいう。元来は邦楽の義太夫の曲中の聞かせどころの意。

*曇り日　嘉村礒多の小説。昭和五年一月、『新潮』に発表。

*先師芸術院「先師」は亡くなった師匠。「芸術院」は主人公の小説家「私」の師匠「S氏」。そのS氏の戒名が「芸術院善巧酒仙居士」。この戒名は葛西善蔵の実際の戒名でもある。

*矜哀「矜」も「哀」も、ともに哀れむ意。

*彼岸　ここは死後の世界、あの世。仏教用語としては、現世の煩悩を解脱し、涅槃の世界に到達することやまたその境地をさす。

*鞭撻　はげますこと。

三八八　*忖度　他人の心中を推しはかること。推察、推測。

佐佐木茂索「困った人達」

三八九　*佐佐木茂索　小説家、文藝春秋編集者。明治二七年（一八九四）京都生れ。昭和四一年（一九六六）没。

*鎌倉に来てから　前年の昭和六年（一九三一）一一月、母精子とともに東京から移住したことをいっている。

*三里あて　三里ずつ。一里は約四キロメートル。

*困った人達　佐佐木茂索の唯一の長篇小説。昭和六年一二月、白水社刊。

堀辰雄の「聖家族」

三九〇　*堀辰雄　小説家。明治三七年（一九〇四）東京生れ。この年二八歳。昭和二八年（一九五三）没。

*この好短篇の…　堀辰雄は昭和五年（一九三〇）一一月、「聖家族」を『改造』に発表、新進作家として認められた。単行本は同七年二月、江川書房刊、五〇〇部限定。

批評に就いて

三九二　*乙りきに　妙なしゃれをきかせて、一風変った手口で。

三九四　*永井荷風論　谷崎潤一郎が昭和六年（一九三一）一一月、『改造』に発表した「永井荷風氏の近業について（「つゆのあとさき」を読む）」のこと。

*私はあれを読んで…　本書所収「純粋小説というものについて」三五八頁参照。

三九六　*枯れ木も山の賑わい　粗末なものでも、あればそれなりの意味はある、の意の諺。

文章について

四〇三　*佐久間艇長　佐久間勉。海軍軍人。明治一二～四三年（一八七九～一九一〇）。潜水艇を研究して大尉に昇進、明治四一年、第六潜水艇艇長となる。同四三年四月一五日、山口県新港沖合いで潜水訓練中に沈没、事故の詳細を記録しながら一三名の部下とともに殉職した。

現代文学の不安

四〇四　*最近の文芸時評　著者が昭和七年（一九三二）二月、『中央公論』に発表した「梶井基次郎と嘉村礒多」（本書所収）をさす。

*嘉村礒多　小説家。明治三〇年（一八九七）山口県生れ。この年三五歳。昭和八年没。

四〇五　*蒙を啓こう　「蒙を啓く」は、物事に暗い相手に知識を与える、道理を説く、などの意。

*ウォルタア・ルットマン　Walter Ruttmann　ドイツの映画監督。一八八七年生れ。作品に「伯林―大都会交響楽」「鋼鉄」など。一九四一年没。

*世界のメロディイ　Melodie der Welt　ワルター・ルットマン監督によるドイツ最初のトーキー（発声映画）。ある水夫がある女性と船で世界を巡る、これに伴って各地のさまざまな生活が音楽とともに展開する。フィクションを交えたドキュメンタリー映画。一九二九年製作。日本公開は昭和六年（一九三一）。

四〇七　*依然たる　少しも変らずにあるさま。

*エレクトロン　electron（英）電子。マイナスの電荷を帯びた電子は、プラスの電荷を帯びた原子核（陽子）の周囲を回転する。

*エントロピイ　entropy（英）　物体が秩序だった状態から無秩序に向かっていく傾向を量として表したもの。たとえば自然界では閉鎖的環境で温度や物質濃度に高低・濃淡の差がある状態は、やがてその差を失い均衡状態に達する。これを熱力学第二法則で、「孤立系ではエントロピーが増大する」という。したがって、宇宙が閉じられた空間で

あるなら、宇宙は均衡状態に向かい、やがてすべての物質が、運動を引き起す原因となる熱量の差を持たない状態、すなわち死を迎えることになる。

四〇九　＊ロボット robot（チェコ）　チェコの小説家カレル・チャペック（一八九〇〜一九三八）の戯曲「R．U．R．」（一九二〇）に登場する人造人間に作者が与えた名前。日本には大正一二年（一九二三）、標題を「人造人間」として翻訳（宇賀伊津緒訳）紹介された。

＊ラジウムの発見　「ラジウム」radium は放射性元素の一つ。一八九八年にキュリー夫妻が発見した。

＊古典派　古典主義のこと。一七、一八世紀におけるヨーロッパ芸術の全般的な傾向で、古代ギリシャ・ローマの芸術を規範とし、理性、普遍性、均衡、調和などを重んじた。

＊浪漫派　浪漫主義のこと。一八世紀末から一九世紀初頭にヨーロッパで展開された芸術上の思潮・運動。古典派に対抗して自然・感情・空想・個性・自由の価値を主張した。

四一〇　＊実証主義精神　「実証主義」は、観念や想像ではなく、観察・実験によって得られる客観的事実に基づいて物事を説明しようとする考え方。イギリスの経験論やフランスの啓蒙思想を経て、フランスの哲学者、オーギュスト・コント（四六二頁参照）によって体系化された。

＊決定論　宇宙の一切の出来事に、人間の思考・行動も含めて自由を認めず、それらは物理的先行条件の必然的な結果であるとする考え方。

＊自然派　ここは、自然主義者たちの意。「自然主義」は四五三頁参照。

＊ペエタア　Walter Horatio Pater　イギリスの批評家、小説家。一八三九～九四年。ペイター。芸術至上主義を支持し、後世の唯美主義者たちに影響を与えた。評論に「プラトンとプラトニズム」、小説に「ガストン・ド・ラトゥール」など。言及の趣旨は、評論「ルネサンス」所収の〈ヴィンケルマン〉末尾の一節に基づく。

＊弁証法　本来は学問の方法に関する用語。相互に対立する意見や事柄の双方を媒介にしてより高い水準の真理に迫ろうとする態度、あるいは手続きをいう。ドイツ語 Dialektik の訳語。

四一二　＊個人主義という思想　ここで言われている「個人主義」は、国家・社会・特定階級などの集団より、個人の存在を優先し、価値を上位におく考え方。

四一三　＊性格破産者　自分自身を過度に意識する、しかし意志は薄弱で、意識と行動とが乖離（かいり）した病的な人物のこと。広津和郎（四八〇頁参照）が大正六年（一九一七）に発表した小説「神経病時代」の登場人物がその典型とされる。

四一四　＊芥川龍之介　本書三七頁「芥川龍之介の美神と宿命」参照。

＊ドストエフスキイが初めて…　日本に初めて紹介されたのは明治二五～二六年。内田魯庵によって「罪と罰」（第一巻、第二巻）が英語からの重訳で翻訳・刊行された（第三巻、第四巻は未刊行）。

四一五　＊憑かれた人々　ドストエフスキーの長篇小説「悪霊」Besy（「憑かれた人々」とも訳される）をふまえていっている。一九世紀の半ば、農奴解放令によって混乱に陥ったロシアで、無神論に走り革命を企てる青年たち、彼らの思想を「新約聖書」〈ルカによる福音書〉第八章にみえる悪霊、すなわち豚の群れに取り憑くが、豚は湖になだれこんで死んだと記された悪霊に見立て、無神論的革命思想に憑かれた者たちの破滅を描く。なお、「悪霊」を「憑かれた人々」と訳すのは、その英訳「The Possessed」の影響。

四一六　＊文学的価値と政治的価値　芸術の芸術的価値と政治的価値の問題は、昭和三年（一九二八）頃から盛んになった文学論争のテーマ。代表的な論文に、勝本清一郎「芸術的価値・社会的価値」（『三田文学』昭和三年一一月号）、平林初之輔「政治的価値と芸術的価値」（『新潮』昭和四年三月号）があった。

四一七　＊清算　ここはマルクス主義者たちの用語。四九四頁参照。

＊意匠　趣向、デザイン。ここでは特色、独自な主張、などの意。

ヴァレリイの事

四一九　＊ポオル・ヴァレリイ　フランスの詩人、思想家。一八七一年生れ。一九四五年没。

＊レオナルド・ダ・ヴィンチの方法序説　Introduction à la méthode de Léonard de Vinci　ヴァレリーが一八九五年に発表した評論。

＊ヴァリエテ　Variété　五〇〇頁参照。

＊震災　関東大震災。大正一二年（一九二三）九月一日、関東地方とその近辺に起った。

＊アンベル先生　アンリ・アンベルクロード Henri Humbertclaude（一八七八～一九五五）のこと。一高、東大などで教えたカトリックの神父。

四二〇　＊辰野隆　著者が在籍した東京帝国大学仏文科教授。解説五五二頁参照。

四二二 ＊アルベル・チボオデ Albert Thibaudet フランスの批評家。一八七四年生れ。ここで触れられているヴァレリー論は「ポール・ヴァレリー」（一九二三）のこと。一九三六年没。

＊フレデリック・ルフェエブル Frédéric Lefèvre フランスの批評家。一八八九年生れ。「ポール・ヴァレリーとの対話」（一九二六）がある。一九四九年没。

＊ポオル・スウデ Paul Souday フランスの批評家。一八六九～一九二九年。「プルースト、ジイド、ヴァレリー」（一九二七）がある。

＊シャルル・デュ・ボス Charles Du Bos フランスの批評家。一八八二年生れ。著作に「ポール・ヴァレリーの『レオナルド・ダ・ヴィンチの方法序説』」を含む評論集「近似値」全七巻（一九二二～三七）がある。一九三九年没。

＊ライプニッツ Gottfried Wilhelm Leibniz ドイツの哲学者。一六四六～一七一六年。著作に「単子論」など。

四二三 ＊続ヴァリエテ「ヴァリエテⅡ」。一九二九年、ガリマール社刊。

＊モラリテ Moralités 「倫理的考察」。一九三二年五月、ガリマール社刊。

＊現代風景 Regards sur le monde actuel 「現代世界の考察」。一九三一年九月、ストック書房刊。

＊中島健蔵 評論家、フランス文学者。明治三六年（一九〇三）東京生れ。昭和五四年（一九七九）没。

＊佐藤正彰 評論家、フランス文学者。明治三八年東京生れ。昭和五〇年没。

逆説というものについて

四二四　*ルナン　Ernest Renan　フランスの思想家、宗教史家。一八二三～九二年。フランスの実証主義を代表する一人。五二二頁参照。著作に「イエス伝」を含む「キリスト教起源史」など。言及の趣旨は、「哲学的対話及び断片」〈序文〉の記述に基づく。

四二五　*道徳とは左側通行…　芥川龍之介が「侏儒の言葉」に記している言葉。原文は、「道徳は便宜の異名である。『左側通行』と似たものである」。

*将軍　芥川龍之介の小説。大正一一年（一九二二）一月、『改造』に発表。明治の軍人、乃木希典(まれすけ)を、兵士の死の重さを感じることなく、殺戮を平然と眺める人間として描いた。

*乃木将軍　乃木希典。嘉永二年～大正元年（一八四九～一九一二）。明治二七～二八年の日清戦争に歩兵第一旅団長として出征。同三七～三八年の日露戦争では第三軍司令官として旅順攻略を指揮したが苦戦、更迭された。大正元年九月一三日、明治天皇大喪の日に妻静子とともに殉死した。

四二八　*心の貧しきものは幸いなり　「新約聖書」〈マタイによる福音書〉五章三節にあるイエスの言葉。「山上の垂訓」の第一。

年末感想

四三〇　*ファッショ文学　二〇世紀初頭、イタリアとドイツでのファシズムの台頭に呼応し、日本でも民族主義、軍国主義、全体主義、反共主義等を主張するファシストたちが勢力を強め、文学界にもその動きに添ってファシズム支持の小説家が現れていた。

*プロレタリヤ文学　次第に社会主義・共産主義の階級的・政治的文学を志向するようになり、昭和三〜六年（一九二八〜三一）頃には文壇で大きな勢力となった。しかしこの年、昭和七年には、三月からそれらの運動に対する全面的な検挙・弾圧が行なわれて弱体化していった。

*芸術派文学　プロレタリア文学に対抗し、文学を芸術的価値のためだけに行おうとした作家たちの文学。

四三一

*蘆刈　谷崎潤一郎の小説。この年、昭和七年（一九三二）一一、一二月、『改造』に発表された。鎌倉時代の後鳥羽院の離宮跡を訪ね、中秋の名月を愛でていた「わたし」の前へ、見知らぬ男が現れる。男は、毎年京都の巨椋池（おぐらいけ）で月見をするが、今夜もこれから行くところだ、そこには、かつて父が愛した姉妹にゆかりの別荘があって…と問わず語りを始める。

*寝園　横光利一の小説。前半は昭和五年、『東京日日新聞』『大阪毎日新聞』に連載され、後半がこの年、『文藝春秋』に連載された。幼馴染の梶をあきらめ、仁羽を婿に迎えた奈奈江、持株が暴落し、今は破滅も同然の梶、仁羽に秋波を送ってくる木山夫人、義理の妹の藍子、大学院生の高…。ある日、天城での猪狩りで、奈奈江は誤って仁羽を撃つ。

*争う二つのもの　藤森成吉の小説。この年六月、『改造』に発表した。藤森は小説家、劇作家。明治二五年（一八九二）長野県生れ。小説に「若き日の悩み」、戯曲に「磔茂左衛門」など。昭和の初め頃からプロレタリア運動に参加していた。昭和五二年没。

＊青年　林房雄の長篇小説。昭和七年から九年にかけて『中央公論』『文學界』に発表、同九年三月、中央公論社から刊行した。時は幕末、倒幕と攘夷に燃える二人の青年（若き日の伊藤博文と井上馨）が、欧州文明を目のあたりにしてその非をさとり、開国論者となって闘う。

四三二　＊夜明け前　島崎藤村の小説。昭和四年（一九二九）四月から『中央公論』に発表。明治維新前後に木曾山中の旧家に生き、狂死した父の悲劇を軸に維新の理想と現実を描く。この年すなわち昭和七年一月、新潮社から第一部を刊行。以後、昭和一〇年一〇月まで書き継がれた。

四三三　＊ブルジョア文学　マルクス主義の側からは資本主義に与し擁護するものと指弾されるような文学作品。単に金持ち階級の文学という意味でも用いられる。

＊フォイエルバッハ論綱　Thesen über Feuerbach　マルクス（四六四頁参照）が一八四五年に書き、その死後、マルクスの協力者エンゲルス（四七八頁参照）が加筆した「フォイエルバッハ論」（一八八八）の付録「フォイエルバッハに関するテーゼ」として公にされた短文集。引用はその〈八〉で、エンゲルスの加筆訂正個所をマルクスの言葉通りに戻したもの。「フォイエルバッハ」はドイツの哲学者。五〇四頁参照。

四三四　＊指導原理　ある種の行為や運動の基準となる理論。

＊文壇人物評論　正宗白鳥（四六八頁参照）の評論集。大正一五年以降の『中央公論』の文芸時評、演劇時評を集めたもの。昭和七年七月、中央公論社から刊行した。

四三五　＊シラア　Friedrich von Schiller　ドイツの詩人、劇作家。一七五九〜一八〇五年。シラー。作品に「ドン・カルロス」「ヴァレンシュタイン」など。

四三六 ＊心理主義 ここは新心理主義をさす。ジョイスやプルースト、また第一次世界大戦後にフロイトの精神分析学の影響を受けた作家らの小説手法を取り入れた横光利一、川端康成、伊藤整らを中心に論じられた。

＊理智主義 フランス語 intellectualisme の訳語。第一次大戦後、イギリスとフランスに興った文芸思潮。感情や意志、神秘的直観などよりも、知性の働きを重視する立場。主知主義ともいう。日本では阿部知二（四八一頁参照）ら。

＊フォイエルバッハ的人間 フォイエルバッハは、「将来の哲学の根本命題」（一八四三）の中で「人間の本質は、ただ、協同体のうちに、すなわち、人間と人間との統一のうちにのみ含まれている」（松村一人他訳）と述べた。ここでは、そのような社会と自己との関係を自覚している人間ということ。

＊徳田秋声 小説家。明治四年石川県生れ。自然主義の作家とされる。作品に「黴」「あらくれ」「仮装人物」など。昭和一八年没。

＊田山花袋 小説家。明治四〜昭和五年（一八七一〜一九三〇）。日本の自然主義の創始者の一人。作品に「蒲団」「田舎教師」など。

四三七 ＊人間は文字通りの… この引用は、マルクスの「経済学批判序説」〈一―1―a〉から。

＊主辞に重点を置いて… 「主辞」は主語のこと、また次行の「賓辞」は述語のこと。論理学上の命題（「AはBである」など、判断が言語で表現されたもの）を構成する主述関係をさす語。ここでは、社会を主語に、個人を述語になぞらえた場合、立場によって

どちらか一方に重点を置いた表現もありうるが、本来、主語（社会）と述語（個人）は、切り離すことができず、結びついて初めてひとつの意味（現実世界）が成立するということ。

四三八　＊原理的位相　不変の基本的構造。

＊この注解は、新潮社版「小林秀雄全作品」（全二八集別巻四）の脚注及び新潮社版「小林秀雄全集」（全一四巻別巻二補巻三）の補巻に基づいて作成した。　編集部

解説

池田雅延

本書の三四六頁、「辰野隆『さ・え・ら』」で、小林氏はこう言っている。

――辰野隆氏は、私の大学時代の恩師である。而も生まやさしい恩師ではない。私が不良学生として、完全且つ充分なる迷惑をお掛けした処の恩師であってみれば、私の方では甚だ相済まぬ、先生にしてみれば、まことにやりきれない意味での恩師である。まあ、知ってる奴に聞いてみればわかるんだが、仲々どうして不肖の弟子どころの段ではなかったのである。……

小林氏は、そもそも大学へ行く気はなかった。第一高等学校の生徒であったときから本は数冊、同時に読み進めていたというほど独学の気概に燃えて他念はなかった。だが、母親に、大学だけは出ておくれと懇願され、やむなく大正十四年（一九二五）四月、東京帝国大学の仏蘭西文学科に入った。しかし、ほとんど大学へは行かなかった。

そういう「不良学生」だった小林氏は、一高入学の直前に父親に死なれていたということもあって貧乏学生であり、本は辰野氏から借りて読んだ。そのあたりのことは、やはり本書の四一九頁、「ヴァレリイの事」に書かれている。ヴァレリーの「レオナルド・ダ・ヴィンチの方法序説」を読んで感心し、彼の作品と彼に関する評論とを皆読んでしまおうと決心したが本がない。

――丁度そんな時、大学の辰野隆先生が、先生の手元にあるヴァレリイに関する本を全部貸して下さった。これは実に嬉しかった。今でもそうだが、私には本を読む時に、無暗と煙草をすって頭の毛を挘る奇妙に執拗な悪癖がある。従って読む本には、一頁毎に髪の毛と煙草の灰がはさまって行くわけになる。貸す奴はいい災難だが、私の方でもこういう明瞭な証拠があるから、読まぬ本を読んだと言って返せない不便がある。辰野先生は私から本を受け取ると、窓の処でパラパラとやって掃除する。偶々汚れていないと、読まなかったな、と言う、それは家でよく払って来た奴ですなどと弁解しても、一向信用してもらえない、そうなるとこっちも馬鹿々々しいから、勇敢に汚してお返しする事にしていた。今でも先生のところのヴァレリイには全部、先生の払いのこした私の頭の毛がはさまっている筈である。想えば感謝の念に堪えない。

……

辰野隆氏は、東京帝国大学仏文科において、日本人としては初めてフランス文学を講じることのできる助教授の任に就いた人であり、日本におけるフランス文学研究の基礎を築いた大学者であるが、人間としての器量も桁違い(けたちが)に大きく、門下からは何人もの俊秀が勇ましく巣立っていった。だが小林氏は、昭和三年(一九二八)春、巣立ちのときを迎えても「不良学生」だった。後年、小林氏が著書『文芸評論』を出したとき、「思出」と題して辰野氏が書いている(『作品』、昭和六年八月)。大意を摘(つま)めば次のとおりである。

——小林君の卒業論文は「アルチュウル・ランボオ」だった。優れた論文を書き上げた秀才だから、口頭試験にも堂々と答弁するだろうと期待していた。ところが、小林君には、耳から入って口から出る仏蘭西語は価値がない、眼から入って脳漿(のうしょう)を刺激する仏蘭西語以外は用がない。だから、アンベルクロオド先生の口頭試問には一つも答えられなかった。「君は仏蘭西語を話すか」「然り(ウィ)……非常に少し(トレプウ)……」「ランボオの傑作は?」「ランボオ……ランボオ……大詩人(グラン・ポエット)……」、アンベル先生はあきれ返り、傍にいた私もあきれたので、「すげえ仏蘭西語だなあ!」と冷やかした、その時の小林君の言い草が頗る(すこぶ)気に入った、棒立ちに突っ立って私を睨(にら)みつけながら、「及第さして下さい!」、今から考えると、あの時、地獄の季節から抜け出てきたような小林君の恐ろしい目の玉の光で、私は斫断されたらしい。……

本書『批評家失格』の「解説」を、私がこうして小林氏の大学時代の逸話から始めたのは、ここに氏の一生を貫いた「独立独歩」の信念が早くも勇躍しており、その「独立独歩」が名伯楽、辰野隆氏によって鼓舞されたという、類稀な師弟の呼吸をまず読者に伝えたかったからである。そしてその「独立独歩」の信念が、小林氏自身によってより強固に確立され、氏の批評家としての「独立独歩」が敢然と行動に移されたのは昭和八年であったが、本書にはその夜明け前、すなわち、大正十三年から昭和七年に至る時期の暁光が遍満している、そのことを最初に言っておきたかったからである。

小林氏は、こうして東京帝国大学仏文科を卒業したのだが、世間から「東大仏文科卒」と見られたり言われたりすることを内心では疎ましく思っていた。終生「独立独歩」を人生いかに生きるべきかの中心においていた氏にしてみれば、我も我もと世間が寄りかかる「東大卒」という大樹は「非独立独歩」の最たるものであり、不本意きわまりないものだったのである。小林氏は、東京帝国大学を出たのではない、その一角を占めていた「辰野隆塾」を出たのである。

＊

小林秀雄氏は、明治三十五年（一九〇二）四月十一日、東京・神田に生れ、昭和四年九月、「様々なる意匠」によって文壇に登場、以来半世紀、日本の文学史、思想史に近代批評の創始者、構築者と称えられる足跡を印して、昭和五十八年三月一日、八十年の生涯を閉じた。

だが今日、「批評」という言葉は、一般には「批判」や「批難」などと同列に受け取られている。そのため、批評家・小林秀雄の仕事は「批判」「批難」がもっぱらで、下世話に言えば小林秀雄は悪口雑言の名人だったらしいと思いこんでいる人がけっこういる。むろん、そうではない。永年、批評文を書き続けて小林氏が達した境地は、「批判」や「批難」からは一八〇度の対極にあった。そこを一言で言えば、小林氏の批評は「けなす」ではなく「ほめる」だった。批評家生活三十五年を経た昭和三十九年、六十一歳の正月に発表した「批評」（新潮社刊『小林秀雄全作品』第25集所収）にこう書いている。

――自分の仕事の具体例を顧ると、批評文としてよく書かれているものは、皆他人への讃辞であって、他人への悪口で文を成したものはない事に、はっきりと気附く。

そこから率直に発言してみると、批評とは人をほめる特殊の技術だ、と言えそうだ。人をけなすのは批評家の持つ一技術ですらなく、批評精神に全く反する精神的態度である、と言えそうだ。……

ただし、ほめると言ってもお世辞を並べたり追従(ついしょう)したりするのではない。その人をその人たらしめている所以(ゆえん)、平たく言えばその人の持って生まれた星や気質を素早く見ぬき、熟視することを言うのである。

小林氏の、そういう「人をほめる特殊の技術」は、本書のなかにもすでに見ることができる。「井伏鱒二の作品について」「室生犀星」「谷崎潤一郎」「正岡子規」「正宗白鳥」「梶井基次郎と嘉村礒多」「堀辰雄の『聖家族』」などである。これらの文章は、それぞれの作家について小林氏は何を言っているかもさることながら、井伏氏、正宗氏たちのどこをどういうふうにほめているか、そこが肝心である。

そもそも小林氏は、なぜ相手を「ほめた」のか。自分を知るためにである、自分を知って自分の生き方を模索するためにである。誰であれ他人をほめようとすれば、自(おの)ずと相手の美点を見出(みいだ)そうとする、そしてそのうち、美点の先に相手の特異な生まれつきを認め、世間が見逃してきたその生まれつきに驚き、同時にそこを見てとった自分の眼に驚き、昨日までは知る由(よし)もなかった自分、すなわち、そういう眼を授かって生れてきている自分と初めて出会う。ところが、ほめるのではなくけなすときは、手(て)垢(あか)に塗(まみ)れたカードを切って相手を脅すか見栄を張るか、いずれにしても昨日までと変らぬ自分が力むだけである。

こうして小林氏は、「ドストエフスキイの生活」、「モオツァルト」、「ゴッホの手紙」、「近代絵画」、「本居宣長(もとおりのりなが)」……、と書き継ぎ、これぞと思った天才たちをほめて自分自身と出会い続けたのである。

＊

しかし、「批評」という言葉には、「批判」「批難」の他にもさらに厄介なしがらみがまとわりついている。本書の書名「批評家失格」は、ここに収められている「批評家失格Ⅰ」「批評家失格Ⅱ」から採られているが、では小林氏は、自分を批評家として失格者だと思っていたのだろうか……。むろんそうではない。

小林氏にとって、「ほめる」と「けなす」の関係は、「批評」と「評論」の関係と対応していた。文学辞典、人名辞典の類はほとんどが氏を「評論家」としているが、これは辞典の便宜的分類に過ぎない。小林氏は、「評論家」ではない、「批評家」である。批評もジャンルでいえば評論であるから、氏が自分の文章を評論と呼んでいる例は本書のなかにもある。しかし、氏の晩年、幸いにも氏の本を造る係の編集者として謦咳に接した私の記憶に照らして言えば、「批評」と「評論」は氏の意識では画然と区別されていた。氏が日常談話で口にするとき、自分の文章については常に「批評」であり、職業は常に「批評家」であった。

この小林氏の「批評」と「評論」の類別意識は、文壇登場作「様々なる意匠」で切った啖呵からきていた。「様々なる意匠」(新潮文庫『Xへの手紙・私小説論』所収)は、雑誌『改造』の懸賞評論に応じた論文で、時期としては本書に入っている「『悪の華』一面」の次に位置するものだが、そこで氏は「批評とは何か、いかにあるべきか」を鋭く論じた。当時、批評と言えば、月々発表される他人の作品に得手勝手な難癖をつけるか、マルクス主義その他のイデオロギーを振りかざして一刀両断するか、概して言えばそのどちらかであった。そこを衝いて氏は、文学は作者の自意識の表現だ、だとすれば文学作品と交感する批評も評者の自意識の表現でなければならないと言い、「批評とは竟に己れの夢を懐疑的に語る事ではないのか!」と啖呵を切ったのである。さらに翌年、「アシルと亀の子Ⅱ」では「批評するとは自己を語る事である、他人の作品をダシに使って自己を語る事である」(本書九九頁)と、より端的に言い放った。「批評」は、他人を迎えて他人を語り、他人を語ることによって己れを語る、そうやって己れを知る。これに対して「評論」は、他人を捉えて他人を論う、だが、己れを語ることはない、したがって、己れを知ることもない……。

さてそこで、「批評家失格」の「批評家」である。結論を先に言えば、この「批評家」は小林氏が「様々なる意匠」で高唱した「批評家」ではない、「時評家」である。今日でも新聞各紙は月に一度、学芸欄に「文芸時評」を載せるが、あれと同じように月々出てくる小説を捉えて云々する「評論家」、それが「時評家」である。「批評家失格I」が書かれたのは「様々なる意匠」の約一年後であるが、当時、一般には「批評」と言えばほぼ「文芸時評」のことであった。ゆえに「批評家失格」とは「時評家失格」の謂だと解し得るのだが、これはむろん小林氏のアイロニーである、皮肉をこめた逆説である。「様々なる意匠」で世に出てからの一年、自分は批評と呼ばれる文章を書いてきた、だが実を言えば、自分は諸君が待っているような批評、つまり時評には手を焼き通しである、自分には時評ではなくて書きたいものがある、だから自分は時評家失格である、そう言っているのである。

「批評家失格I」の翌月には、二二一頁に入っている「感想」を書いている、これこそまさに「批評家失格の弁」である。

――毎月雑誌に、身勝手な感想文を少し許り理窟ぽく並べ並べして来ている内に、いつの間にか批評家という事になって了った。批評家などと厭な名称である。……

――私は嘗て批評で身を立てようなどとは夢にも思った事がない、今でも思ってはいない。文芸批評というものがそんな立派な仕事だとは到底信ずる事は私には出来ぬ。

……

だが、そうは言いながら、「批評家失格Ⅰ」のアフォリズムは、人間にとって批評とは何か、批評行為とは如何なるものかの洞察に満ちている。小林氏は、これらのアフォリズムを一項一項、原稿用紙に置いていきながら、「時評家」ではない「批評家」への脱皮を図っている、「独立独歩」の生き方を模索している、私にはそう読めるのである。

「感想」には、次のような自問自答も記されている。

――人を賞めても、くさしてもあと口はよくないものである。批評は己れを語るものだ、創作だ、などと言ってみるが、所詮得心のいくものじゃない。……

「批評家失格Ⅰ」に続いて「批評家失格Ⅱ」を発表したのは、昭和六年二月であった。その二年後、昭和八年一月、小林氏は以後三十年にわたって取組み続けるドストエフスキイ論の第一作、「『永遠の良人』」を発表する。次いで十年一月からは同人雑誌

『文學界』で「ドストエフスキイの生活」の連載を開始し、この連載は十二年三月に及んだ。こうして小林氏は、昭和五年以来の宿望、「時評家」から「批評家」への転身を果した。その理由と心境は、十年一月、「ドストエフスキイの生活」の第一回と同時期に発表した「文芸時評に就いて」で精しく読める（『小林秀雄全作品』第6集所収）。

*

晩年、小林氏は、「僕は三十で隠居した」と言っていた。これは、『永遠の良人』を書いた昭和七年十二月、三十歳で「時評」から手を引くことを決意し、八年一月以降、時流に背を向け、「批評」に専念し続けたという意味である。この「隠居」こそは、小林氏の「独立独歩」人生の真の幕開きであった。そしてそれから三十余年、六十歳を超えた昭和四十年六月から十二年余をかけて書き継いだ「本居宣長」（新潮文庫）は、日本の近世の学問を拓いた中江藤樹以下、伊藤仁斎、契沖、荻生徂徠たちをまず一人ひとり紹介して、彼らは皆、独立独歩の学者であったと言い、契沖、徂徠らに続いた本居宣長は、彼らの「独の学脈」をまっすぐ承けて「古事記伝」等を著し、近世の学問に大輪の花を咲かせたとして宣長の足跡を精緻に辿った大著である。その第一歩は、昭和七年のうちに踏み出されていたのである。

小林氏が創始し構築した「近代批評」の「近代」とは、文学であれ絵画であれ音楽であれ、表に見えている作品世界に留まることなく、作品を介して作品の奥にいる作者に会いに行き、作者と密に対(むか)いあう、対話する、というのがその心である。この「近代批評」を世界的視野に立って顧みれば、創始者は十九世紀フランスのサント・ブーヴであった。

ブーヴの名は、本書に入っている「測鉛Ⅱ」「アシルと亀の子Ⅴ」「批評家失格Ⅰ」にも見えているが、「批評家失格Ⅰ」の「毒は薄めねばならぬ、批評文とは薄めた毒だ」(一七二頁)というブーヴの言葉は、彼の断想集「我が毒」から引かれている。その「我が毒」で、ブーヴは次のようにも言っている。

――人間をよく理解する方法は、たった一つしかない。それは、彼等を判断するのに決して急がない事だ、彼等の傍で生活し、彼等が自分の考えを明かし、日に日に発達して、やがてその自画像を、僕等の裡(うち)に描く様になるのを待っている事だ。／故人となった作家に就いても同じ事が言える。読め、ゆっくりと読め、成り行きに任せて置け、そうしているうちに、彼等は、彼等自身の言葉で、彼等自身の姿を描き出すに至るであろう。……

小林氏は、この「我が毒」を全訳するなどして（『小林秀雄全作品』第12集所収）骨の髄までブーヴに学び、小林氏ならではの「日本の近代批評」を打ち立てたのである。「批評家失格Ⅰ・Ⅱ」は、「我が毒」に倣ったとも言えるのである。

先ほど、「ほめる」の例として引いた「井伏鱒二の作品について」以下は、いずれも小林氏が作品の奥にいる作者に会いに行き、その作者という「人間」と話しこんだ対話録である。したがってこれらは、紛れもなく、小林秀雄近代批評の第一世代なのである。

（二〇二〇年五月、元新潮社編集者）

初出一覧

断片十二　「青銅時代」一九二四（大正一三）年一〇月
佐藤春夫のヂレンマ　「文藝春秋」一九二六（大正一五）年二月
性格の奇蹟　「文藝春秋」一九二六（大正一五）年三月
測鉛Ⅰ　「手帖」一九二七（昭和二）年五月
測鉛Ⅱ　「大調和」一九二七（昭和二）年八月
芥川龍之介の美神と宿命　「大調和」一九二七（昭和二）年九月
「悪の華」一面　「仏蘭西文学研究」一九二七（昭和二）年一一月
アシルと亀の子Ⅰ＊※　「文藝春秋」一九三〇（昭和五）年四月
ナンセンス文学　「近代生活」一九三〇（昭和五）年四月
新興芸術派運動　「時事新報」一九三〇（昭和五）年四月
アシルと亀の子Ⅱ＊※　「文藝春秋」一九三〇（昭和五）年五月
アシルと亀の子Ⅲ＊※　「文藝春秋」一九三〇（昭和五）年六月
アシルと亀の子Ⅳ＊※　「文藝春秋」一九三〇（昭和五）年七月
アシルと亀の子Ⅴ＊※　「文藝春秋」一九三〇（昭和五）年八月
文学は絵空ごとか＊※　「文藝春秋」一九三〇（昭和五）年九月
文学と風潮※　「文藝春秋」一九三〇（昭和五）年一〇月
新しい文学と新しい文壇　「婦人サロン」一九三〇（昭和五）年一〇月

横光利一＊※　「文藝春秋」一九三〇（昭和五）年一月
批評家失格Ｉ＊　「新潮」一九三〇（昭和五）年一月
私信――深田久弥へ　「作品」一九三〇（昭和五）年一月
我まま な感想　「帝国大学新聞」一九三〇（昭和五）年一一月
近頃感想　「読売新聞」一九三〇（昭和五）年一一月
物質への情熱＊※　「文藝春秋」一九三〇（昭和五）年一二月
中村正常君へ――私信　「文学風景」一九三〇（昭和五）年一二月
感想　「時事新報」一九三〇（昭和五）年一二月
マルクスの悟達＊※　「文藝春秋」一九三一（昭和六）年一月
文芸時評※　「文藝春秋」一九三一（昭和六）年二月
批評家失格Ⅱ　「改造」一九三一（昭和六）年二月
谷川徹三「生活・哲学・芸術」　「改造」一九三一（昭和六）年二月
井伏鱒二の作品について　「都新聞」一九三一（昭和六）年二月
心理小説＊※　「文藝春秋」一九三一（昭和六）年三月
室生犀星※　「改造」一九三一（昭和六）年四月
谷崎潤一郎　「中央公論」一九三一（昭和六）年五月
「安城家の兄弟」※　「改造」一九三一（昭和六）年六月
もぎとられたあだ花　「時事新報」一九三一（昭和六）年六月
正岡子規　「春陽堂月報」一九三一（昭和六）年六月

フランス文学とわが国の新文学 「新潮」一九三一（昭和六）年七月
辰野隆「さ・え・ら」 「読売新聞」一九三一（昭和六）年七月
弁明——正宗白鳥氏へ 「文藝春秋」一九三一（昭和六）年八月
困却如件——津田英一郎君へ 「時事新報」一九三一（昭和六）年八月
純粋小説というものについて 「文学」一九三一（昭和六）年一二月
横光利一「書方草紙」を読む 「東京朝日新聞」一九三一（昭和六）年一二月
正宗白鳥 「時事新報」一九三二（昭和七）年一月
梶井基次郎と嘉村礒多※ 「中央公論」一九三二（昭和七）年二月
佐佐木茂索「困った人達」 「作品」一九三二（昭和七）年二月
堀辰雄の「聖家族」 「江川書房月報」一九三二（昭和七）年二月
批評に就いて＊ 「都新聞」一九三二（昭和七）年二月
文章について 「帝国大学新聞」一九三二（昭和七）年三月
現代文学の不安＊※ 「改造」一九三二（昭和七）年六月
ヴァレリイの事 「都新聞」一九三二（昭和七）年六月
逆説というものについて 「読売新聞」一九三二（昭和七）年六月
年末感想＊ 「東京日日新聞」一九三二（昭和七）年一二月

＊を付した作品は、『小林秀雄初期文芸論集』（岩波文庫）に収録されている。
※を付した作品は、『小林秀雄全文芸時評集　上』（講談社文芸文庫）に収録されている。

本書は新潮文庫オリジナルである。
底本は、『小林秀雄全作品』（新潮社）に拠った。

表記について

新潮文庫の文字表記については、原文を尊重するという見地に立ち、次のように方針を定めました。

一、旧仮名づかいで書かれた口語文の作品は、新仮名づかいに改める。
二、文語文の作品は旧仮名づかいのままとする。
三、旧字体で書かれているものは、原則として新字体に改める。
四、難読と思われる語には振仮名をつける。

なお本作品中には、今日の観点からみると差別的表現ととられかねない箇所が散見しますが、著者自身に差別的意図はなく、作品自体のもつ文学性ならびに芸術性、また著者がすでに故人であるという事情に鑑み、原文どおりとしました。

（新潮文庫編集部）

大岡昇平著　**俘虜記**　横光利一賞受賞

著者の太平洋戦争従軍体験に基づく連作小説。孤独に陥った人間のエゴイズムを凝視して、いわゆる戦争小説とは根本的に異なる作品。

大岡昇平著　**武蔵野夫人**

貞淑で古風な人妻道子と復員してきた従弟勉との間に芽生えた愛の悲劇――武蔵野を舞台にフランス心理小説の手法を試みた初期作品。

大岡昇平著　**野火**　読売文学賞受賞

野火の燃えひろがるフィリピンの原野をさまよう田村一等兵。極度の飢えと病魔と闘いながら生きのびた男の、異常な戦争体験を描く。

志賀直哉著　**和解**

長年の父子の相剋のあとに、主人公順吉がようやく父と和解するまでの複雑な感情の動きをたどり、人間にとっての愛を探る傑作中編。

志賀直哉著　**清兵衛と瓢箪・網走まで**

瓢箪が好きでたまらない少年と、それを苦々しく思う父との対立を描いた「清兵衛と瓢箪」など、作家としての自我確立時の珠玉短編集。

志賀直哉著　**小僧の神様・城の崎にて**

円熟期の作品から厳選された短編集。交通事故の予後療養に赴いた折の実際の出来事を清澄な目で凝視した「城の崎にて」等18編。

佐藤春夫著

田園の憂鬱

都会の喧噪から逃れ、草深い武蔵野に移り住んだ青年を絶間なく襲う幻覚、予感、焦躁、模索……青春と芸術の危機を語った不朽の名作。

川端康成著

雪国

ノーベル文学賞受賞

雪に埋もれた温泉町で、芸者駒子と出会った島村――ひとりの男の透徹した意識に映し出される女の美しさを、抒情豊かに描く名作。

梶井基次郎著

檸檬（れもん）

昭和文学史上の奇蹟として高い声価を得ている梶井基次郎の著作から、特異な感覚と内面凝視で青春の不安や焦燥を浄化する20編収録。

堀辰雄著

風立ちぬ・美しい村

高原のサナトリウムに病を癒やす娘とその恋人の心理を描いて、時の流れのうちに人間の生死を見据えた「風立ちぬ」など中期傑作２編。

太宰治著

晩年

妻の裏切りを知らされ、共産主義運動から脱落し、心中から生き残った著者が、自殺を前提に遺書のつもりで書き綴った処女創作集。

深田久弥著

日本百名山

読売文学賞受賞

旧い歴史をもち、文学に謳われ、独自の風格をそなえた名峰百座。そのすべての山頂を窮めた著者が、山々の特徴と美しさを語る名著。

三木清著　**人生論ノート**

死について、幸福について、懐疑について、個性について等、23題収録。率直な表現の中に、著者の多彩な文筆活動の源泉を窺わせる一巻。

白洲正子著　**日本のたくみ**

歴史と伝統に培われ、真に美しいものを目指して打ち込む人々。扇、染織、陶器から現代彫刻まで、様々な日本のたくみを紹介する。

亀井勝一郎著　**大和古寺風物誌**

輝かしい古代文化が生れた日本のふるさと大和、飛鳥。歓びや苦悩の祈りに満ちた斑鳩の里、いにしえの仏教文化の跡をたどる名著。

江藤淳著　**決定版夏目漱石**

処女作「夏目漱石」以来二十余年。著者の漱石論考のすべてを収めた本書は、その豊かな洞察力によって最良の漱石文学案内となろう。

福田恆存著　**人間・この劇的なるもの**

「恋愛」を夢見て「自由」に戸惑い、「自意識」に悩む……「自分」を生きることに迷っているあなたに。若い世代必読の不朽の人間論。

河盛好蔵著　**人とつき合う法**

ゲーテ、チェーホフ、ヴァレリー、ベルグソンら先賢先哲の行跡名言から、人づき合いの要諦を伝授。昭和の名著を注釈付で新装復刊。

批評家失格

—新編初期論考集—

新潮文庫　こ－6－12

令和二年八月一日発行

著者　小林秀雄

発行者　佐藤隆信

発行所　株式会社新潮社

郵便番号　一六二—八七一一
東京都新宿区矢来町七一
電話　編集部(〇三)三二六六—五四四〇
　　　読者係(〇三)三二六六—五一一一
https://www.shinchosha.co.jp

価格はカバーに表示してあります。

乱丁・落丁本は、ご面倒ですが小社読者係宛ご送付ください。送料小社負担にてお取替えいたします。

印刷・株式会社精興社　製本・株式会社大進堂

ISBN978-4-10-100712-0 C0195